D0000098

EL PODER CURATIVO DE LOS ALIMENTOS

EL PODER CURATIVO DE LOS ALIMENTOS

integral

Diseño de cubierta: Compañía de diseño
Compaginación: Víctor Igual, S.L.

Pérez Galdós, 36 – 08012 Barcelona
www.rbalibros.com / rba-libros@rba.es

Primera edición: mayo 2010

Ref: OALR226
ISBN – 13: 978-84-9298-109-0
Depósito legal: B.22.015-2010
Impreso por: Novagràfik (Barcelona)

Cómo cura la cebolla. Autor: Francesc Fossas
Cómo cura el limón. Redacción de textos: Francesc Fossas
Cómo cura el ajo. Autor: Josep Lluís Berdonces
Cómo cura el aceite de oliva. Redacción de textos: Laura Alvárez
Cómo cura la miel. Redacción: Guillermo López y equipo de la revista *Cuerpomente*
Cómo curan las algas. Redacción de textos: Rosa Guerrero

Índice

1
Prefacio

Los conocimientos sobre alimentación, nutrición y dietética han experimentado una espectacular evolución en las últimas décadas. En esta última etapa se ha producido un importante avance en el conocimiento de los oligoelementos –pero también en el estudio de las vitaminas, con sus consecuencias sobre la salud en los estados precoces de deficiencia–, y ha abierto nuevas expectativas que ni se sospechaban. Todo ello sin dejar de profundizar en el estudio de los macronutrientes, lo cual ha permitido matizar mucho mejor cuáles son sus efectos sobre el organismo y sus aplicaciones en fisiología y patología.

Sin embargo, es un área demasiado amplia y compleja para pensar que se conoce con precisión. Recientemente, se están abriendo, además, nuevas perspectivas al estudiar los efectos sobre nuestro organismo de nuevos componentes no nutricionales, y no sería de extrañar que empezasen a aparecer evidencias en este sentido. Queda, pues, mucho por saber sobre la alimentación humana. Es tanto como decir que pretendemos conocer nuestra biología y fisiología, nuestra cultura y el medio en el que vivimos.

La alimentación es un fenómeno íntimamente ligado a nuestras vidas, y sea cual sea nuestro camino futuro, seguirá unida a nuestro entorno. Por eso es aconsejable respetarla profundamente y modificarla solo en los momentos en que reconozcamos nuestra ignorancia y que somos una pieza más de un rompecabezas tan complejo como maravilloso al que llamamos *vida.*

Si bien por ser un acto cotidiano puede parecernos que conocemos muy bien nuestra propia alimentación, la verdad es que para la mayoría de nosotros esconde seguramente muchos secretos y enigmas. Por nuestra cabeza bailan un montón de datos procedentes de aquí y de allá, que, junto con nuestras propias vivencias, han dibujado nuestro modelo alimentario actual. Ahora bien, muchos de esos datos que tanto nos condicionan no son ciertos: forman parte del bagaje de mitos, medias verdades, falsedades absolutas, opiniones interesadas y equívocas asociaciones que envuelven la alimentación. Muy a menudo, desconocemos también muchas de nuestras posiciones con respecto a los alimentos, porque se sustentan en nuestro mundo inconsciente (ya veremos que existe un estrecho vínculo entre alimentación y psicología).

Conocer esta faceta de nuestra vida y estar bien informados con respecto a nuestra alimentación comporta tomar las riendas de esta, dejar de ser sujetos pasivos y vivirla con responsabilidad. Para ello, es necesario conocer los alimentos con los que habitualmente estamos en contacto, su composición, sus posibilidades, sus limitaciones... En el marco de este objetivo se encuentra este libro, que pretende dar a conocer los aspectos prácticos más interesantes y mejor contrastados de algunos de los alimentos más habituales en nuestras despensas.

Conocer nuestros alimentos es indispensable para planificar nuestra alimentación, de modo que se cubran las expectativas higiénicas, nutricionales y organolépticas que de ellos nos hacemos.

Pero el mundo de los alimentos es extraordinariamente amplio y complejo y a los aspectos de orden biológico señalados se deben añadir los aspectos culturales. Conocer la historia del hombre es conocer la historia de sus alimentos y viceversa. El hombre ha sido y es lo que es porque ha habido unos alimentos que lo han sustentado, y cada uno de ellos ha tenido sus «andaduras» particulares hasta llegar a su situación actual. Y la de hoy tampoco es una situación estable, sino en constante cambio en función de todas las demás influencias del entorno.

Por ejemplo, los hábitos alimentarios han registrado desde mitades de este siglo cambios tan espectaculares que casi resulta difícil realizar cualquier comparación con los tiempos pasados. Nuestra alimentación se parece muy poco a la de nuestros abuelos, con sus ventajas e inconvenientes; se vive hoy, en el mundo económicamente desarrollado, una situación nueva con respecto a la relación histórica hombre-alimento: hay más oferta de alimentos que demanda. Hay muchos alimentos que han aparecido y otros que prácticamente han desaparecido. Se está interviniendo a nivel genético en las materias primas alimentarias de siempre para obtener nuevas variedades de plantas y de especies animales. Hoy los alimentos se adquieren, conservan y preparan como nunca se había hecho. Algunos de los grandes interrogantes son: ¿podrán nuestros organismos hacer frente a tanta modificación o se verá superada su capacidad de adaptación?, ¿son beneficiosos estos cambios para nuestra fisiología?, ¿el motor de la innovación está más de acuerdo con intereses económicos que con el propio desarrollo humano?, ¿corremos el peligro de ser desbordados por la tecnología?, ¿existe criterio y honestidad suficiente para mantener lo válido y desechar lo peligroso?, ¿cuáles son las repercusiones ecológicas de esta nueva situación?...

Puesto que probablemente no estemos preparados para digerir estos cambios tan rápidos, los expertos en nutrición se esfuerzan en la actualidad para que no se pierdan –o para volver a integrar– los alimentos «de siempre» a nuestros hábitos alimentarios actuales.

En este sentido, las palabras del filósofo alemán Ludwig Feuerbach (1804-1872) mantienen hoy una vigencia muy especial: «¿Quiere usted que las personas sean mejores? Pues, entonces, en lugar de predicar contra el pecado, proporcióneles una alimentación mejor. El hombre es según lo que come. La alimentación humana es la base de su cultura y de su orientación».

Así, hablaremos de los orígenes de la cebolla, el ajo, el limón, el aceite de oliva, la miel y las algas, de sus características botánicas y de su cultivo, para abordar, a continuación, los aspectos nutritivos y salutífero de estos alimentos, haciendo especial hincapié en sus usos y abusos, y en las indicaciones y restricciones de su consumo.

Concluiremos comentando algunas de sus aplicaciones prácticas y su gran versatilidad en la cocina, como ingredientes de múltiples platos y diversos preparados.

2
El ajo. Tradición, cultivo y composición

El ajo es un alimento universalmente conocido, pero también una planta con potentes e importantes efectos medicinales. Se podría decir que, si no se tratase de una hortaliza tan extendida, lo más probable es que hoy en día fuera un medicamento de uso común en cualquier ambulatorio de la Seguridad Social. Sin embargo, la situación dista mucho de ser así: su inconfundible y penetrante olor, considerado por mucha gente como altamente desagradable, hace que sea un alimento rechazado o, como mínimo, visto con una cierta prevención por parte de los potenciales pacientes y de los médicos o terapeutas que lo han de prescribir.

Como veremos, esta dicotomía entre rechazo y adoración no es un fenómeno nuevo en la historia de la humanidad, ya que hace milenios que el ajo se mueve en esta paradójica ambivalencia. Sin embargo, en esta época moderna de investigación, los estudios científicos empiezan a ser abrumadores a favor del ajo. Existen miles de artículos que han relacionado el ajo con efectos determinados sobre la salud, muy especialmente en el tratamiento de las enfermedades cardiovasculares (infarto, colesterol, angina de pecho), verdaderas plagas de la sociedad moderna. De ahí que el ajo se puede convertir, en un plazo más o menos cercano, en una verdadera panacea para su tratamiento, si se entiende la panacea no como el remedio universal, sino como el remedio sin efectos tóxicos de importancia. Curiosamente, uno de los primeros medicamentos utilizados por la cultura humana, el ajo, puede constituirse, tras una época de olvido, en una de las grandes alternativas a la farmacopea actual.

Denominaciones

Nombre botánico o de especie: *Allium sativum L.*

Nombre farmacéutico: *Bulbus allí sativa*

Familia: liliáceas
Género: aliáceas
Parte utilizada: bulbo

Castellano: ajo; Catalán: *all*; Vasco: *beratz, baratxuri*; Gallego y portugués: *alho*; Francés: *ail*; Inglés: *garlic, ramson*; Alemán: *Knoblauch*; Italiano: *aglio*; Holandés: *knoflook, look*; Chino mandarín: *da suan*; Japonés: *taisan*; Hindú: *lasan*; Hebreo: *sum*; Sánscrito: *lasuna, ugragandha*; Persa: *sir.*

HÁBITAT

No se conoce a ciencia cierta el lugar de origen del ajo, debido principalmente a que el uso de esta planta es antiquísimo, y su diseminación como planta silvestre y de cultivo se produjo hace milenios. No obstante, se acepta lo que escribió el famoso botánico De Candolle en su libro *Origen de las plantas cultivadas*, quien nos dice que el ajo es una planta originaria de Asia Central, posiblemente de la Kirguisia, en el suroeste de Siberia, y que está naturalizada en toda la cuenca mediterránea, donde se cultiva desde épocas muy remotas, habiéndose extendido a la mayoría de zonas templadas del planeta.

Aun así, el origen verdadero del ajo se desconoce a ciencia cierta, aunque Kirguisia sea posiblemente la única zona de nuestro planeta en la cual el ajo crece de forma espontánea pese a no haber sido cultivado en épocas anteriores.

Otra de las razones que lleva a decantarse por dicho emplazamiento es la dispersión que ha experimentado el ajo, tanto en la gastronomía como en la utilización medicinal, hacia las grandes culturas que rodean esta remota área de Asia Central: hacia el este, el imperio chino; hacia el sur, la cultura hindú, y hacia el oeste, las culturas árabe y europea, civilizaciones todas ellas que conocen este bulbo desde los albores de su historia.

Los aliáceos son un género botánico perteneciente a la familia de las liliáceas, plantas monocotiledóneas que abarcan numerosísimas especies y variedades. Ente los «familiares» más o menos cercanos del ajo común tenemos las cebollas (*Allium cepa*), el cebollino (*Allium schoenophrasum*), el puerro (*Allium porrum*), el ajo de oso (*Allium ursinum*) y muchos otros.

Características

El ajo (*Allium sativum*) es una planta herbácea de la familia de las liliáceas, de unos 20 a 40 cm de altura por término medio, vivaz, debido a su bulbo, denominado también «cabeza».

El bulbo es compuesto y subesférico con aproximadamente una decena de bulbillos, denominados «dientes», envueltos en una membrana que cuando se seca es blanca y sedosa o en otras ocasiones de color purpúreo o escarlata.

Toda la cabeza se halla envuelta por una nueva membrana del mismo tipo que la anterior, que la engloba como si se tratara de un saco. Los dientes, en número aproximado de ocho, se disponen circularmente alrededor del tallo radicular central.

El tallo tiene de 20 a 40 cm de altura, con forma cilíndrica y hojas lineales que lo rodean por su mitad inferior.

Las hojas son largas, estrechas, envolventes, agudas, glaucas, planas y acanaladas por el envés o parte dorsal.

Las flores son blancas o rosadas, y forman una umbela, o cabeza floral globulosa, en el extremo del tallo, la cual se cierra antes de la floración en una especie de cápsula membranosa con una punta muy larga.

Es una planta vivaz, por su bulbo, que germina pasado el invierno. Los dientes de ajo se plantan desde octubre hasta abril, aunque preferentemente deben plantarse en otoño, y se recogen en primavera o al empezar el verano.

La parte medicinal es el bulbo del ajo, aunque en ciertas ocasiones también se han utilizado las hojas del ajo fresco y la piel blanca que recubre los bulbos.

Cultivo

El cultivo del ajo es casi tan antiguo como la historia de la agricultura, y para ello citaremos al famoso historiador Plinio, quien en su *Historia Naturalis* (XIX, 34) comenta que para que el ajo no se convierta en una hierba hay que doblar el tallo y cubrirlo con tierra, mientras que para que no produzca semillas basta con retorcer el tallo.

El terreno de cultivo para el ajo exige unas condiciones similares a las de la cebolla; el suelo debe ser soleado, rico en materia orgánica y especialmente en fósforo, siendo las sales ricas en ese elemento y el estiércol los mejores abonos que puede tener.

Las labores deben comenzar unos seis meses antes de la plantación y deben dejar el terreno mullido y esponjoso en profundidad. Consistirán en una labor de arado profunda (30-35 cm) seguida de 2 o 3 rastreadas cruzadas. Con esta primera labor se enterrarán los abonos orgánicos.

Plantación

No se plantan semillas sino bulbillos o dientes de ajo. Hay que sembrar –preferentemente cuando la luna está en fase menguante, según las antiguas tradiciones y los estudios de la agricultura biodinámica– las cabezas con la punta hacia arriba. Cuando se siembran boca abajo, muchas veces se desarrollan mal formadas.

La plantación se suele realizar en octubre o noviembre, aunque a veces se efectúan siembras tardías a finales de diciembre y principios de enero. Como curiosidad, hay que señalar que existe un refrán que dice «tantos ajos pierde el ajero como días tiene enero», haciendo referencia al hecho de que, una vez pasado enero, los ajos ya no medran. El cultivo se lleva a cabo en platabandas o en caballones.

- *Platabandas.* Este método es apropiado para grandes cultivos y para aquellas zonas donde existan dificultades para practicar riegos (zonas de secano). Se realizan con una anchura de 2-3 m y una separación de 0,7-1 m. La plantación se lleva a cabo en hoyos abiertos, dejando 30 cm entre líneas y 20-25 cm entre plantas de una misma línea.
- *Caballones.* Es el sistema más empleado y el más adecuado para cultivar ajos en lugares con problemas de suministro de agua. Los caballones pueden construirse con arados de vertedera alta o con azadones. El ancho de los surcos será de 50 cm y los bulbillos se plantarán a 20 cm entre sí y a 20-25 cm entre líneas. La profundidad a la que se planten dependerá del tamaño del bulbillo, aunque suele ser de 2-3 cm o 4 cm a lo sumo.

También puede cultivarse en arriates, bordeando los cuadros de cultivos hortícolas, colocados en filas, distanciados a 12 cm.

Existe la costumbre en nuestro país de añadir una moderada cantidad de cenizas a las plantaciones de ajo (cuando ya están medio crecidos), las cuales alcalinizan el terreno al gusto de la planta.

En ningún caso deben plantarse ajos detrás de ajos, cebollas o cualquier especie perteneciente a la familia *Liliaceae*. Tampoco es recomendable cultivar ajos después de remolacha, alfalfa, guisantes, judías, habas, espinacas, ni después de arrancar una viña o una plantación de frutales. Los cultivos precedentes al ajo que se consideran más adecuados son: trigo, cebada, colza, patata, lechuga, col y pimiento.

El ajo es un cultivo que por sus características morfológicas cubre poco el terreno y, por tanto, ofrece cierta facilidad al desarrollo de malas hierbas y la evaporación. Es de suma importancia mantener el cultivo limpio de malas hierbas mediante las escardas oportunas, preferentemente manuales.

El riego no es necesario y en la mayoría de los casos puede considerarse perjudicial, salvo en inviernos y primaveras muy secas, y en terrenos muy sueltos.

Los riegos suelen realizarse por aspersión o por gravedad. Las necesidades desde el brote hasta el inicio de la bulbificación son las menores y suelen estar suficientemente cubiertas por las lluvias. Las necesidades más importantes de agua se producen durante la formación del bulbo.

Durante el período de maduración del bulbo, las necesidades de agua van decreciendo, hasta que dos semanas antes de la recolección se hacen nulas.

En las plantaciones de otoño son necesarios 8 meses para llegar a la cosecha y 4 meses o 4 meses y medio en las plantaciones de primavera. La humedad del terreno en contacto con las cabezas ya maduras provoca en las túnicas externas ennegrecimientos y podredumbres, ocasionados por la acción de hongos saprófitos, que a veces deterioran la calidad de la cosecha.

Cuidado

Hay que regar las plantas una vez por semana durante condiciones de sequía, preferiblemente de noche para mejorar el rendimiento del agua y evitar la aparición de hongos. Hay que dejar de regar a finales de julio para permitir que el follaje se torne amarillo y muera antes de la cosecha. Al igual que la cebolla, el ajo tiene un sistema de raíces poco profundo. Las hierbas indeseadas se deben quitar con cuidado para no arrancar los bulbos de ajo.

Cosecha

El momento justo de la cosecha corresponde a la completa desecación de las hojas. Hay que realizar el arranque de las cabezas con buen tiempo. Adelantar en exceso el momento de la recolección produce una disminución de la cosecha y pérdida de calidad.

En terrenos sueltos, los bulbos se desentierran tirando de las hojas, mientras que en terrenos compactos es conveniente usar palas de punta o legones. Actualmente se cosecha de forma mecánica con cosechadoras atadoras de manojos.

Las plantas arrancadas se dejan en el terreno durante 4-5 días (siempre que el clima lo permita) y, posteriormente, se trasladan en carretillas a los almacenes de clasificación y enristrado. A medida que se vayan recogiendo los bulbos, se deberá limpiar la tierra que tengan adherida.

Una vez que los bulbos están limpios, se seleccionan y se clasifican por calibres. Después se envasan en cajas de madera o de cartón de 10 kg o bien en bolsas o sacos de malla (de 0,5 a 20 kg según los gustos del cliente) y finalmente se etiquetan de acuerdo con la normativa vigente.

El enristrado se realiza una vez que los ajos están secos y limpios de tierra. Se arrancan las hojas más exteriores, y, con auxilio de las hojas restantes, se trenzan las cabezas en cadena para facilitar su suspensión en un local seco y ventilado, donde acabarán por perder la humedad que aún pudieran alojar.

Una vez recogido, el ajo pierde la mitad de su peso en el proceso de secado, pero su olor y su sabor se mantienen intactos durante largo tiempo (hasta un par de años) si se conservan en un lugar fresco y seco, aunque no se recomienda conservarlos más de nueve meses después de su recogida, ya que entonces empiezan a perder gran parte de sus propiedades.

Se ha comentado, en el campo de la agricultura ecológica, que cultivar ajos en el huerto evita la aparición de los molestos insectos que parasitan las plantas y pueden echar a perder una buena cosecha. Lo cierto es que en el huerto que hay ajos se volatilizan algunas de las sustancias odoríferas del ajo, lo cual permite, si no matar, sí mantener a raya a las hormigas, pulgones y otros insectos, aunque el ajo en sí no pueda considerarse un insecticida, sino más bien un repelente.

Métodos ecológicos

En el cultivo convencional a gran escala del ajo se utilizan un buen número de productos químicos artificiales para abonar la tierra y para prevenir o cambiar las plagas de hongos e insectos, que no son inocuos. Los plaguicidas pueden producir intoxicaciones graves en los agricultores y trastornos en los consumidores debido a la ingesta de los residuos que están presentes en el ajo comercializado. Es contradictorio buscar los beneficios para la salud del ajo y consumir bulbos que pueden estar contaminados. Los riesgos se eliminan con la producción ecológica, basada en el respeto al medio ambiente y la salud.

Fisiología del desarrollo del ajo

La cabeza de ajo está formada por los dientes, que, una vez plantados en condiciones adecuadas, darán lugar a nuevas plantas.

Un diente de ajo está constituido por un resto de tallo, una hoja protectora que lo envuelve y una hoja transformada en almacén de reservas nutritivas, en cuyo interior, en la base del diente donde se encuentra el resto del tallo, se halla la yema terminal que dará lugar a la nueva planta.

- *Período de dormancia.* Cuando se cosecha el ajo, esta yema terminal reducida a un pequeño abultamiento de menos de un milímetro de diámetro se aletarga. Los dientes entran en un estado de dormancia durante un período variable en función de la variedad o ecotipo y de las condiciones en que se conservan estos dientes.
- *Brotación.* Pasados unos meses (entre 3 y 5 según el tipo de ajo y las condiciones de conservación de la semilla), en el diente, incluso sin plantar, se inicia la actividad de la yema terminal, alargándose en dirección a la punta, al ápice del diente.

La primera hoja que emerge es una protección de las hojitas que darán lugar a la nueva planta y las acompaña hasta romper la costra del terreno, y queda como una funda, sin desplegar el limbo. Durante este tiempo la plantita toma el alimento que precisa de las sustancias nutritivas del propio diente y comienza a emitir las raicillas. La plantación debe realizarse cuando el brote alcanza un 50 % de la longitud del diente; en todo caso, siempre antes de que el brote asome por el ápice del diente.

- *Crecimiento vegetativo*: después de la brotación se van desarrollando las raíces y las hojas de la planta que servirán para transformar las extracciones nutritivas del suelo en tejidos vegetales. Este período termina cuando comienza la formación del bulbo. El crecimiento vegetativo se desarrolla en un espacio de tiempo variable, alrededor de 100 a 150 días según las condiciones de conservación de la semilla y las técnicas de cultivo que se apliquen, característico para cada variedad o ecotipo y muy directamente influido por las condiciones de fotoperíodo, temperatura y humedad.
- *Bulbificación*: es la fase del desarrollo de la planta en que se forma el bulbo. El comienzo de la bulbificación se produce cuando se alcanzan unas condiciones determinadas de temperatura, humedad y fotoperíodo, aplicando técnicas de cultivo convencionales, definidas para cada variedad y ecotipo en un área geográfica determinada. Puede modificarse sometiendo la semilla a condiciones especiales de temperatura o fotoperíodo.
- *Floración*: en condiciones normales de cultivo, las variedades y ecotipos morados (o rojos), chino, gigantes y otros producen tallo floral y flores, generalmente estériles. Las variedades y ecotipos blancos y rosas no desarrollan tallo floral, en condiciones normales de cultivo.
- *Maduración*: en condiciones normales de cultivo, las plantas, a los 25-30 días de la floración, llegan a formar la cabeza, con los dientes bien marcados y las hojas de la mitad inferior de las plantas marchitas, y el seudotallo adquiere una consistencia flácida. En este momento se llega a la maduración de la cabeza de ajo, que se podrá sacar unos días después.

Especies y variedades

Se conocen muchas especies de ajo: el ajo acuático, llamado también «junco florido» (*Butomus umbellatus*), perteneciente a las butomáceas; el ajo blanco (*Allium neapolitanum*), con flores ornamentales blancas; el ajo de oso (*Allium ursinum*), rico en aceite etéreo, usado en medicina popular, que vive en los bosques frescos; el ajo pardo (*Allium scorodoprasum*), cuyos bulbillos se usan como la escaluña y, si se plantan en tierra, dan un bulbo azucarado y aromático parecido a la cebolla. Los dos últimos se emplean como condimento en ensaladas, platos de verdura, salsas, sopas y quesos frescos.

Aunque existen más de trescientas variedades de ajo en todo el mundo, la casi exclusiva multiplicación por bulbillos confiere al ajo una gran estabilidad de caracteres, lo cual explica el número limitado de variedades botánicas cultivadas, siendo la «blanca» o «común» la que prevalece en todos los países. Los principales grupos varietales son:

- *Ajos blancos.* Son rústicos, de buena productividad y conservación prolongada. Suelen sembrarse en otoño. Los dientes son gruesos y carnosos y se consumen principalmente secos.
- *Ajos rosados.* Poseen las túnicas envolventes de color rojizo. Se plantan en primavera y suelen presentar un número mayor de dientes, aunque de menor tamaño. No se conservan muy bien.
- *Ajo tailandés.* Conocido como *head garlic.* Las plantas crecen tan juntas que impiden el desarrollo del típico bulbo formado por varios dientes, por lo que el ajo es pequeño. En Tailandia, estos pequeños bulbos se consumen crudos o bien se añaden a los adobos picantes o a las gambas fritas. Sin embargo, resultan prácticamente desconocidos en Europa.
- *Ajete* o *ajo tierno.* Este es el tipo de ajos que se cultiva en cualquier época del año, se utiliza mucho para elaborar tortillas y revueltos. Su composición es similar a la del ajo, pero menos concentrado en nutrientes y otras sustancias por su mayor contenido de agua.

Existen otras variedades de menor importancia, pero una de reciente introducción (desde 1990), el ecotipo chino, está desplazando al rosado.

Una clasificación de las variedades de ajo se basa en distinguir si son de «cuello duro» o «cuello blando».

Las variedades cuello duro (*Allium sativum var. ophioscorodon*) producen un tallo con flores (técnicamente un escapo) y se reconocen por los bulbillos o hijuelos que brotan. Las flores, si es que se producen, usualmente mueren. Los bulbillos (hijuelos) se forman en la parte superior del escapo. Los tallos de algunas variedades de ajo de cuello duro son torcidos y enrollados de una manera distinta. Estas variedades se denominan rocombole o serpentina. Por lo general, las variedades de ajo de cuello duro tienen de cuatro a doce dientes que envuelven el tallo. Debido al cuello duro del tallo, son difíciles de trenzar y se comercializan en manojos. Otra desventaja de las variedades de cuello duro es que no se almacenan bien, y empiezan a formar raíces o a secarse unos meses después de la cosecha.

Las variedades de cuello blando (*Allium sativum var. sativum*) a veces se conocen como variedades de alcachofa y no producen hijuelos. Estas variedades son las de más éxito comercial. Las variedades de cuello blando generalmente rinden mejor que las variedades de cuello duro porque toda la energía se utiliza para producir la cabeza y no los hijuelos. Las cabezas tienen entre 10 y 40 dientes que se acomodan en capas. El ajo de cuello blando tiende a tener una vida en anaquel más larga que las variedades de cuello duro y, por lo general, se puede almacenar de 6 a 8 meses sin deteriorarse significativamente. También son fáciles de trenzar.

Las variedades elefante, porcelana o grancabeza (*Allium ampeloprasum*) están más emparentadas con la familia del puerro que con la del ajo. Esta variedad elefante produce un bulbo más grande que el ajo normal. También se almacena bien. El sabor de la variedad elefante es más suave que el del ajo verdadero, pero en climas fríos puede desarrollar un sabor más fuerte o amargo.

Algunas variedades comerciales de ajo en España

Existen más de cincuenta variedades comerciales de ajo inscritas en el Registro Europeo de Variedades de Ajo, y 18 en España. Dos de las principales variedades de ajo son el tipo italiano, de sabor suave, cabeza grande y blanca, formada por aproximadamente 15 dientes, y el tipo español, de menor tamaño, color violáceo y sabor más intenso. De menor tamaño que el italiano, pero también de sabor suave y textura esponjosa, es el denominado ajo elefante de Tahití. Algunas variedades que se hallan en los comercios son las siguientes:

- Blanco común
- Blanco de Chinchón
- Amarillo de Salamanca
- Canario
- Rojo de Provenza
- Redondo del Lemosín
- Rosa temprano
- Morado de las Pedroñeras

- Thermidrone
- Fructidor
- Rosa de Italia

Producción española

El cultivo del ajo en España genera una producción bruta potencial de más de 240 millones de euros y requiere alrededor de 1.500.000 jornales al año. A esto hay que añadir la riqueza que crea en su entorno, como consecuencia de la adquisición de suministros, transportes, trabajos auxiliares y servicios complementarios.

Se cultivan anualmente unas 24.000 hectáreas de ajo, que producen alrededor de 210.000 toneladas de bulbos. Estas cifras colocan a España como el primer país europeo productor de ajos (31 % de la superficie y 37 % de la producción total europea) y el quinto productor mundial.

La comunidad autónoma de Castilla-La Mancha es la cuna del ajo por excelencia: 6.500 familias manchegas de las provincias de Cuenca y Albacete producen el 44 % de los ajos españoles.

Destaca sobre todos el ecotipo denominado «ajo morado de las Pedroñeras», que ocupa 6.000 hectáreas. Esta planta madura del 15 al 30 de junio o del 1 de julio en adelante. El bulbo está compuesto de 8 a 10 dientes de color morado y protegidos por una túnica de color blanco. Presenta un olor fuerte y un gusto picante y estimulante.

Componentes principales

Un diente de ajo nos provee solo de 7 calorías de energía, teniendo además 31 mg de proteínas, 1,4 mg de calcio y cantidades nada despreciables de fósforo, hierro, sodio, potasio y vitaminas B1, B2, B3 y C. El ajo contiene una elevada cantidad (del 15 % de la planta fresca hasta el 75 % de la seca) de azúcares reducidos y fructosanos. Aún así, y tal como decían los botanistas antiguos, el ajo «tiene poco nutrimento» debido especialmente a que se consume en cantidades pequeñas. A principios de siglo, sin embargo, se tenía otra opinión del ajo, ya que se pensaba que la mayor parte de sus virtudes medicinales eran debidas a su contenido en vitaminas A, B1, B2 y C, cosa que hoy en día se ha descartado, ya que, aunque el ajo las contiene, estas no están en cantidad suficiente como para explicar sus efectos medicinales.

LOS DIEZ MAYORES PRODUCTORES MUNDIALES DE AJO (2008)		
País	**Producción (MT)**	**Nota**
China	12.088.000	F
India	645.000	F
Corea del Sur	325.000	F
Rusia	254.000	*
Estados Unidos	221.960	F
Egipto	168.000	
España	142.400	
Argentina	140.735	F
Ucrania	125.000	*
República de China	121.000	F

Sin símbolo = Cifra Oficial, F = Estimación FAO, * = Cifra no oficial
Fuente: Food And Agricultural Organization of United Nations, Economic And Social Department, The Statistical Devision.

El estudio científico de los principios activos o medicinales del ajo se debe inicialmente al alemán Wertheim, quien en 1844 extrajo de los ajos un aceite de olor nauseabundo mediante una corriente de vapor de agua. Fue este químico quien propuso el nombre de *alilo* para designar a una gran cantidad de derivados del *Allium.*

El aceite esencial (que supone del 0,1 al 0,4 % del peso del ajo) se obtiene por destilación de los bulbos machacados. Se trata de un compuesto de olor y sabor muy desagradables, transparente, aunque de color amarillo, pardo o marronáceo, si bien después de someterlo a la purificación es absolutamente transparente, límpido y sin color alguno. Cuando se somete a una temperatura fresca este aceite se vuelve semisólido y forma finos cristales. El Dr. Semmler aisló del aceite esencial de ajo cuatro fracciones, mediante la ebullición de este a 150 °C, que son las siguientes:

- bisulfuro de alilo (60 %), fracción que presenta el típico olor del ajo y que si se somete a purificación resulta absolutamente incolora;
- trisulfuro de alilo (20 %), fracción con un punto de ebullición entre 120 y 122 °C;
- tetrasulfuro de alilo y otros polisulfuros (0,5 %), se trata de una fracción más inestable que las otras y que se degrada con facilidad;
- bisulfuro de alilpropilo (6 %), fracción que conserva un olor que se parece más al de la cebolla que al propio del ajo y que se precipita con cloruro de mercurio.

ESTRUCTURA QUÍMICA DE ALGUNOS PRINCIPIOS SULFURADOS DEL AJO
CH2 = CH - CH2 = S - S - CH2 - CH2 - CH3 Bisulfuro de alilpropilo
CH2 = CH - CH2 - S - S - CH2 = CH = CH2 Bisulfuro de alilo
CH2 = CH - CH2 - S - S - S - CH2 - CH = CH2 Trisulfuro de alilo
CH2 = CH - CH2 - S - S - S - S - CH2 - CH = CH2 Tetrasulfuro de alilo

COMPOSICIÓN DEL AJO (POR 100 GRAMOS)	
Valor energético Kilocalorías	149
Principios inmediatos Hidratos de carbono Proteínas Grasas Agua	33 g 6,36 g 0,1 a 2 g 59 % (varía en función de la frescura del ajo)

COMPOSICIÓN DEL AJO (POR 100 GRAMOS)	
Vitaminas	
Vitamina A	Indicios
Vitamina B_1 (tianina)	0,2 mg
Vitamina B_2 (riboflavina)	0,11 mg
Vitamina B_3 (niacina)	0,7 mg
Nicotinamida	0-5 mg
Vitamina C (ácido ascórbico)	31,2 mg
Ácido fólico	3 μg
Minerales	
Calcio	181 mg
Fósforo	153-200 mg
Hierro	1,7 mg
Sodio	17 mg
Potasio	401 mg
Oligoelementos y otras sustancias	
Selenio	14,2 μg
Manganeso	1.670 μg
Cobre	290 μg
Cinc	1.160 μg
Yodo	3 μg
Níquel	10 μg
Ácido salicílico	8 μg
Principios activos	
Aceite esencial	1-4 g
Bisulfuro de alilo	0,6-2,5 g
Trisulfuro de alilo	0,2-0,8 g
Tetrasulfuro de alilo	0,1-0,4 g
Bisulfuro de alilpropilo	0,06-0,2 g
Aliína	240 mg
Alicina	Variable por su inestabilidad

Fuente: base de datos de nutrientes del Departamento de Agricultura de Estados Unidos (USDA).

Posteriormente, Zwergal aisló otras sustancias similares a partir del aceite esencial de ajo; sustancias como alilvinilsulfóxido, polisulfuros alquílicos y sulfuro de divinilo, sustancias todas ellas también con un alto poder bactericida.

Aunque en menor cantidad o con menor interés terapéutico, en el ajo se han encontrado otras sustancias como isosulfocianato de alilo, un glicósido sulfurado denominado escoldinina A, y su éster fosfórico denominado escoldinina B, sustancias con actividad hormonal, ácido nicotínico, biotina, pectinas, etc.

Contiene además vitaminas A, B y C, así como diversas sustancias con efectos hormonales masculinos y femeninos.

Los principios con propiedades antibióticas son la garlicina y la alisina. El bulbo seco contiene hasta un 60 % de agua.

Los principios medicamentosos del ajo son esencialmente los compuestos a base de azufre, de los cuales se han hallado más de setenta y cinco diferentes hasta el momento. Entre todos ellos quizá los más interesantes son la aliína, el dialilsulfuro, la metionina, el ácido cisteico y el sulfóxido de alilo.

El ajo contiene alicina, citral, geraniol, linalol, felandreno y sulfóxido de S-metil-L-cisteína.

El ajo contiene además la enzima aliinasa, que transforma la aliína en alicina, la cual, en contacto con el aire, le confiere su característico olor penetrante.

Las semillas también contienen un aceite aromático, de composición parecida, ya que es rico en sulfuros orgánicos y vitaminas, yodo y ácido salicílico. Sin embargo, la utilización medicinal del aceite esencial de las semillas de ajo es prácticamente nula, debido a que su elaboración resulta más dificultosa y, por ello, su precio mucho más caro.

Alicina

Como hemos comentado, se atribuyen a la alicina la mayor parte de los efectos terapéuticos del ajo. No es la única sustancia activa entre las que caracterizan a este bulbo, pero entre todas las que contiene posiblemente sea la más eficaz, especialmente como antibiótico bactericida. Esta sustancia parece que previene el crecimiento de hongos que destruirían la capacidad germinativa del diente de ajo.

El doctor Arthur Stoll, médico suizo ganador del Premio Nobel, descubrió en la década de 1940 la aliína, la «sustancia madre» del principio activo más potente del ajo, la alicina. Esta fue descubierta en 1944 por el investigador Chester Cavallito, del laboratorio Sterling Winthrop de Nueva York; no está presente en el ajo en su forma natural, sino que aparece cuando la aliína entra en contacto con la aliinasa. En Rusia aún se la puede encontrar en algunas farmacias, junto a los antibióticos, con el nombre de «penicilina rusa».

La aliína y la aliinasa están presentes en compartimentos separados de la célula vegetal, por lo que deben entrar en contacto para que se produzca la alicina, lo cual se consigue simplemente triturando el ajo. De ese modo se ponen en marcha los mecanismos de modificación bacteriana y enzimática que provocan indirectamente el intenso olor a ajo, si bien este no se debe solo a la alicina. Recientes investigaciones han puesto en evidencia otros precursores, como cicloaliínas y metilaliínas, que en su descomposición producen trisulfuro de metilalilo.

La alicina es un antibiótico muy potente, que se ha demostrado capaz de matar muchos microorganismos incluso a diluciones superiores a una parte entre mil. Además de ello, el uso del ajo a largo plazo no comporta los típicos problemas de destrucción de la flora benéfica que presentan otros antibióticos de tipo sintético.

Proceso de transformación de la aliína en alicina

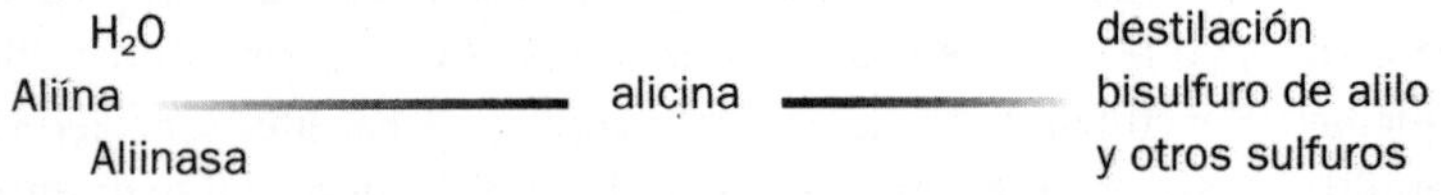

H_2O		destilación
Aliína ———	alicina ———	bisulfuro de alilo
Aliinasa		y otros sulfuros

El típico olor del ajo se produce cuando la enzima aliinasa convierte la aliína en alicina. La alicina ya no está presente en el aceite obtenido por destilación, pues dicho proceso convierte la aliína en bisulfuro de alilo y otros bisulfuros. El esquema de dicha transformación se indica en el cuadro superior.

Como podemos ver, el proceso de degradación del ajo comienza en el mismo momento en que este entra en contacto con el oxígeno del aire, al mezclarse la aliína y la aliinasa (entre otras sustancias). Por ello es difícil establecer una acción definida, ya que la concentración en los principios activos de mayor interés (como por ejemplo la alicina) puede variar enormemente según el tipo de preparación que se realice. De ahí la importancia de consumir el ajo o bien en su estado natural (sin lugar a dudas la mejor preparación medicinal) o bien en alguno de los diferentes preparados farmacéuticos que existen.

Otros productos de la degradación intermedia de la aliína son los ácidos alilsulfínico y alfaaminoacrílico; mientras que como productos finales tenemos el ácido pirúvico, el amoniaco y los bisulfuros de alilo.

Sin embargo, es un error pensar que el único principio activo con actividad bactericida o medicamentosa es la aliína. El ajo, al igual que la mayoría de las plantas medicinales, contiene una gran cantidad de sustancias de composición química similar y con acción medicamentosa parecida. Entre las sustancias con acción bactericida presentes en el ajo, además de la alicina, encontramos las alisatinas I y II, y la garlicina, sustancias cuya fórmula química aún no se conoce con exactitud.

Cuando la alicina se somete al calor, se destruye y se degrada en otros componentes; además, el proceso de transformación de aliína en alicina se ve entorpecido por la desnaturalización y pérdida de propiedades que sufre la aliinasa, que como todas las enzimas es una proteína. Por ello, tanto los extractos o preparaciones de ajo realizados con calor como los guisos que lo incluyen no contienen esta sustancia, pero sí que contienen aliína.

Otros componentes

Existen otras sustancias que se encuentran en la composición del ajo en cantidades significativas y cuyas propiedades son bien conocidas. Algunas son fitoquímicas –sustancias químicas vegetales– con efectos beneficiosos para la salud y otras son nutrientes.

Fitoquímicos

- *Betacaroteno.* Los carotenos son pigmentos de color naranja importantes en el proceso de fotosíntesis. El betacaroteno es una de las dos formas primarias, y después de ser ingerido es acumulado en el hígado, donde es transformado cuando resulta necesario en vitamina A, esencial para la salud de los ojos, las mucosas y la piel. Tiene actividad antioxidante, es decir, combate los efectos dañinos de los radicales libres en el organismo.

- *Ácido cafeico.* Es un ácido carboxílico que se encuentra en la mayoría de frutas y hortalizas, a menudo en formas conjugadas, como el ácido clorogénico. A pesar de su nombre, no tiene ninguna relación con la cafeína. Estudios recientes han sugerido que puede tener efectos cancerígenos. Sin embargo, en las dosis y la forma en que se encuentra en el ajo es inocuo o beneficioso.
- *Ácido clorogénico.* Se trata de un compuesto antioxidante que también reduce la liberación de glucosa en la sangre después de una comida. Así previene la resistencia insulínica y la diabetes. Además, inhibe la acción de agentes promotores del cáncer, tiene efecto antibacteriano y antivírico.
- *Ácido ferúlico.* Tiene efectos beneficiosos significativos sobre la salud gracias a sus propiedades antioxidantes y anticancerígenas, especialmente contra los tumores de pecho e hígado. También se encuentra en los cereales integrales, las manzanas, las alcachofas, las naranjas, las piñas y los cacahuetes. Se utiliza en la fabricación de sustancias aromáticas como la vainillina.
- *Geraniol.* Es un componente aromático del aceite esencial que se utiliza frecuentemente para aromatizar productos de higiene y belleza. Alternativamente, se emplea en la elaboración de repelentes contra insectos.
- *Camferol.* Es un flavonoide cristalino de color amarillento. Se trata de un potente antioxidante que previene el daño oxidativo en las células. Previene la arteriosclerosis e inhibe la formación de células cancerígenas, especialmente cuando se encuentra en el sistema digestivo con otro flavonoide, la quercetina.
- *Linalool.* Es un alcohol terpénico con muchas aplicaciones comerciales, la mayoría de las cuales tienen relación con su aroma agradable (floral, con una nota especiada). También se utiliza en la producción artificial de vitamina E. Se encuentra naturalmente en muchas flores y plantas.
- *Ácido oleanólico.* Posee una potente actividad antibiótica y anticancerígena. Se ha demostrado que es capaz de eliminar dos bacterias que causan la placa dental, así como otros microorganismos. En cuanto al efecto cancerígeno, ha mostrado actividad contra al menos seis tipos de tumores.

- *Ácido paracumárico.* Los ácidos cumáricos son compuestos orgánicos, derivados hidrogenados del ácido cinnámico. El paracumárico es el más abundante en la naturaleza y se encuentra además de en los ajos en los tomates y las zanahorias. Su efecto es antioxidante y se cree que puede reducir el riesgo de desarrollar cáncer de estómago inhibiendo la formación de las cancerígenas nitrosaminas.
- *Floroglucinol.* Se trata de un compuesto fenólico que relaja la fibra muscular y que ejerce una acción antibiótica.
- *Ácido fítico.* Este componente de la fibra del ajo, también llamado inositol hexafosfato, o fitato, ha tenido mala fama porque dificulta la asimilación del calcio, el magnesio, el hierro y el cinc. Sin embargo, en los últimos años se ha fijado más la atención en su aspecto positivo: es un potente anticancerígeno porque arrastra y facilita la expulsión de agentes que favorecen la aparición de cáncer de colon. Este efecto positivo solo se puede esperar del ajo cuando este se ha cocinado bien, lo que permite su liberación. Se utiliza como aditivo conservante (E-391).
- *Quercetina.* Es uno de los flavonoides más activos que existen. Ha demostrado un importante efecto antiinflamatorio al inhibir la producción y la liberación de histamina (esta sustancia corporal es la que causa buena parte de los síntomas de alergia, por eso esta se combate con antihistamínicos). Por tanto, es un remedio natural contra las alergias. Además, posee efecto antioxidante y favorece la acción de la vitamina C. También es anticancerígena y previene la prostatitis, las enfermedades cardiacas, las cataratas y problemas respiratorios como la bronquitis y el asma.
- *Rutina.* También llamada rutósido, quercitina-3-rutinósido y soforina, es un flavonoide presente en las frutas cítricas, el ajo y otras muchas plantas. Tiene la propiedad de ligarse al hierro, evitando así que se oxide y se formen radicales libres muy reactivos que puedan dañar las células. Por ello es uno de los fitoquímicos anticancerígenos más eficaces. Asimismo, fortalece los vasos sanguíneos más pequeños y evita su ruptura. Por eso se recomienda un suplemento con rutina en casos de hemofilia, encías sangrantes o edema venoso de las piernas. Como el ácido ferúlico, reduce la toxicidad del colesterol LDL y disminuye el riesgo de enfermedades cardiacas.
- *Saponinas.* Se encuentran en las capas externas del ajo y funcionan

como una cera protectora. Se cree que en la dieta humana son útiles para controlar el colesterol. Algunas además pueden tener un efecto beneficioso sobre el sistema inmunitario.

- *Stigmasterol.* Es un tipo de fitoesterol que actúa sobre los niveles de colesterol, reduciendo su absorción en los intestinos. Además, puede resultar preventivo frente al cáncer.

Nutrientes

- *Calcio* (CDR*: hombres: 800 mg. Mujeres: 1.200 mg. 100 g de ajo aportan 181 mg). Es el principal constituyente de huesos y dientes. Interviene en la transmisión del impulso nervioso y en el metabolismo muscular. La deficiencia puede apreciarse en una propensión a sufrir fracturas, en la aparición de arritmias cardiacas o de dolores musculares. Otros alimentos que contienen calcio abundante son los productos lácteos, la almendra, el sésamo, el brécol, el puerro, la sardina y la gamba.
- *Hierro* (CDR: hombres: 12 mg. Mujeres: 18 mg. 100 g de ajo aportan 1,7 mg). Es necesario para la producción de hemoglobina, que transporta el hierro. Resulta imprescindible para la utilización de las vitaminas del grupo B. Síntomas de deficiencia son el cansancio, la falta de aliento y la disminución del rendimiento intelectual. Otros alimentos que lo contienen son la carne, el pescado, los cereales integrales, el tofu, los frutos secos y las semillas, las lentejas, las acelgas y las verdolagas.
- *Magnesio* (CDR: 4,7 mg. 100 g de ajo aportan 25 mg). Equilibra el sistema nervioso. Es necesario en la fabricación de material genético y en los procesos de obtención de energía. Ayuda a fijar el calcio en los huesos y dientes. Su deficiencia es de las más habituales y es causa frecuente de calambres musculares y depresión del estado de ánimo. Otros alimentos ricos en magnesio son la soja, los frutos secos, las semillas, el trigo y el arroz integrales, la avena, las verduras de color verde oscuro, las judías y los aguacates.
- *Fósforo* (CDR: hombres: 70 µg. Mujeres: 55 µg. 100 g de ajo aportan 14,2. µg). 800 mg. 100 g de ajo aportan 153 mg). Forma parte de los huesos y, en combinación con ácidos grasos, de las membranas celu-

* Cantidad Diaria Recomendada.

lares y del tejido nervioso. Su deficiencia, muy rara, cursa con la pérdida del apetito y dolores óseos. Los medicamentos antiácidos, si se toman durante un período prolongado, pueden provocar carencia. Alimentos ricos en fósforo son el pescado, los frutos secos, los huevos, la soja, los cereales, las judías, los productos lácteos, las verduras de color verde oscuro y las frutas.

- *Potasio* (CDR: 2.000 mg. 100 g de ajo aportan 401 mg). Fundamental para el equilibrio hídrico corporal. Además, interviene en la regulación de los latidos cardiacos. La deficiencia produce sensación de debilidad, sed, confusión e hipertensión arterial. Se encuentra en casi todos los alimentos vegetales, destacando los plátanos, la fruta desecada, los cítricos y las legumbres.
- *Selenio* (CDR: hombres: 70 µg. Mujeres: 55 µg. 100 g de ajo aportan 14,2. µg). Tiene propiedades antioxidantes que se potencian con la presencia de betacaroteno y vitamina E en otros alimentos. Colabora con el sistema inmunitario y con el hígado en la desintoxicación. Los problemas de fertilidad, los dolores musculares y el envejecimiento prematuro son algunos signos de deficiencia. Se halla también en el pescado azul, las coles, el germen de trigo, las nueces de Brasil y la levadura de cerveza.
- *Cinc* (CDR: 15 mg diarios. 100 g de ajo aportan 1,16 mg). Interviene en la función sexual, en la producción de más de doscientas enzimas, en la cicatrización de las heridas y en la actividad del sistema inmunitario. Son signos de deficiencia la facilidad para contraer gripes y resfriados, el apetito escaso, el retraso del desarrollo sexual, la pérdida de agudeza en el olfato y el gusto, así como las dermatitis. El marisco, la levadura de cerveza, el germen de trigo, las semillas de calabaza, el pan integral, los huevos y los productos lácteos son buenas fuentes de este mineral.
- *Vitamina B1* o *tiamina* (CDR: hombres: 1,2 mg. Mujeres: 0,9 mg. 100 g de ajo aportan 0,2 mg). Es básica en el metabolismo de los hidratos de carbono e interviene en la obtención de energía a partir de las grasas y las proteínas. Síntomas de carencia son la inapetencia, la debilidad, la pérdida de peso, los trastornos gástricos, la irritabilidad inexplicable y los fallos de memoria. Se encuentra en la levadura de cerveza, las legumbres, los cereales integrales, la carne de cerdo, las patatas y algunas hortalizas.

- *Vitamina B2* o *riboflavina* (CDR: hombres: 1,8 mg. Mujeres: 1,4 mg. 100 g de ajo aportan 0,11 mg). Esta vitamina interviene en el metabolismo de los aminoácidos, los hidratos de carbono y las grasas. Enrojecimiento, grietas y fisuras en los labios, lengua o conjuntiva inflamadas, debilidad, fotofobia, hormigueos en las piernas y piel de la cara grasa y escamosa son signos claros de deficiencia de riboflavina. Se halla en el yogur y el queso, en las almendras, los huevos, los champiñones, el pescado azul, el germen de trigo, las legumbres y algunas hortalizas.
- *Vitamina B3* o *niacina* (CDR: hombres: 20 mg. Mujeres: 15 mg. 100 g de ajo aportan 0,70 mg). Es decisiva en la obtención de energía y en las síntesis de ácidos grasos, ácidos biliares y algunas hormonas. Además, activa la vitamina D. La deficiencia se aprecia al observar debilidad muscular, falta de apetito, indigestión, vértigo, dolores de cabeza, depresión leve y erupciones escamosas de color rojo oscuro. Aportan esta vitamina las carnes, el pescado, los quesos, la leche, el yogur, los frutos secos, las legumbres y los cereales integrales.
- *Vitamina C* o *ácido ascórbico* (CDR: 90 mg. 100 g de ajo aportan 31 mg). Interviene en la asimilación de los aminoácidos y el hierro. Colabora con el sistema inmunitario en la defensa ante las infecciones y otros problemas de salud. Participa en los procesos de desintoxicación del organismo. Síntomas de deficiencia son el cansancio, la irritabilidad inexplicable, los dolores en las articulaciones, el sangrado de las encías y el insomnio. Como es sabido, se encuentra en las naranjas, los kiwis, los pimientos rojos crudos, el perejil y las fresas.

El olor del ajo

¿Quién no conoce el olor a ajo? ¿Quién no lo ha sufrido en sus propias carnes? Una de las frases más famosas con respecto a su inconfundible olor la dijo, en 1609, Sir John Harrington, en su libro *The Englishman Doctor*: «Como el ajo puede de la muerte salvar, su hediondo aliento convendrá soportar, y no como algún sabio su virtud desdeñar».

Se dice que la humanidad está dividida en dos tipos de personas: aquellas a las que les molesta el olor a ajo y aquellas a las que no, y a ello añadiría personalmente que este último grupo está en disminución y además en franca minoría. Incluso en las culturas donde el consumo de ajos es o ha sido apreciado, hay personas que rehúyen su olor común. Es evidente que en los países que no tienen tradición culinaria con el ajo, como, por ejemplo, Alemania o Estados Unidos, la sensibilidad hacia el olor a ajo es mucho mayor, e incluso puede suponer una causa de rechazo social.

Quienes no puedan soportar su inconfundible olor, también disponen en el mercado de productos desodorizados a base de ajos que, según las marcas, contienen gran parte de los principios medicinales y parecen no perder sus propiedades terapéuticas.

Los químicos han descubierto que el olor del ajo se debe a la liberación de sustancias azufradas de bajo peso molecular, que presentan unos enlaces químicos raramente encontrados en otras sustancias naturales. Estas sustancias volátiles se transforman muy rápidamente en otras, en una especie de modificación dinámica permanente, muy propia del ajo y de otras plantas de la familia de las liliáceas.

Tiene un alto interés práctico el tipo de preparaciones que se pueden elaborar a partir del ajo, siendo sin duda la piedra angular el cómo ingerir todos, o casi todos, sus principios activos de interés, evitando la contrapartida del olor. Este olor está provocado mayoritariamente por el disulfuro de alilo, uno de los componentes de su aceite esencial, que impregna el aliento al ser eliminado por la respiración, por su presencia en la saliva y por subir desde el estómago. Por ello incluso una limpieza cuidadosa y regular de la boca con cepillo de dientes, pasta dentífrica y gargarismos no basta para impedir que este olor se presente. Quizá se han revelado más efectivos los enjuagues con agua clorada, ya que el cloro actúa sobre el aceite esencial desodorizándolo, pero es una solución pasajera y desagradable, aparte de que lavarse regularmente la boca con agua y unas gotas de lejía o con cloramina al 1 % no puede ser a la larga beneficioso para la salud general ni bucal.

Centrar el tema en la ingestión oral es también una falacia, porque las administraciones rectales (en forma de supositorios o microenemas) o parenterales (en inyecciones) también transmiten el olor a la boca y a las secreciones corporales.

Este es un tema difícil de resolver si no se elimina o reduce el disulfuro de alilo de las preparaciones a base de ajo. Pero ¿cómo conseguirlo sin reducir su efectividad terapéutica? Muchos procesos farmacéuticos lo han intentado, como, por ejemplo, secándolo en una corriente de calor seco y filtrándolo luego con filtros de carbono, pero este proceso reduce e incluso anula una gran cantidad de los interesantes efectos terapéuticos. Ciertas preparaciones alcohólicas más o menos refinadas (no nos referimos pues a la tintura casera de ajos) lo consiguen, pero también con notables reducciones terapéuticas. Últimamente se ha optado por no manipular excesivamente los ajos y escoger algunas variedades menos propensas a presentar el característico olor. Quizá las preparaciones de ajo seco son las que están dando mejor resultado, reduciendo el olor a ajo a un 12 % de los individuos que toman las grageas.

Otro tema importante en el control del olor a ajos es la dosis. Es evidente que 4 dientes de ajo al día provocarán mayor olor que 1, pero entonces se nos plantea cuál es la dosis terapéutica y si tomando más podemos conseguir una mayor acción medicinal. La dosis depende esencialmente del tipo de afección que se desee tratar. En la mayoría de los padecimientos crónicos, como los de tipo cardiovascular (colesterol, hipertensión, arteriosclerosis, etc.), 1 diente de ajo al día o hasta 1 g de los diferentes extractos o píldoras suele ser suficiente para obtener una acción terapéutica aceptable, sin que se haya demostrado que una dosis mayor sea mucho más efectiva. Esta dosis es la que más se plantea en los diferentes estudios clínicos sobre el ajo. Eso sí, en estos casos lo importante es la regularidad de la toma durante largos períodos. En otros casos, especialmente en las enfermedades agudas, y muy específicamente cuando deseemos una acción antiséptica o antibiótica, las dosis más elevadas son recomendables, ya que existe en todos los antibióticos una clara relación entre dosis y efecto; pero en estos casos nos podemos encontrar, si nos vamos de la mano, con que se pueden presentar con mayor intensidad los escasos, pero a veces muy incómodos efectos secundarios negativos del ajo, especialmente la intolerancia gastrointestinal.

3
La historia del ajo como medicamento

La historia del ajo como medicamento es casi tan antigua como la humanidad, y forma parte del acervo medicinal de las grandes culturas antiguas: chinos, indios, egipcios, griegos y romanos conocieron, consumieron y usaron medicinalmente esta olorosa hierba.

El ajo en el Antiguo Egipto

En el famoso papiro egipcio de Ebbers, datado en el año 1550 a. C., ya se dan algunas recetas curativas, 22 de las cuales están hechas a base de ajos; se recomiendan para variadas enfermedades, entre ellas las infecciones, el dolor de cabeza, la faringitis, la debilidad física y los tumores. Este documento, el más antiguo relacionado con el ajo, se remonta a la época del faraón Khnum Khufuie (Keops), de la IV dinastía de Menfis.

Herodoto menciona que los obreros de la pirámide de Giza (500 años a. C.) también utilizaron el ajo por sus virtudes curativas y alimenticias, y especialmente para incrementar su energía física, lo cual quedó grabado en algunos relieves encontrados en ella, donde se especifican el tipo, coste y detalle de los alimentos consumidos por los obreros, entre los que figuraba el ajo. Se deduce que el ajo era un alimento propio de las clases humildes, pues no en vano la mano de obra utilizada para construir estos grandes monumentos en la época faraónica estaba en su práctica totalidad constituida por esclavos.

También la Biblia confirma que el ajo se distribuía entre los esclavos hebreos que construían en Egipto, y que fue la causa de la primera huelga laboral de esclavos que se conoce, cuando dejó de distribuirse en la ración alimenticia. Curiosa paradoja del destino que los esclavos dejen de trabajar por un puñado de ajos, pero esto nos demuestra el gran aprecio que le tenían, y nos explica por qué se lo ha considerado durante muchos siglos como la panacea del hombre pobre.

Durante su estancia en Egipto los hebreos entraron en contacto con este admirable bulbo y, a pesar de la repugnancia que en muchos casos sentían por esta planta que llamaron *sum*, aprendieron a valorar sus virtudes; de ahí que una vez instalados en Palestina la cultivaran con esmero.

Quizá por sus cualidades excitantes y afrodisiacas, los sacerdotes egipcios renunciaban al consumo de nuestro querido ajo, al considerarlo incompatible con las personas que por su elevación espiritual debían ponerse en contacto con las divinidades; y a este respecto nos dice Plutarco: «Se abstenían de la cebolla y del ajo [...]. No eran buenos para los días de ayuno ni para las celebraciones festivas». Sin embargo, la ambivalencia de los sacerdotes hacia el ajo era evidente, porque en las tumbas de los faraones se enterraban también cerámicas y tallas de madera con ajos y cebollas para asegurar que sus comidas, allá, en el otro mundo y de camino hacia el Sol, estuvieran convenientemente aderezadas.

El ajo y la cultura griega

Según comenta Plinio, el ajo era un presente ofrecido usualmente por los egipcios a sus deidades, y Teofrasto escribe que los antiguos griegos solían plantarlo en los cruces de los caminos, como medida de protección.

Los griegos eran unos grandes comedores de ajos y le dieron el nombre de «rosa picante» (*ophioscorodon*). Asimismo, es sabido que el ajo formaba parte de la dieta que seguían los atletas olímpicos.

Pedacio Dioscórides el Anazarbeo, que fue médico de las legiones romanas allá por el año 50 de nuestra era, y que es considerado el primer y gran maestro de las plantas medicinales, nos comenta lo siguiente sobre las virtudes del ajo:

> Hállase un ajo doméstico y hortense, en Egypto, el qual es blanco y tiene una sola cabeça, ni más ni menos que el puerro, los dientes de la qual se llaman en la lengua dorica Aglithes. Ay otra salbage llamado Ophioscorodon, el qual es corrosivo de todas las partes superficiarias del cuerpo. Este comido, expele aquellas lombrizes del vientre, que parecen pepitas de calabaça, y provoca la orina. Tiene todo ajo virtud aguda, y mordicante caliente, expele todas ventosidades, perturba el vientre, enxuga el estómago, engendra sed, digiere los vapores ventosos, desuella el cuero y comido debilita la vista. De mas desto, es util a las mordeduras de las bivoras, del hemorroo, y de qualesquiera otras serpientes, beviendose vino tras el, o dandose deshecho con vino. Aplicase contra los mesmos daños, y puesto en

> forma de emplastro socorre a los mordidos de perros raviosos, a los quales comido es util. Haze que las mudanzas de las aguas no offendan, y clarifica la boz: comido crudo y cozido ablanda la tosse antigua y bebido con cozimiento de orégano mata las liendres y los piojos. Quemado y mezclado con miel, sana los acardenalados ojos, y restituye los cabellos que hizo caer la tiña, si se aplica con azeyte nardino. Cura las vexigas y las pastillas que salen por todo el cuerpo, aplicado con sal y azeyte. Extermina los alvarazos, los empeynes, las pecas, las llagas manantias de la cabeça, la caspa, y la sarna, mezclado con miel. El cozimiento de ajo, cozido con vinagre, relaxa el dolor de dientes si se enxuagan con el. Aplicase majado con hojas de higuera, y cominos, contra las mordeduras que hizo el musgaño. El cozimiento de sus hojas provoca el menstruo, si se sientan sobre el. Sirve también a este effecto, el perfume del ajo. La pasta que se haze del ajo y de las azeytunas negras, llamada Mytoton, si se come, provoca la orina, desopila los poros, y es util contra la hydropesia.

A pesar de tener unas virtudes tan extraordinarias, los dioses griegos no parecían aprobar el humilde ajo, ya que quien lo hubiera comido tenía vetada la entrada a los templos, especialmente a los consagrados a la diosa Cibeles.

El ajo y la cultura romana

Entre los romanos, el ajo fue muy popular y formaba parte de gran número de remedios para las más diversas enfermedades. Sin embargo, la relación no dejaba de ser de amor y odio a la vez, ya que la nobleza rechazaba el uso del ajo. En la mitología romana, esta planta estaba dedicada al dios de la guerra, Marte, y se consideraba el símbolo de las virtudes militares por sus propiedades higiénicas y fortalecedoras.

El famosísimo Galeno lo denominaba la «melaza de los pobres» y lo consideraba una panacea curalotodo.

Horacio lo detestaba, al considerar que las personas que olían a ajo presentaban un aire de vulgaridad, lo cual nos indica lo extendido que estaba en su época el consumo de ajos. Horacio, desde luego, no era muy amigo de los ajos, ya que en otra ocasión los califica como más peligrosos que la cicuta, y nos cuenta cómo él mismo se puso enfermo al consumirlos en la mesa de su amigo Mecenas (el cual estaba celoso de Horacio a causa de la hermosa Lidia). Parece ser que la causa de su «enfermedad» fue que Lidia lo rechazó al notar el olor del ajo.

Celso, el famoso médico romano, lo utilizaba contra la desnutrición y en el tratamiento de las fiebres intermitentes, justo antes de la subida de la fiebre, «*si ne balneum quidem profuit, ante accesionem allium edat*», y catalogó el ajo como una de esas sustancias que por su mal olor eran capaces, en las personas letárgicas, de poner los espíritus en movimiento.

Algunos poetas romanos, como Marcial, elogiaron sus virtudes afrodisiacas, citándolo como un medicamento capaz de despertar la llama vacilante que tienen los viejos esposos.

El término de *Allium* se debe a Virgilio y podría derivar de la palabra céltica *all*, que significa «caliente, picante». El término *sativum* es una contracción de *seminativum* (derivado de *seminis*, «semilla») e indica que se puede sembrar.

El poeta latino Virgilio, en sus Églogas, comenta que el ajo era consumido en gran abundancia tanto por griegos como por romanos; mientras que en el *Appendix Virgiliana* indica que el ajo se utilizaba para dar fuerza y energía a los campesinos, en época de recolección. No es casualidad que en las fiestas en honor de Ceres, la diosa de la agricultura, se comieran grandes cantidades de ajos como augurio de fertilidad, no desligado de un cierto poder afrodisiaco.

La Edad Media

Tal era la importancia del ajo en la medicina que el emperador Carlomagno, en la Baja Edad Media, lo incluyó en sus *Capitularis de Willis*, en las cuales ordenaba a todos los establecimientos dependientes del imperio (conventos, monasterios, castillos, etc.) que cultivaran una serie de plantas medicinales para que sirvieran como botica de reserva en caso de enfermedad. Esta curiosa y sabia orden del gran emperador sirvió para extender por toda Europa una serie de plantas que hasta entonces no eran autóctonas de esta región. Entre ellas, el ajo tenía un lugar destacadísimo.

La Edad Moderna

Andrés de Laguna fue, sin lugar a dudas, el médico más importante de España en el siglo XVI. Segoviano de origen y de familia judía, emigró a Flandes, a Metz, a Colonia y, finalmente, acabó siendo médico del Papa. Fue catedrático en varias universidades europeas y en la de Salamanca, y escribió numerosas obras, entre ellas el *Pedacio Dioscórides Anazarbeo, Acerca de la Materia Medicinal y los Venenos mortíferos*, donde nos dice lo siguiente del ajo, en el año 1555:

> En tan gran differentia como acerca deste capitulo se halla entre todos los Codices Griegos, me parecio ser bien allegarme al antiquissimo, e manuscripto, cuya fe halle siempre hasta agora incorrupta: en el qual leemos que aquel ajo de Egypto, es blanco: y que el salvage tiene virtud corrosiva, e mata las anchas lombrizes: lo qual en los otros se atribuye al domestico. Llamase el ajo domestico en griego Scorodon, y el salvage Ophioscorodon, que quiere dezir serpentina, porque huyen del las serpientes, o porque su tallo tiene algo de la figura de la serpiente. Llamanle algunos Aphroscorodon, que significa espumoso ajo: porque su cozimiento levanta una grande espuma. Es el ajo salvage harto menor que el domestico, aunque en el olor e sabor se paresce a el infinito. Sus hojas son muy estrechas, y el tallo delgado: enzima del qual sale una flor bermeja, con cierta simiente negra. Suelen los boticarios y los medicos imperitos usurpar esta planta por el Scordio legitimo, el qual es semejante al Camedris, e meterla dentro de la Theriaca: y esto engañados de la conformidad de aquestos vocabulos Scordion y Scorodon. Confunden también los medicos ignorantes con el Ophioscorodon otras diversas plantas, conviene a saber, el Scorodoprason, y el Ampeloprason: de las quales aquella primera es una yerva geniçara, quiero dezir, mestiza del ajo, y del puerro, y estotra es el puma salvage, que nace por los prados, y por las viñas.
>
> Espántanse algunos que los ajos aplicados por defuera corroan el cuero y engendren llagas en las partes superficiales, sobre las quales se aplican; y comidos, no offendan a las internas, aun que son muy más delicadas que las externas, empero aquellas no consideran que los ajos cuando se aplican al cuero tienen sus qualidades puras y enteras, y sin moverse nada, perseveran mucho tiempo sobre la mesma parte, lo qual es muy necessario para que las medicinas corrosivas puedan exercitar sus fueros. Mas en los ajos que ordinariamente se comen vemos todo al contrario, porque primeramente cuando se maxcan, pierden mucho de su virtud, la qual se embota con la saliva que con ellos en la boca se mezcla, y despues de maxcados, en decendiendo al estomago, se embuelven con las otras viandas, y con ellas discurren por todo el vientre, sin hazer hincapie o parar en alguna parte. Quieren infamar algunos el ajo, diziendo que engendra ventosidades, a los quales contradize Galeno en la fin del octavo libro de la methodo curativa.

La *theriaca* de la cual habla Andrés de Laguna no es otra cosa que la panacea, o el remedio que todo lo cura, y ya es citada muchos siglos antes por Galeno, quien, a diferencia de Laguna, sí que considera el ajo doméstico como parte de la formulación de la *theriaca* de los rústicos. Uno de los primeros nombres que recibió el ajo en el centro de Europa era el de «*theriaca* de los pobres», lo que significaba que estos no podían conseguir con facilidad las plantas de la *theriaca* genuina y, a cambio, utilizaban una planta humilde y asequible, el ajo.

El gran botanista inglés John Gerard comenta lo siguiente en su *General History of Plan*ts, editada en el año 1633:

- Descripción: El bulbo o cabeza del ajo está cubierto de muchas pieles muy finas de un color purpúreo muy claro, consistiendo en muchos pequeños bulbos asidos los unos a los otros, en la base de los cuales crece un manojo de fibras entrelazadas. Tiene las hojas largas y verdes, como aquéllas del puerro, entre las cuales florece un tallo al final del segundo o tercer año, en la punta de la cual aparece un manojo de flores cubiertas de una piel blanca, dentro de la cual, rompiéndose cuando están maduras, aparecen unas semillas redondas y negras.
- *Lugar y tiempo.* El ajo se siembra en noviembre o diciembre, y en otras ocasiones en febrero o marzo; a partir de las semillas, o bien a partir de los pequeños dientes.
- *Nombres.* Se llama en latín *allium*, y en griego *scorodon*, pero los boticarios conservan el nombre latino; los germanos le llaman *knoblauch*; los daneses del sur, *look*; los españoles, *aios* y *alho*; los italianos, *aglia*; los franceses, *ail* o *aux*; los bohemios, *czesnek*; los ingleses, *garlicke*, y también *poor man's treacle.*
- *Temperatura.* El ajo es muy agudo, caliente y seco, como dijo Galeno, en el cuarto grado, y exulcera la piel haciendo crecer vejigas.
- *Virtudes*:

  - Siendo comido, calienta al cuerpo de forma extrema, atenúa y hace más suaves los humores gruesos y espesos; corta todo aquello que es flojo o viscoso, digiriéndolo y consumiéndolo; también abre las obstrucciones, es un enemigo de los venenos fríos, y de las mordeduras de las bestias venenosas.
  - No proporciona al cuerpo nutrimento alguno, y puede engendrar

una sangre aguda, por lo que las personas de complexión caliente deberán abstenerse de él. Pero si se hierve en agua hasta que haya perdido su agudeza, es mucho menos forzante, y deja ya de retener por más tiempo su jugo molesto, como dice Galeno.

- Expulsa la irritación de la garganta, ayuda a la tos antigua, provoca la orina, rompe y consume el viento en el organismo, y es también un remedio para la hidropesía que procede de causas frías.
- Mata las lombrices de la barriga, y las conduce hacia fuera. La leche en la cual se han dejado los ajos también se da a los niños pequeños con buen éxito contra los gusanos.
- Ayuda al estómago muy frío, y es preservativo contra los contagios y la pestilencia.
- La decocción de ajo usada como baño o para sentarse en ella hace discurrir hacia abajo los restos del parto y las secundinas, como dice Dioscórides.
- Expulsa los gusanos planos, los redondos, los piojos de las cabezas de los niños, la caspa y los pellejos en la cabeza, si se untan con ajo y miel las partes afectadas.
- Con hojas de higuera y comino se puede aplicar sobre las mordeduras de la rata.

Creencias populares

¿Qué decir, además, de las historias del ajo y los vampiros? Las supersticiones acerca del ajo han ido traspasando los siglos, y para espantar a brujas y vampiros, o bien se colgaba una ristra o manojo de ajos en la puerta de la casa, o bien se confeccionaban unos olorosos y nada elegantes collares que se llevaban colgados del cuello.

Es famosa, además, la historia de los cuatro ladrones. Durante la peste que asoló la ciudad francesa de Toulouse, entre 1628 y 1631 (en la cual hubo más de cincuenta mil muertos), cuatro ladrones se dedicaron a saquear las casas de las familias donde habían muerto sus ocupantes, sin sufrir la terrible enfermedad. Apresados, y bajo la promesa de que les liberarían si les confiaban el secreto, los ladrones confesaron que habían estado tomando un vino en el cual habían macerado el ajo y otras hierbas medicinales.

Cien años más tarde, en Marsella, ocurrió una historia similar con otros cuatro ladrones que fueron obligados a enterrar a los apestados, trabajo que nadie quería realizar, con la promesa de las autoridades de que serían liberados si no se contagiaban de la fatal enfermedad. El vinagre medicinal de ajo consiguió salvarlos también de la peste.

Tan famosa fue la historia en su momento que la fórmula del vino o vinagre de los cuatro ladrones entró a formar parte de muchos códices farmacéuticos de la época. El lector interesado en prepararla puede consultar el capítulo de las preparaciones medicinales, donde se expone la complicada fórmula que aún se conserva hoy en día en el museo de Marsella.

El ajo de la lengua del pueblo

Que el ajo esté en las cocinas de todas las casas tiene sus consecuencias. Desde los platos invade la vida y acude a la mente de la gente para expresar los sentimientos más dispares. Las expresiones populares que tienen el ajo como ingrediente van de la sabiduría a la simpatía. Dos propiedades más que anotar en el haber del peculiar bulbo.

- ¡Bueno anda el ajo!: se aplica a las cosas muy turbadas y revueltas.
- Descubrir el ajo: estar bien enterado de un asunto desconocido para la mayoría.
- Hacer morder el ajo o en el ajo: mortificar.
- Harta de ajos: se dice de la persona que es bruta y mal criada.
- Más tieso que un ajo: el que anda muy derecho, por lo general, por vanidad.
- Machacar el ajo o picar el ajo: se refiere al castañeteo que produce la cigüeña con el pico.
- Pelar el ajo: morirse (en Nicaragua).
- Revolver el ajo: dar motivo para volver a discutir por un asunto.
- ¡Ajo y agua!: exclamación con la que, en tono de burla, se recomienda resignación y conformidad (procede de la apócope humorística de la expresión «¡A joderse y aguantarse!»).
- ¡Ajo, agua y resina!: es una graciosa vuelta de tuerca al dicho anterior: es apócope de «¡A joderse, aguantarse y "resinarse"» (por «resignarse»).

El ajo en la medicina china

El uso del ajo en la medicina china es casi tan antiguo como esta. Según la peculiar característica de este método médico, que relaciona los remedios con el frío, el calor o los sabores, el ajo está considerado caliente y áspero, y actúa especialmente sobre los meridianos de acupuntura del intestino grueso, pulmón, bazo y estómago.

Las indicaciones clásicas del ajo se corresponden parcialmente con las investigaciones actuales sobre su eficacia como fármaco.

Mata los parásitos, especialmente los gusanos redondos (*ascaris lumbricoides* y *oxiuros*) y, en combinación con otras hierbas, otros parásitos como la tenia. También se recomienda en el tratamiento de la sarna del cuero cabelludo.

Por su acción antitóxica se utiliza en el tratamiento de la disentería, la diarrea, la pérdida de peso y la tos irritativa y súbita, signos de toxicidad desde el punto de vista chino.

También se emplea en el tratamiento de la intoxicación por marisco en mal estado y como preventivo para la gripe.

Utilización del ajo en la medicina china

- *Antiparasitario*. Las preparaciones de ajo tienen un potente efecto inhibidor in vitro en el crecimiento y desarrollo de las amebas (*Entamoeba histolytica*), y en un estudio realizado en China se comprobó que en 100 casos de disentería amebiana el 88 % se curaba tras la administración de ajo. También se comprobó la superioridad de los ajos de piel purpúrea en el tratamiento de las infestaciones por amebas.
- *Oxiuros*. Son los gusanitos pequeñitos, del grosor de un alfiler, que con frecuencia padecen los niños. En estos casos se recomienda una lavativa hecha con ajos. En un estudio sobre 154 casos de oxiuriasis en niños entre dos y nueve años de edad, se realizó un tratamiento que consistía en la aplicación de un enema de decocción de ajos, repetida a los 3 y 7 días, y se logró un 76 % de resultados positivos.
- *Antimicrobiano*. El efecto antibiótico del ajo es enormemente variable, dependiendo en gran parte de su concentración en alicina. El jugo de ajos o las decocciones se utilizan con este fin, habiéndose observado un potente efecto inhibitorio sobre bacterias como *Sta-*

philococcus aureus (estafilococo dorado, productor de numerosos abscesos e infecciones), *Streptococcus pneumoniae* (uno de los agentes productores de la neumonía), *Neisseria meningitidis* (que provoca el tipo más peligroso y común de meningitis), *Salmonella typhi* (causante de las fiebres tifoideas) o *Corinebacterium diphteria* (agente causal de la temible difteria).

- *Disentería bacilar.* En otro estudio, 130 pacientes con disentería bacilar recibieron también enemas de ajo. En el seguimiento posterior, realizado por colonoscopia, se observó que, tras poco más de 6 días de tratamiento (por término medio), en 126 de los casos existía una total recuperación de los síntomas y de las afecciones patológicas de la mucosa del colon. En otros estudios en los que el único criterio de mejoría era la remisión de los síntomas de la disentería, se observó una eficacia del 93 %. En dichos estudios se observó la superioridad de los ajos de piel escarlata y de los ajos frescos sobre los secos.
- *Antifúngico.* En estudios en laboratorio se ha comprobado un notable efecto inhibidor in vitro sobre el crecimiento de los hongos. En casos de micosis respiratorias resistentes al tratamiento, se observó que en 20 pacientes graves a los cuales se administró un suero intravenoso con extracto de ajo, 14 de ellos mejoraron notablemente, mientras que 5 tan solo mejoraron, y únicamente en un paciente no tuvo ningún efecto. Asimismo, se ha comprobado la eficacia de la utilización de una pasta azucarada a base de ajo (conjuntamente con suplementos vitamínicos) en 40 casos de niños afectados de *Candida albicans*, de los que mejoraron 38.
- *Encefalitis.* En un hospital chino se administró por vía intravenosa un extracto de ajo sobre 17 pacientes con encefalitis moderada (los casos graves eran tratados sistemáticamente con antibióticos). Remitieron sin secuelas 16 casos y falleció uno de los 17 pacientes.
- *Efecto cardiovascular.* El efecto reductor de la placa de arteriosclerosis que presenta el ajo crudo fresco no se traspasa a los extractos acuosos de esta planta.
- *Efecto gastrointestinal.* En estos casos se elabora una pasta con los bulbos de ajo y otras sustancias, la cual se aplica sobre el abdomen. Por un lado, provoca irritación de la piel, pero por otro, se incrementa la fuerza y el ritmo de movimientos del intestino ciego.
- *Apendicitis.* En ratones de laboratorio se ha podido demostrar, por

medio del mecanismo del estímulo gastrointestinal, un efecto preventivo y curativo sobre la apendicitis provocada sobre los animales de experimentación. En estos casos se aplicaba una pasta de ajo sobre la zona abdominal más próxima al apéndice, pero lo cierto es que las apendicitis complicadas no responden a este tratamiento y requieren una terapia quirúrgica.

- *Efecto endocrino.* En estudios experimentales se ha observado que la inyección intravenosa de extractos de ajo incrementa la producción de corticoides internos por parte de las glándulas suprarrenales. Otros estudios relacionan el ajo con una discreta actividad reductora de la glucosa plasmática, lo que lo hace indicado como remedio complementario en el tratamiento de la diabetes.
- *Efecto sobre las células cancerosas.* En estudios realizados en China se ha comprobado cierto efecto antitumoral sobre determinados tipos de cáncer hepático que cursa con ascitis (lo cual indica un estadio relativamente avanzado de cáncer). En estudios con ratones de laboratorio también se ha observado un efecto positivo sobre cánceres provocados del tipo sarcoma MTK III y en ciertos tipos de cáncer de mama. Sin embargo, los estudios sobre la actividad antitumoral del ajo son todavía poco consistentes desde un punto de vista científico.
- *Dosificación.* De 6 a 15 g de ajo, tomando 2 o 3 dientes de ajo usualmente en forma de decocción. Puede tomarse también crudo, frito o en forma de pasta. Esta pasta se aplica alrededor del ano en caso de infestación por oxiuros (lombrices). También se aplica una pasta de ajo sobre la piel para prevenir las infestaciones de la piel debidas a parásitos. En caso de disentería o diarrea, se recomienda aplicarse una lavativa de ajos. Tanto en el tratamiento de la disentería como en los tratamientos antitóxicos o de depuración, se considera en China que el ajo que tiene la piel rojiza o escarlata tiene un mayor efecto que el de la piel blanca.
- *Contraindicaciones.* Según la medicina china, y debido a que el ajo es un remedio cálido, está contraindicado en casos de deficiencia de yin con signos de acaloramiento. El ajo es irritante de la piel y no debe aplicarse durante largos períodos sobre ella, ya que al final acabaríamos produciendo una irritación; tampoco se recomienda administrado por vía interna durante largo tiempo en personas que tengan lesiones o úlceras en la boca, faringe o lengua. La aplicación

perianal (enemas de ajo) está igualmente contraindicada en el embarazo.

La India y la medicina ayurvédica

Entre los tesoros encontrados en un templo budista de Kashgar, al sudoeste de China, se encontraron unos manuscritos escritos en corteza de abedul por sabios hindúes en un bello arte caligráfico, datados en el año 450 de nuestra era. De los 7 manuscritos hallados, 3 de ellos contienen indicaciones médicas, y de esos 3, el primero se inicia con una plegaria al ajo.

Como condimento, el ajo forma parte habitual de los diferentes tipos de curry, utilizados para aderezar un sinfín de platos. Sin embargo, no todo han de ser parabienes para el ajo, ya que ciertas sectas hindúes muy puritanas lo prohíben o lo intentan evitar debido a que consideran que tiene una facultad afrodisiaca, mientras que algunos jainistas estrictos no lo toman por considerar que, al desenraizarlo, pueden matarse algunos insectos.

La medicina ayurvédica sabe de las bondades del ajo desde hace milenios, por lo que lo califica como uno de los «alimentos maravillosos», y lo utiliza en el tratamiento de enfermedades muy diversas, como el reumatismo, las enfermedades pulmonares (por su acción expectorante y descongestionante bronquial) y la hipertensión. También se conoce su capacidad para eliminar los gusanos del intestino, y entre las enfermedades ginecológicas se señala su utilidad en la regulación de la menstruación escasa o ausente y para aumentar el apetito sexual. También se indica en casos de anorexia y en las enfermedades de las cuerdas vocales. Por vía externa se aplica en forma de cataplasmas en casos de sordera o como cataplasma analgésica en caso de dolor. También se fríen los ajos en aceite de mostaza o de coco para preparar un linimento antiséptico, eficaz en el alivio de la sarna, las úlceras y como cicatrizante en todo tipo de herida que no cierra bien.

Los estudios más recientes realizados en la India sobre el ajo nos indican que posee una acción antiprotozoaria (amebas), antiparasitaria (áscaris y oxiuros) y antiviral (virus), así como antibiótica (bacterias) y antifúngica (hongos o micosis). Hay algún estudio que confirma su utilidad en el tratamiento complementario de la tuberculosis y la meningitis.

4
Propiedades curativas del ajo

El ajo por vía interna

El gran secreto medicinal del ajo radica en su contenido en azufre y en diversos principios activos de composición diferente.

El azufre es uno de los remedios minerales mejor conocidos por los médicos de la antigüedad. Está presente en los tejidos humanos como elemento componente de los cabellos, la piel y las uñas, y por ello su carencia afecta directamente a la formación de estos tejidos.

Mucha gente cree que, tras comer ajo, el olor debido a sus compuestos sulfurados se presenta únicamente en el aliento, lo cual no es cierto, ya que la eliminación de su aceite volátil se realiza mediante la respiración (aliento), la saliva, el sudor, la leche materna y la orina; es decir, se transmite a todas las membranas mucosas de los órganos de excreción.

El ajo ha sido utilizado terapéuticamente desde hace muchos siglos, pero, a diferencia de otras plantas, los efectos fisiológicos que le atribuye la medicina popular han sido corroborados posteriormente en su mayoría por estudios farmacológicos y clínicos de carácter científico.

Es tal su eficacia terapéutica y tan claros sus efectos que no es sorprendente observar que, tanto en la India como en China y en los países mediterráneos, las indicaciones del ajo para el tratamiento de diversos trastornos hayan sido similares.

Acción cardiovascular

En 1995 se celebró en la Universidad Libre de Berlín (Alemania) el primer Simposio Internacional sobre el Ajo, que reunió a participantes procedentes de EE. UU., Canadá, Rusia, Alemania e Inglaterra. Una de sus principales conclusiones, una vez vistos los últimos hallazgos y la revisión de las investigaciones más importantes, fue que el consumo adecuado de ajo o suplementos de ajo podía reducir un 40 % el riesgo de sufrir un infarto cardiaco.

Antiagregante plaquetario

Las plaquetas son una serie de corpúsculos, más pequeños que una célula, que ante una situación de alarma en el sistema vascular, como, por ejemplo, una rotura que produce hemorragia o una erosión de la pared de las arterias o las venas, reaccionan agregándose, formando cúmulos o «tapones» que darán lugar a la primera fase de la formación de un trombo.

La trombosis y su consecuencia, las embolias, son una de las principales causas de muerte en los países más desarrollados. Miles de personas en nuestro país están tomando regularmente medicamentos antiagregantes plaquetarios y aspirinas para prevenir el exceso de coagulación de la sangre y la formación de los temibles trombos.

Pues bien, el ajo previene la agregación (unión) de las plaquetas, que es el punto de partida de las trombosis. Este efecto antiagregante plaquetario se debe esencialmente al ajoeno, al disulfuro y trisulfuro de dialilo y al trisulfuro de metilalilo, y es uno de los mejor comprobados mediante estudios científicos. El efecto antiagregante también es común a otras especies del género *Allium*, como el puerro o la cebolla, y se debe al bloqueo de la formación de un producto biológico denominado tromboxano.

Los expertos reunidos en Berlín compararon el efecto antiaterosclerótico del ajo con el de la aspirina, mucho más promocionado pero no más potente. Para el profesor Kiesewetter, 900 mg de polvo de ajo diarios a partir de la tercera semana son equivalentes a 300 mg de aspirina al día, con la ventaja de que no produce los efectos secundarios del medicamento de la Bayer.

El ajo como fibrinolítico

Este efecto fibrinolítico (es decir, que disuelve los trombos de fibrina, precursores también de la temida trombosis) es conocido también por la medicina popular. Por eso, en Francia se ha utilizado tradicionalmente para prevenir los coágulos (trombos) que se presentan en las patas de los caballos.

Además de inhibir la agregación de las plaquetas, el ajo también disuelve los trombos de fibrina, por lo cual se complementa en su acción anticoagulante y preventiva de la formación de trombosis, de los infartos cerebral y de miocardio. El efecto fibrinolítico del ajo se produce entre 6 y 12 horas después de su ingestión. Tras el consumo habitual de ajo durante 3 meses se comprobó un aumento general de la fibrinólisis en un 130 % sobre el valor inicial. Parece ser que el compuesto del ajo con mayor poder fibrinolítico es el trimetilsulfuro.

El efecto antiagregante plaquetario y fibrinolítico se debe principalmente al disulfuro y trisulfuro de dialilo y al trisulfuro de metilalilo. Todos ellos inhiben una enzima denominada tromboxano-sintetasa, que desempeña un papel importante en la formación del tromboxano A2, un potente agregante plaquetario que puede tener un papel altamente nocivo. Además, los compuestos sulfurados del ajo inhiben la oxidación del ácido araquidónico (un ácido graso esencial presente en las grasas saturadas de los animales) y, de este modo, la síntesis de prostaglandinas, que están en la raíz del proceso de la inflamación. Todo ello provoca una menor coagulabilidad de la sangre, que puede disminuir del 20 al 30 %.

El ajo y la hipertensión

El efecto protector sobre la hipertensión del ajo ya fue evaluado en 1921 por los doctores Loeper y Debray, y, más recientemente, por muchos otros.

En 1986 se realizó una revisión de 11 estudios acerca del efecto del ajo sobre la presión arterial, en los que se utilizaron dosis de 600 a 900 mg diarios de polvo seco (equivalentes a 1,8-2,7 g diarios de ajo fresco). La duración media de los tratamientos fue de 12 semanas. La conclusión fue que el ajo bajaba la presión sistólica (la máxima) y en menor medida la diastólica (la mínima), por lo que podría ser de utilidad terapéutica en el tratamiento de la hipertensión leve.

La ventaja del ajo frente a otros tratamientos es que no presenta ningún efecto indeseable, sino más bien al contrario, sobre los niveles de azúcar, de colesterol y de ácido úrico en la sangre (lo cual es uno de los inconvenientes principales de algunos de los fármacos antihipertensivos más usados).

El efecto hipotensor se atribuye a los compuestos tiociánicos que provocan una inhibición de la liberación de catecolaminas.

Los estudios del Dr. Pouillard, en su tesis doctoral realizada en 1920, ya mostraron que el ajo tiene un efecto reductor de la presión arterial, aumentando el índice oscilométrico (la diferencia entre la presión máxima o sistólica y la mínima o diastólica). A diferencia de otros fármacos para la hipertensión, el ajo reduce la presión diastólica. La reducción de la presión arterial es tanto más elevada cuanto mayor sea la presión arterial al inicio del tratamiento, siendo observable este efecto a las 4 horas de haberse iniciado el tratamiento. En muchos casos, esta reducción de la presión arterial también va unida a una reducción discreta del ritmo del corazón, el cual se enlentece moderadamente, debido posiblemente a una acción sobre el sistema neurovegetativo, y más concretamente sobre el nervio vago.

Hemos comentado que la reducción de la presión arterial es moderada, pero esto no es una constante en todos los casos, ya que el promedio de reducción se cifra entre los 20 y 60 mm de mercurio.

Dicha acción hipotensora se debe posiblemente a una acción dilatadora de los vasos sanguíneos (especialmente los capilares y las arterias de menor calibre), aunque, como veremos, a medio y largo plazo la conservación de la elasticidad de las arterias, y en especial de la aorta, puede tener una influencia decisiva.

Otros estudios han tratado de valorar cómo actúa el ajo en ese sentido experimentando sobre corazones aislados de rana, y se ha llegado a la conclusión de que el ajo, aparte de actuar sobre las paredes capilares y el sistema neurovegetativo, parece influir también directamente sobre el músculo cardiaco reduciendo su tono muscular, aunque no solo sobre el corazón, sino sobre todos los músculos lisos del organismo. Sin embargo, no todos los autores están de acuerdo en esta acción directa sobre el músculo cardiaco, sino más bien en una acción sobre las fibras neurovegetativas del nervio vago que llegan hasta dicho músculo. Sin embargo, sí que está comprobado que la administración de ajo como remedio provoca en el corazón un efecto inotropo positivo.

En 1995 se dio a conocer un estudio de sumo interés para las embarazadas. Uno de los principales riesgos para la vida de la madre y del niño durante la gestación es la aparición de una preeclampsia que puede conducir a un desprendimiento de la placenta. La preeclampsia cursa con tensión arterial alta y aumento de proteínas en la orina. Pues bien, el consumo de ajo durante el embarazo baja la tensión, reduce el riesgo de preeclampsia e incluso ayuda a aumentar el peso de los niños que estaban destinados a ser muy pequeños.

Ajo y colesterol

El ajo no solo disminuye el colesterol, sino que aumenta los niveles del colesterol «bueno», denominado colesterol HDL, normalizando en muchos casos los otros niveles alterados de grasas en la sangre (como los triglicéridos y los lípidos totales).

Existen centenares de estudios sobre el ajo como reductor de los niveles de colesterol y de otras grasas del plasma, pero quizás uno de los más interesantes es el metaanálisis realizado por los doctores Silgay y Neill, de la Universidad de Oxford. Un metaanálisis es el estudio de muchos otros trabajos clínicos con vistas a hacer comparaciones entre ellos. En el estudio de Silgay y Neill , las personas que tomaron ajo tuvieron una reducción media del colesterol del 12 %, en comparación con los que tomaron un placebo (es decir, pastillas carentes de acción medicamentosa). En ese estudio se intentó comparar la eficacia de los diversos preparados presentes en el mercado farmacéutico y se mostraron más efectivas las píldoras de ajo seco frente a las clásicas perlas con aceite esencial. Quizá lo que faltó es compararlo con la ingestión diaria de un ajo crudo. Se comprobó, además, que la dosis efectiva oscilaba entre los 600 y los 900 mg de ajo seco al día, lo cual equivale aproximadamente a un diente de ajo diario.

El efecto reductor sobre el colesterol aumentó progresivamente durante 3 meses, período en el cual se estabilizó su efecto terapéutico.

Otro aspecto interesante de este metaanálisis es que se comparó el efecto del ajo con el de un fármaco usual en el tratamiento del colesterol, el bezafibrato. Los autores encontraron que «ambos agentes redujeron el colesterol, no existiendo diferencias significativas en la potencia de ambos», hecho que impresionó a los mismos autores, quienes un poco más adelante comentan que «el efecto similar sobre la reducción del colesterol que nos muestran el bezafibrato y el polvo de ajo seco es prometedor». Eso sí, añaden que el único inconveniente que se presentó era un discreto «olor a ajo». Los autores concluyen su trabajo diciendo: «El ajo es un medicamento no registrado como tal, y aún no se dispone de evidencias suficientes como para recomendarlo sistemáticamente en toda persona con exceso de colesterol. Sin embargo, hay que subrayar que tampoco existe ninguna evidencia de que tenga efectos secundarios negativos. Los datos de que se dispone en la actualidad nos dicen que el tratamiento con ajo es bueno para reducir el colesterol, al menos durante un período de unos cuantos meses». Una conclusión muy prudente, propia de investigadores de la Universidad de Oxford.

Ajo y aterosclerosis

El ajo se utiliza con eficacia en la prevención de la esclerosis cerebral y la aterosclerosis. Tal como dice su nombre, la arteriosclerosis es la esclerosis o endurecimiento de las arterias, las cuales, al tornarse más rígidas, presentan una menor maleabilidad y contribuyen a lesiones por falta de irrigación en los tejidos a los cuales ha de llegar la sangre nutricia. Si bien se ha comprobado repetidamente el efecto del ajo en otros parámetros que provocan la aterosclerosis, los estudios o investigaciones sobre una actividad directa sobre las arterias eran pocos y, además, estaban mal planteados desde un punto de vista científico.

Hoy en día se ha podido comprobar que el ajo aumenta la elasticidad de las arterias, en especial de la arteria aorta, tal como lo demuestran estudios recientes del Dr. Belz, jefe del Centro de Farmacología Cardiovascular de Wiesbaden, en Alemania.

El ejemplo que se puede dar a este respecto es el de una manguera de agua expuesta a la intemperie durante mucho tiempo, la cual acaba volviéndose rígida y cuarteándose. Pues bien, a las arterias les sucede algo parecido al sufrir los rigores del exceso de colesterol o de la presión arterial elevada, de modo que acaban tornándose rígidas como reacción y protección frente a esos factores de riesgo. Con el endurecimiento de las arterias se agrava el problema, ya que la elasticidad arterial resulta fundamental para apaciguar los impactos de la sangre provocados por la sístole del corazón, con lo que a medio plazo se establece y cronifica la hipertensión.

El tema de la elasticidad deviene fundamental especialmente en la arteria aorta, que es la arteria que sale del ventrículo izquierdo del corazón y, por ello, la que sufre con mayor intensidad los empujes del chorro de sangre que mana del corazón con su máxima potencia. La elasticidad de la aorta permite modular la presión arterial y evita que la diferencia de presión entre sístole y diástole sea mucho menor.

Son muy interesantes en ese sentido los estudios realizados por el equipo del Dr. Belz, quien ha comprobado que, tras la administración de 900 mg de ajo en polvo durante un período medio, aumentaba la elasticidad de la arteria aorta. Un dato más para tener en cuenta por quienes deben controlar su salud cardiaca.

Ajo y enfermedades coronarias

El consumo de ajo resulta beneficioso en las enfermedades coronarias, debido a su actividad antiagregante y fibrinolítica, pero, además, ejerce una acción dilatadora sobre las arterias coronarias. Este efecto es más intenso con el ajo fresco y se debe especialmente a su aceite esencial.

Al reducir la presión arterial, el colesterol y la posibilidad de una embolia o trombosis (al clarificar la sangre) y al mejorar la elasticidad de las arterias, el ajo mejora, aunque sea moderadamente, todos los factores de riesgo clásicos que inciden negativamente en la presentación de las enfermedades coronarias. Si a todo ello añadimos que dilata, aunque sea discretamente, esas arterias, comprenderemos que disminuye la posibilidad de padecer una obstrucción de las coronarias.

Todas estas acciones cardiovasculares previenen, o disminuyen, el riesgo de padecer un infarto de miocardio o una angina de pecho.

Sobre el sistema digestivo

El ajo tiene aplicación en las afecciones dentarias como la parodontosis. Además, también presenta un efecto estomacal aumentando las secreciones del estómago y regularizando la digestión. Sobre el hígado, estimula la secreción de bilis. En el intestino, aumenta discretamente el peristaltismo y disminuye el meteorismo (gases).

Un estudio realizado en 1949 con 29 pacientes que tomaron diariamente 1 g de polvo seco demostró que aliviaba las molestias estomacales y abdominales, las flatulencias, los cólicos y las náuseas. Los autores de la investigación concluyeron que el ajo era capaz de sedar el estómago y los intestinos.

Efectos en el estómago

El ajo, tanto crudo como cocido, estimula la secreción de la mucosa gástrica, por lo que favorece la digestión cuando esta se dificulta por falta de jugos. El Dr. Varga, en un estudio realizado en la primera mitad de este siglo, comprobó que, utilizando 42 fármacos diferentes para estimular la secreción del estómago, el ajo era claramente una de las sustancias más efectivas. Aun así, algunos autores cuestionan dicha afirmación, ya que las observaciones sobre el aumento de la secreción gástrica son bastante inconsistentes.

Mucho más recientemente, en el año 2005, el Departamento de Gastroenterología del Hospital Ramón y Cajal de Madrid concluyó un estudio epidemiológico que pretendía demostrar que la solución acuosa de ajo morado era capaz de inhibir la bacteria *Helicobacter pylori*, la cual se ha asociado con una mayor incidencia de úlcera gastroduodenal y de cáncer gástrico.

El trabajo se inició hace 2 años con el principal objetivo de determinar si la población de Las Pedroñeras, El Provencio y Las Mesas, en Cuenca, la más importante productora de esta modalidad de bulbo, presentaba menor número de casos de úlcera y de cáncer gástrico. En este estudio epidemiológico colaboraron más de dos mil vecinos de la comarca de las Pedroñeras, con edades comprendidas entre los 25 y los 65 años. Los resultados fueron favorables y ya se han presentado en diversos congresos internacionales que se han desarrollado en Helsinki, Roma y recientemente en España.

Efectos en el intestino

Por vía interna, el ajo ejerce una actividad calmante y antidiarreica, así que resulta útil en el tratamiento de afecciones intestinales muy diversas. Debido a su acción antiséptica y antibiótica, tiene cierta acción sobre la microflora patógena que puede crecer en el siempre contaminado (desde un punto de vista bacteriológico) medio ambiente intestinal.

A principios de este siglo, el Dr. Pribam hizo unos interesantes estudios sobre la acción protectora del ajo sobre animales que habían recibido dosis mortales de toxinas disentéricas, acción que quedó confirmada con la supervivencia de prácticamente todos los que habían recibido ajo como preventivo.

Muchas otras enfermedades intestinales, algunas de ellas muy graves, responden bien al tratamiento con ajo. El Dr. Markovici lo comprobó sobre 91 casos de cólera, 25 de inflamaciones intestinales simples y 42 casos de cólera asiático, y observó una evolución más favorable con la administración de ajo.

La eficacia del ajo en los trastornos intestinales se conoce clínicamente desde hace largo tiempo, ya que el Dr. Willebrand, médico militar alemán en la Primera Guerra Mundial, lo utilizó con éxito en el hospital militar donde trabajaba en el tratamiento de la disentería.

Las alteraciones diarreicas del intestino (disenterías leves) se deben en muchos casos al crecimiento anómalo de microbios del tipo gram-positivos, siendo el ajo un regulador del crecimiento de estos gérmenes nocivos.

El tratamiento de la disentería amebiana constituye un capítulo aparte dentro de las diversas enfermedades intestinales. Se trata en este caso de una enfermedad poco frecuente en los países templados, hábitat natural del ajo. Aun así, numerosísimos estudios confirman su alta efectividad.

El Dr. Altmann recomienda también su uso en caso de tuberculosis intestinal, debido principalmente a su actividad antimicrobiana y a su acción reductora de la acidez estomacal.

Efectos sobre el hígado y las vías biliares

Hace mucho tiempo que se acepta que el ajo ejerce una acción colerética y colagoga. «Colerético» significa que estimula la expulsión de la bilis por la vesícula biliar, mientras que «colagogo» quiere decir que aumenta la secreción de bilis por su órgano productor, el hígado. Ésa es una de las razones de las virtudes digestivas que presenta el ajo.

Efectos sobre los parásitos intestinales

- *Antiparasitario.* Son clásicos los preparados a base de ajo para evitar que los niños tengan lombrices (oxiuros) en el intestino. Sin embargo, el poder antiparasitario del ajo abarca a parásitos mucho más rebeldes al tratamiento, como la *Giardia lamblia* y los criptospóridos. Las lamblias (giardasis) son una infestación relativamente frecuente en nuestro país y en muchos casos se trata con fármacos de reconocido poder tóxico sobre el hígado.

  Para beneficiarse del efecto antihelmíntico del ajo, especialmente sobre los oxiuros (los gusanitos redondos, blancos y pequeñitos que con más frecuencia infestan a los niños), se administra en forma de lavativas o de supositorios.

  Los investigadores japoneses Ken y Kubota comprobaron que los nematodos (un tipo de parásitos intestinales) presentan, en contacto con el ajo, una primera fase de excitación, seguida de una parálisis completa, lo cual podría dilucidar algo en relación con la actividad que ejerce la planta sobre ellos.

- *Disentería amebiana.* Por suerte, esta enfermedad no es muy frecuente en nuestro país, ya que resulta más propia de zonas tropicales.

Sin embargo, es habitual el empleo del ajo en el tratamiento de las infestaciones por amebas. Se cita que el famoso médico y Premio Nobel Albert Schweitzer utilizaba el ajo en el tratamiento de este padecimiento en África central.

Efecto antibiótico

El efecto antiséptico y antibiótico del ajo se conoce desde hace muchos siglos, y quizá su entrada en la era científica se debe al famoso Louis Pasteur, padre de la teoría infecciosa, quien ya indicaba el poder antibacteriano del jugo de ajo.

Es difícil establecer de forma clara y concisa cuál de los principios activos del ajo es el mayor responsable de su acción antibiótica; aunque la mayoría de estudios apuntan hacia la alicina, debido a que los experimentos en laboratorio indican que se trata de una sustancia sensible al calor y que se disuelve bien en agua. Chester Cavallito y sus colaboradores hallaron esta sustancia con actividad bacteriostática constituida por un aceite incoloro. La actividad de 1 mg de alicina equivale a la de 15 unidades de penicilina, siendo activa sobre los gérmenes a diluciones tan altas como una parte entre 250.000. Curiosamente, la aliína, de la cual deriva la alicina (como hemos dicho, debido a su degradación o transformación por la enzima aliinasa), en algunos casos parece incluso estimular el crecimiento (en los cultivos de laboratorio) de ciertos microorganismos como *Escherichia coli.* Parece que esta sustancia puede incluso ser un nutriente interesante para la formación de nuevas células patógenas.

Por todo ello se considera a la alicina la principal responsable de la acción antibiótica del ajo, pero no la única, ya que otros componentes presentes en la fracción volátil del ajo presentan también este tipo de acción medicinal, como, por ejemplo, el éster alquiltiosulfínico.

Efecto sobre las bacterias

El ajo es un potente antimicrobiano que elimina tanto a los virus como a las bacterias y los protozoos. En este sentido el ajo presenta una interesante actividad, tanto bacteriostática como bactericida. «Bacteriostático» significa que inhibe el crecimiento y reproducción de los microorganismos, mientras que «bactericida» quiere decir que además los mata. Esta acción antibiótica tiene un alto interés en muchas afecciones, ya citadas, que afectan especialmente a los sistemas respiratorio y digestivo.

La gama de microorganismos sensibles al ajo es muy numerosa; el ajo se puede catalogar como un antibiótico de amplio espectro, pues actúa sobre un amplio abanico de microorganismos. Entre los microbios resistentes tenemos *Escherichia coli*, bacilo de Ebberth, *Proteus sp.*, estreptococos, bacilo piociánico, colibacilos, vibrión colérico, *Mycobacterium tuberculosis* y los que provocan las diarreas paratíficas. También es activo sobre los estafilococos, pues Laubenheimer y sus colaboradores descubrieron que, si se añadían pequeñas cantidades de extracto de ajo a las placas de cultivo de dichos microorganismos, estos no crecían. Aún más interesante: el Dr. Elbi comprobó que no solo el ajo era antibiótico cuando se añadía al medio de cultivo de los microbios, sino que su jugo ejerce una acción bactericida a distancia, o sea, que las placas de cultivo eran estériles si se ponía jugo de ajo a menos de 20 cm de distancia, por lo que concluyó que gran parte del poder bactericida del ajo fresco se debe a sustancias volátiles.

El poder antibiótico del ajo se extiende a los estreptococos (que causan la infección estreptocócica), estafilococos (productores de muchas infecciones y abscesos), vibrios (causantes del cólera), rickettsias (causantes del tifus o la fiebre botonosa), shigellas (causantes de una grave disentería hemorrágica), así como a las brucelas, causantes de las fiebres de Malta, y a otros muchos microorganismos frecuentes en infecciones.

Efecto sobre los hongos

Los hongos son una de las asignaturas pendientes de los antibióticos modernos. Mientras que muchas enfermedades agudas causadas por bacterias, bacilos u otros microorganismos parecen controladas (aunque tan solo en parte), las micosis, o infecciones producidas por hongos, han tomado el relevo de las infecciones crónicas, siendo en general largas de curar y muy resistentes al tratamiento habitual. En estos casos, el ajo también puede ser muy útil, tanto en aplicaciones externas como internas.

El efecto antimicrobiano del ajo llega hasta microorganismos muy resistentes a los antibióticos, como, por ejemplo, ciertos hongos como la *Candida albicans*, presente en muchas infecciones vaginales y bucales, o en los *Coccidioides immitis* o el *Criptococcus*, unos hongos oportunistas frecuentes en muchas infecciones y meningitis en pacientes con sida. A esto hay que añadir que los compuestos del ajo atraviesan la inexpugnable barrera encefálica, permitiendo que su acción también se ejerza en el cerebro.

Por su gran poder antifúngico, el extracto de ajo es efectivo en el tratamiento de la tiña o del pie de atleta. Esta acción antifúngica ya fue observada hace varias décadas, al detectarse la acción inhibidora y letal sobre determinados hongos, como el *Epidermophyton interdigitalis.*

El poder antibiótico del ajo parece deberse a la acción de la enzima aliinasa sobre la alicina, enzima que incrementa, además, la capacidad defensiva del sistema inmunitario.

La alicina, diluida en la proporción de una parte por 100.000, ejerce un efecto bactericida sobre numerosas cepas de hongos, estafilococos y estreptococos. Este efecto se ejerce tanto sobre el sistema digestivo y el pulmonar como sobre las afecciones de la piel. Es activo tanto sobre cepas microbianas grampositivas como sobre gramnegativas.

Efecto sobre los virus

Es difícil saber si la acción que ejerce el ajo sobre los virus se debe a una acción virucida directa –es decir, que mate directamente a los virus– o a una acción indirecta, producida por un estímulo del sistema inmunitario.

Existen indicios de esta acción también desde hace muchas décadas. El investigador sueco Huss observó, en 1938, que, en una epidemia de poliomielitis acaecida en Malmoe, el ajo no solo ejercía una acción notablemente reductora de la gravedad y las secuelas de esta terrible enfermedad, sino que también ejercía un efecto preventivo sobre las personas que no la habían padecido aún.

Los estudios del japonés Tsai ponen en evidencia este efecto antivírico del ajo sobre virus tan comunes como los de la gripe, el catarro o el herpes simple.

En el caso de los pacientes con sida no se ha podido demostrar un efecto antibiótico directo sobre el retrovirus de la inmunodeficiencia humana, pero sí se ha revelado eficaz en el tratamiento de las múltiples secuelas infecciosas que suelen padecer los afectados por este síndrome. De este modo, el ajo es útil en el tratamiento de la criptococosis o del bacilo tuberculoso, enfermedades relativamente frecuentes en el sida plenamente desarrollado. Aun así, en un estudio del Dr. Tariq Abdullah y colaboradores, realizado sobre 7 pacientes con sida, se demostró que la administración de un extracto de ajo envejecido estimulaba la normalización de la actividad de los linfocitos llamados «asesinos» y que, para aumentar esta actividad hasta límites normales, se necesitaba un plazo de 1 o 2 meses de tratamiento.

Tratamiento de la malaria

La malaria también fue tratada en algunas ocasiones con el ajo, con resultados que el médico italiano Ventura, en 1941, consideró, como poco, sorprendentes. En estos casos, al paciente que presentaba una crisis febril de malaria se le administraba ajo, o bien entero o bien cortado en láminas, a razón de uno cada hora, de forma similar a como se administraba la quinina.

Efecto sobre el sistema respiratorio

Acción pectoral del ajo

El ajo ejerce un efecto pectoral excelente y, como tal, se ha utilizado durante siglos en el tratamiento de las toses infantiles y del adulto. Ya Dioscórides decía que «*ablanda la tosse*», y nunca mejor dicho porque su actividad es mucolítica, es decir, fluidifica la expectoración. Eso se debe a su riqueza en cisteína, un aminoácido sulfurado que entra en la composición de los principales remedios de farmacia para fluidificar los bronquios, en forma sintética de N-acetilcisteína. Pero ¿por qué utilizar un fármaco sintético si tenemos uno natural y sin efectos secundarios?

La acción del ajo sobre el sistema respiratorio se atribuye especialmente a su aceite esencial o a alguna fracción contenida en él. Este hecho es comprensible por ser los aceites esenciales sustancias volátiles que se eliminan preferentemente por la respiración.

En caso de dilatación crónica de los bronquios (enfisema pulmonar, bronquiectasias, etc.), el aceite esencial de carácter sulfurado del ajo ejerce un efecto antiinflamatorio sobre los alvéolos pulmonares. La eliminación del aceite esencial por los pulmones también provoca una fluidificación bronquial y un aumento de la secreción mucosa pulmonar, favoreciendo los procesos de eliminación tan frecuentes en catarros y afecciones bronquiales más comunes. Si a todo ello añadimos su acción antimicrobiana, comprenderemos que la ingestión de ajo crudo es un excelente preventivo de las temibles complicaciones que, como la neumonía, pueden sobrevenir tras una afección banal de las vías respiratorias.

Ajo y asma

Los estudios que relacionan la acción beneficiosa del ajo en relación con el asma, o con la bronquitis espástica, se basan en la acción pectoral general que tiene este bulbo. Por otra parte, hemos de tener en cuenta que en el asma suele darse una implicación importante del sistema inmunitario, ya que en gran parte de los casos se trata de un ahogo debido a la reacción inmunitaria de sensibilidad frente a una sustancia específica, como, por ejemplo, el polen de las flores de primavera o la humedad ambiental. Sin embargo, no ha podido comprobarse una acción directa del ajo sobre la inhibición de esta reacción inmunitaria, ni tampoco una acción dilatadora sobre los bronquios. No obstante, es curioso que la medicina popular también ha recomendado habitualmente el ajo en el control del asma, y no solo tomando su bulbo, sino también fumando las finas y sedosas membranas que lo recubren, afirmándose que, a diferencia de lo que se considera habitualmente en el consumo de bulbos de ajo, en este caso serían más eficaces las membranas blancas que las rosadas. Sea o no cierto, sorprende que se proponga como remedio para el asma una hierba fumada, máxime cuando no tiene una acción broncodilatadora.

Ajo y tuberculosis

Son muchos los estudios, aunque antiguos, que comentan la efectividad del ajo en el tratamiento de la tuberculosis pulmonar; otros estudios más actuales se han realizado casi exclusivamente en países del Tercer Mundo, donde la disponibilidad de fármacos antituberculosos no está garantizada y donde deben buscarse alternativas más baratas y asequibles. Es evidente que, en el caso de la tuberculosis, el ajo por sí solo no basta para curar definitivamente dicha enfermedad, existiendo toda una serie de fármacos más efectivos. Pero también es cierto que la tuberculosis, después de haber reducido su morbilidad, presenta en la década de los noventa un aumento espectacular, debido sobre todo al aumento de la prevalencia del sida. De esta manera, la tuberculosis ha adquirido una importancia insospechada hace tan solo una década, lo que denota cierta ineficacia de los fármacos antituberculosos. Estos se han de administrar en gran número (habitualmente 3 o 4 a la vez), en cantidades elevadas y durante largos períodos. Además, no se tiene nunca la certeza de que se ha curado completamente el proceso tuberculoso. Por ello, añadir el ajo como un remedio más será siempre beneficioso en el tratamiento de esa terrible enfermedad.

Tabaquismo

Algunos médicos consideran que el ajo es útil en el tratamiento del tabaquismo. Esta acción no se debe a que tenga un efecto reductor de la ansiedad propia de los que dejan el hábito tabáquico, sino a su acción pectoral, reductora de los síntomas provocados por la irritación de las mucosas respiratorias, así como de sus complicaciones infecciosas, en razón a su actividad antiséptica ya comentada. Afirma al respecto el Dr. Meyer que el ajo es «un excelente medicamento contra las alteraciones crónicas causadas por la nicotina, habiéndose demostrado eficaz en suprimir las alteraciones nerviosas, los procesos catarrales de los fumadores y en regular la función intestinal, siendo un medicamento de elección directa en el complejo sintomático del envenenamiento por nicotina».

Se podría inferir de ello que, por su acción antitóxica, el ajo podría ayudar a eliminar los depósitos de nicotina presentes en la grasa corporal, que en muchas ocasiones son los responsables de que el fumador desee volver a la adicción tabáquica tras iniciar un proceso de deshabituación. En todo caso, se necesitan más estudios para confirmar esta interesante y novedosa aplicación medicinal del ajo.

Acción endocrina

Ajo y glándula tiroides

El ajo puede aumentar la actividad de la glándula tiroides, lo cual parece explicarse por su contenido en yodo y otros elementos halógenos, así como por sus derivados tiociánicos. En grandes dosis, el ajo ejerce el efecto contrario, reduciendo la actividad tiroidea. Otros autores han comprobado que de manera inmediata el ajo se comporta como un estimulante de la función tiroidea, mientras que en los tratamientos a largo plazo su efecto es el contrario.

Efectos sobre el azúcar plasmático

También se ha comprobado que el ajo no solo disminuye los niveles de glucosa (azúcar) en la sangre, sino que también aumenta los niveles de insulina. Este efecto resulta especialmente marcado en los pacientes con diabetes, mientras que en los pacientes que no son diabéticos el efecto hipoglucemiante no se ha podido comprobar. Este fenómeno es muy interesante, ya que, más que reducir los niveles de azúcar, el ajo provocaría una regulación de los mismos. Evidentemente, el ajo por sí solo no puede constituir un tratamiento completo para el diabético, pero su consumo habitual constituye un factor de protección para el desarrollo de la diabetes y de sus indeseables consecuencias.

En general, la acción hipoglucemiante (reductora de la glucosa) que ejerce el ajo se considera más como una acción secundaria que como uno de los efectos principales de este bulbo. Los estudios bioquímicos han permitido aislar en el ajo dos tipos de sustancias, unas que disminuirían la glucosa y otras que la aumentarían, predominando la acción de las primeras sobre las segundas. La acción reductora de la glucemia no se debe, en el caso del ajo, al estímulo del órgano que segrega la insulina, o sea el páncreas, ya que se ha mostrado efectivo incluso en individuos a los cuales se les ha extraído ese órgano. La sustancia responsable cristaliza en forma de polvo blanco y reacciona como un alcaloide, aunque también parecen influir el sulfuro de alilo y el disulfuro de alilo.

Efectos sobre el sistema inmunitario

Regulador del sistema inmunitario

El consumo regular de ajo crudo ayuda a mantener en equilibrio nuestro sistema inmunitario. El Dr. Tariq Abdullah, en 1987, comprobó que los llamados «linfocitos asesinos» (una estirpe de células blancas de la sangre, de tipo defensivo) eran mucho más activos, hasta un 150 % más, en personas que habían tomado ajo o suplementos de ajo.

Estudios recientes han demostrado que el ajo puede inhibir el desarrollo del cáncer de vejiga urinaria en las ratas de experimentación, ejerciendo un efecto tóxico directo sobre las células cancerosas y estimulando las células del sistema inmunitario, con lo que previene la implantación y el desarrollo posterior del tumor.

Ajo y radicales libres

Los ajos pueden reducir la capacidad de peroxidación de los radicales libres. Unido a todas las virtudes antes expuestas, se podría considerar al ajo como uno de los ingredientes del «elixir de la juventud», ya que los radicales libres son unos productos que contribuyen enormemente al envejecimiento celular.

En este sentido destacaremos un estudio de investigadores japoneses (Imai y colaboradores), en el cual se comprueban los efectos antirradicales libres que presentan los extractos de ajo envejecido y sus diversos constituyentes.

Los principios activos del ajo posiblemente más importantes por su acción reductora de los radicales libres son el aminoácido glutatión (que se forma a partir de la cisteína) y la Salilmercapto-L-cisteína.

Acción anticancerosa

Científicos de la Universidad de Texas (Estados Unidos) han hallado datos a través de la experimentación con animales que muestran la eficacia del ajo contra el desarrollo de cáncer de esófago, colon, mama, piel y pulmón.

Un estudio valoró la lesión provocada en los microsomas del hígado por un agente oxidante denominado t-butil-peróxido. El extracto de ajo envejecido se ha mostrado capaz de inhibir o reducir la lesión causada, mientras que los extractos acuosos o el ajo tratado con calor ya no muestran ese interesante efecto.

Otros estudios realizados en laboratorio demuestran que la tasa de crecimiento de los tumores implantados en animales es mucho menor cuando en la alimentación se incluye el ajo fresco o su jugo. Dicha acción anticancerosa se ha comprobado en otras plantas de la familia de las liliáceas, como el puerro e incluso la mostaza, plantas todas ellas ricas en compuestos sulfurados y que, posiblemente por esa misma razón, también transmiten el olor característico a las secreciones.

Aunque los estudios estadísticos no son concluyentes, puesto que entran en juego muchos factores alimentarios, en países que consumen grandes cantidades de ajo, como China o numerosos países mediterráneos, la tasa general de cáncer en la población es algo más reducida.

Es posible que la acción antitumoral del ajo sea debida también a su acción desintoxicante en el intestino, ya que los productos de putrefacción que se forman a nivel digestivo bajo se han comprobado como factores promotores del crecimiento tumoral.

Es evidente, además, que la acción estimulante del sistema inmunitario cumple un papel de suma importancia en la prevención de la aparición y desarrollo del cáncer. Ya hemos citado los estudios del Dr. Abdullah sobre el estímulo de los «linfocitos asesinos». Pues bien, estudios realizados en laboratorio nos demuestran que este tipo de linfocitos destruyen un mayor número de células cancerosas en las personas que han consumido ajo, por lo que no solo existe un aumento de su número, sino también de la capacidad neutralizadora de cada linfocito.

Wills sugiere que el efecto antitumoral del ajo, debido principalmente a la acción inhibidora de la alicina sobre las enzimas sulfhidrílicas y sobre las células bacterianas, responsables de su acción antibiótica, podría extenderse también a las células de los tejidos neoplásicos. El Dr. Essi indica que el enlace químico -SO-S de la alicina produce la inactivación de las enzimas sulfhidrílicas por combinación directa o por oxidación de los grupos químicos -SH de las células tumorales, produciendo grupos –SS–. Austin, posteriormente, identificó la sustancia inactivadora de los grupos -SH como el alquil-tiosulfil-alquiléster, sustancia formada naturalmente por acción enzimática y que abre un interesante campo de investigación en los fármacos destinados al tratamiento de los tumores malignos, con vistas de que incidan mucho más profundamente en el metabolismo alterado que provoca la formación y extensión del cáncer.

La Dra. Novikova y colaboradores comprobaron que la aliína sintética no tenía ningún efecto retardante del crecimiento del sarcoma fusocelular (un tipo de cáncer) y de otros tipos de cáncer, lo cual se debía posiblemente a que la aliína sintética no puede transformarse en su principio activo, la alicina, al no existir el complejo enzimático propio que modifica las sustancias iniciales del ajo en sustancias con una acción medicinal definida.

Un interesante estudio, realizado por un equipo científico coreano dirigido por B. W. Ahn, descubrió que el extracto de ajo tiene capacidad para inhibir la formación de n-nitrosodimetilamina (NDMA), un compuesto cancerígeno que se forma en el sistema digestivo a partir de los nitratos que acompañan algunos alimentos, ya sean los vegetales que los incorporan de la tierra abonada o los productos cárnicos con aditivos conservantes.

El ajo como depurativo

El ajo como desintoxicante

El Dr. Benjamin Lau, de la Facultad de Medicina de Loma Linda, en California, evaluó el efecto desintoxificador del ajo tanto para los metales pesados como para los efectos de la radiación. En este experimento se comprobó que la presencia de pequeñas cantidades de extracto de ajo protegía a los glóbulos rojos de la sangre de la destrucción provocada por la presencia de metales pesados y protegía asimismo a los linfocitos (glóbulos blancos) de la degeneración causada por la radiación, estimulando la fagocitosis, es decir, la función inmunitaria principal de dichos glóbulos blancos.

Ajo y reumatismos

El ajo no tiene una acción directa sobre el dolor, aunque, por lo general, toda sustancia que irrita la piel y la enrojece tiene habitualmente un efecto positivo en la mayoría de procesos dolorosos, como sucede con la mayor parte de los linimentos e incluso con el mismo alcohol aplicado por vía externa.

La indicación clásica del ajo en el tratamiento del reumatismo ha sido siempre debida a su acción depurativa general, ya que en medicina naturista se considera al reuma como una enfermedad crónica producida por un proceso de autointoxicación que ha evolucionado durante muchos años.

Debido a su acción rubefaciente, el ajo puede ser un complemento útil para la fabricación de linimentos destinados a la fricción y el masaje local en las zonas dolorosas. Esta es una de las indicaciones que no ha sido estudiada o comprobada posteriormente por estudios clínicos, aunque no por ello hay que desdeñarla.

Diurético

El ajo hace orinar, especialmente por su contenido en fructosanos, una especie de azúcares cuya base es la fructosa y que entran en la composición de los bulbos de ajo. Constituye, sin embargo, una acción muy secundaria y no puede ser considerada como una acción medicamentosa en sí, debido a la debilidad de su poder diurético.

El ajo por vía externa

Como decían los antiguos, el ajo tiene virtud corrosiva y desuella el cuero, pero resulta muy útil aplicado en forma de emplastos sobre la zona de la columna y del tórax en caso de resfriados complicados; mientras que, si se aplica en la zona de la vejiga, puede aliviar las molestias derivadas de las infecciones urinarias.

Por vía externa, el ajo se aplica localmente gracias a su acción rubefaciente o enrojecedora de la piel, señal, por un lado, de cierta actividad inflamatoria, pero, por otro, de que esa misma inflamación provoca un aumento notable de la circulación en la zona afectada. También ejerce una acción queratolítica, es decir, que reblandece y destruye la queratina, la cual forma parte de callos, verrugas y quistes que se pueden presentar en la piel. En aplicaciones excesivamente prolongadas puede ser causa incluso de la producción de vesículas en la piel, especialmente en pieles sensibles como la de los niños.

Verrugas

El ajo ejerce una función ablandadora y necrosante (mortal) sobre las células cutáneas y, por esa misma razón, puede ser útil aplicarlo sobre aquellas zonas que deseamos eliminar, como es el caso de las verrugas.

El Dr. Eduardo Alfonso, decano de los médicos naturistas españoles, daba una receta para su tratamiento consistente en macerar unas rodajas de ajo en vinagre e ir poniendo cada día una rodajita fina de ajo sobre la verruga, tapándola con un esparadrapo, hasta que la verruga cae debido a la virtud corrosiva del ajo.

Tapones de oídos

También son útiles las gotas de oídos a base de ajos en casos de excesivo cerumen. Las gotas son muy simples de hacer y se componen de aceite de almendras dulces, glicerina y zumo de ajo a partes iguales.

Efectos secundarios

La toxicidad del ajo es muy escasa, pero, si se consume en dosis elevadas ajo fresco, extracto o aceite de ajo con el estómago vacío, puede provocar ardor, náuseas, vómitos y diarreas. Solo en casos de alergia al ajo se han registrado reacciones adversas significativas, como dermatitis de contacto o ataques de asma después de la inhalación de polvo de ajo. Las personas sensibles al ajo también pueden serlo a la cebolla.

Contraindicaciones

El ajo solo está contraindicado en pacientes con alergia conocida al alimento. El nivel de seguridad alto está garantizado por su extendido uso culinario a lo largo y ancho del mundo.

Advertencias

El consumo de cantidades exageradas de ajo puede aumentar el riesgo de hemorragias postoperatorias. También se debe valorar su aplicación terapéutica en caso de hemorragias o metrorragias (hemorragias uterinas o menstruaciones excesivas y fuera de tiempo), ya que el ajo alarga el tiempo de coagulación sanguínea.

Interacción con medicamentos

Los pacientes que sigan un tratamiento con warfarina deben saber que los suplementos de ajo pueden aumentar el número de hemorragias al aumentar la actividad fibrinolítica y reducir la agregación de plaquetas. Los tiempos de coagulación se doblan en las personas que toman a la vez warfarina y ajo.

Las personas que toman insulina pueden requerir un ajuste de la dosis porque el ajo puede provocar una variación en los niveles sanguíneos de glucosa.

El ajo puede causar la inducción de la isoenzima «citocromo P450 3A4», lo cual puede reforzar el metabolismo de ciertos medicamentos:

- Las ciclosporinas: su eficacia puede reducirse por la habilidad del ajo para metabolizarlas. En caso de trasplante de órganos, puede causar rechazo.
- El saquinavir: la concentración en la sangre de este inhibidor de la proteasa puede reducirse significativamente si se toman suplemen-

tos a base de ajo. Los niveles más altos pueden reducirse hasta un 54 % y los medios en torno al 49 %.

Carcinogénesis, mutagénesis y efectos sobre la capacidad reproductiva
El ajo no causa mutaciones genéticas ni altera los sistemas reproductores masculino o femenino.

Embarazo
No se conoce que pueda causar malformaciones en el recién nacido. Se considera un alimento seguro durante todo el embarazo.

Lactancia
La liberación de compuestos del ajo en la leche materna no causa efectos negativos en el recién nacido.

Acción de la cisteína

Con demasiada frecuencia se comete el error de identificar los efectos de una planta con los de uno de sus componentes activos. Esto ha sucedido con el ajo en relación con la concentración de alicina, la principal sustancia responsable de su actividad cardiovascular y antibiótica. Sin embargo, las plantas medicinales contienen cientos, posiblemente miles de sustancias diferentes, muchas de las cuales pueden tener un efecto como remedio medicinal, independientemente de las otras. Con el ajo sucede algo similar, ya que la investigación de sustancias diferentes a la alicina está aportando interesantes observaciones en relación con uno de sus componentes, el sulfóxido de S-metil-L-cisteína.

La cisteína es un compuesto de tipo azufrado presente en el ajo, pero que en medicina alopática se usa habitualmente como expectorante, para fluidificar las secreciones bronquiales y favorecer la eliminación de esputos más fluidos. Esta acción expectorante es común a muchas sustancias ricas en azufre, como sucede, por ejemplo, con las aguas mineromedicinales sulfuradas.

La cisteína no se encuentra en el ajo en estado libre, sino que forma parte de una gran cantidad de principios activos de carácter sulfurado que este contiene.

Es cierto que la mayoría de estudios realizados sobre la cisteína se han centrado sobre su preparado farmacéutico sintético, la N-acetilcisteína (NAC), el cual tan solo tiene la ventaja de ser más estable por la presencia de un grupo acetilo, pero en el organismo el NAC (al igual que muchos de los compuestos sulfurados del ajo) se transforma en cisteína, un aminoácido de tipo azufrado que con casi total seguridad constituye el elemento terapéutico de mayor interés.

La cisteína es un precursor de una sustancia denominada glutatión, un tripéptido compuesto de cisteína, ácido glutámico y glicina, que desempeña una función importante en los procesos de inmunidad celular y como atenuador de los efectos nocivos de los radicales libres.

De ello se desprende que la cisteína presente en el ajo es algo inestable a la conservación (especialmente en comparación con el NAC) y nuevamente nos explica por qué la efectividad del ajo fresco no es comparable a la del ajo cocido o preparado de otra manera.

Sin embargo, la cisteína puede tener otras interesantes acciones beneficiosas sobre el organismo que en parte se corresponden con las del ajo. Veamos algunos estudios y observaciones en este sentido:

- *Fluidificante.* Al igual que el ajo, la cisteína es un fármaco fluidificante de las secreciones bronquiales y, como tal, se utiliza mayoritariamente en su forma sintética. En este sentido se ha probado como un fármaco útil en el tratamiento del asma bronquial y de una gran parte de los problemas respiratorios que cursan con dificultad de expectoración.
- *Sida.* La administración de N-acetilcisteína se ha revelado beneficiosa en el tratamiento complementario de algunos problemas relacionados con el sida, debido además a que aumenta los niveles de glutatión, el cual suele estar notablemente reducido en las personas que padecen dicha enfermedad. Los estudios se han llevado a cabo con una preparación farmacéutica de N-acetilcisteína algo diferente a la sustancia que contiene el ajo, pero que se sintetiza en esta forma.

En un estudio experimental realizado por el Dr. Kalebic y colaboradores se utilizó una serie de líneas celulares (monocitos) infectadas, las cuales sirvieron como modelo de latencia del virus del sida. La administración de cisteína redujo la acumulación de ácido ribonucleico vírico, el cual es un elemento indispensable para la replicación (reproducción) del virus. También se redujo en un 90 % la actividad de una enzima denominada transcriptasa inversa, cuya función es facilitar la duplicación del ácido ribonucleico citado. Todo ello nos podría explicar un efecto preventivo de esta sustancia en la evolución del sida. También se ha comprobado, en un estudio del Dr. J. S. James, que la administración de cisteína es mucho más útil en los pacientes que han perdido bastante peso, ya que lo recuperan con mayor facilidad si en su dieta hay abundancia de cisteína.

Preparaciones

El ajo crudo, tal cual, constituye un excelente remedio que no necesita de ninguna preparación complicada. Si se desea utilizarlo con fines medicinales, la dosis media es de unos 4 g/día (2 o 3 dientes de ajo). La dosificación habitual con comprimidos o perlas de ajo (6 al día) equivale tan solo a 1 diente de ajo diario.

Los principios medicinales del ajo pueden transferirse al alcohol, al vinagre y al ácido acético, si bien la preparación medicinal más usada es la tintura de ajos, elaborada con alcohol. Otra fórmula muy simple es preparar un jarabe de ajos hecho a base de zumo de ajos y azúcar o miel líquida a partes iguales, que resulta muy útil en el tratamiento de las toses y catarros.

Existe una notable guerra comercial entre los diversos fabricantes de píldoras, perlas o extractos a base de ajo, en la cual cada uno de ellos trata de demostrar la superioridad de su producto frente a los otros. Ahora bien, lo primero que hay que tener en cuenta es que el mejor producto son los dientes de ajo tal cual, sin más preparación, aunque estos tampoco estén exentos de inconvenientes, ya que muchas personas que presentan intolerancia al ajo crudo no la tienen ante alguno de sus preparados farmacéuticos. Esta batalla sobre la mejor forma de presentación del ajo se debe a la tremenda inestabilidad de sus diferentes compuestos. Un ajo seco presenta ciertas ventajas sobre, por ejemplo, un extracto obtenido mediante calor, pero mientras el primero contiene alicina, el otro contiene en mayor cantidad otras sustancias con otro interés terapéutico. Por ello es muy relativo decir que tal presentación es mejor que tal otra, dado que la respuesta sería «depende de para qué».

Se ha de tener en cuenta, asimismo, que todo tratamiento con ajo ha de ser de larga duración, por un período mínimo de 6 meses.

Presentaciones

Los dientes de ajo al natural son de bastante utilidad en el tratamiento de las infestaciones por lombrices (oxiuriasis), así como en ciertos problemas circulatorios. En esos casos la dosis será de 3 a 6 dientes de ajo diarios.

- *Jugo*. Si se opta por la ingestión en forma de jugo, la dosis es de 10 a 30 gotas diarias.
- *Ajo seco*. Las grageas o comprimidos de ajo seco son una de las presentaciones farmacéuticas más populares. En general, son buenas preparaciones porque mantienen bastante uniformemente el contenido en alicina y reducen en gran cantidad el olor a ajo, que mucha gente encuentra bastante ofensivo.
- *Extracto de ajo envejecido*. Se prepara macerando láminas de ajo en alcohol etílico durante diez meses a la temperatura ambiente. Además de conservar una gran parte del contenido en alicina, ciertos componentes sulfurados como la S-alilcisteína (sustancia de alto poder antioxidante) se conservan muy bien en este tipo de extractos. Es un método fácil de hacer en casa que conserva gran parte de las propiedades del ajo.

Otros preparados

- *Extractos acuosos*. Suponen también una buena preparación del ajo, ya que conservan una gran cantidad de la alicina.
- *Extracto seco*. Se puede incluir en forma de supositorios en dosis de 100 a 250 mg por unidad.
- *Tintura*. Se emplea en la prevención de accidentes cardiovasculares. Se toman desde 0,3 a 1 g diario.
- *Tintura madre*. Se ingieren de 40 a 50 gotas, 3 veces al día.
- *Aceite esencial*. Es más útil en las enfermedades infecciosas pulmonares o intestinales. La dosis es de 10 a 20 gotas diluidas en agua, 3 veces al día.
- *Nebulizado*. La dosis es de 50-100 mg, 3 veces al día.

Preparaciones caseras

Veamos seguidamente algunas preparaciones interesantes que podemos fabricar nosotros mismos en casa.

- *Pomada antiséptica.* Para elaborarla se mezclan cuidadosamente a partes iguales vaselina y jugo de ajo.

- *Jarabe de ajos* (fórmula académica):
  - Zumo de ajo: 20 cc
  - Azúcar: 80 g
  - Ácido acético diluido: 20 cc

  Se tomarán de 2 a 8 cc cada vez.

- *Jarabe de ajos* (fórmula casera). Esta otra fórmula, más casera pero parecida a la anterior, se confecciona con 400 g de ajos finamente machacados. Se dispone la pasta de ajos en una botella de cuello ancho y se añade igual cantidad de vinagre y agua hasta cubrirla. Se cierra herméticamente y se agita. Se deja macerar durante 4 días, agitando vigorosamente de 1 a 3 veces diarias. Al cuarto día, se añade una cuarta parte de glicerina y se deja reposar otro día. Finalmente, se filtra bajo presión a través de una seda o un paño de lino, añadiendo 250 g de miel pura. Se puede conservar por tiempo limitado en un lugar fresco. Si se desea eliminar en parte el olor intenso del ajo, se aconseja que el vinagre se hierva previamente con 150 g de semillas de alcaravea e hinojo a partes iguales.

- *Agua de ajos*:
  - 15-90 g de ajos pelados
  - 250 cc de agua

  Se machacan los ajos finamente y se ponen en un cuenco. Seguidamente, se vierte encima de ellos el agua hirviendo y se deja en maceración toda la noche. Al día siguiente se cuela con una muselina o con un papel de filtro y se embotella; es preferible no conservarlo mucho tiempo, ya que pierde progresivamente sus propiedades medicinales.

  La cantidad de ajos varía en función de la edad de la persona y de la posible intolerancia estomacal que le pueda provocar el ajo. La proporción habitual para una persona adulta es de 90 g por cuarto de litro de agua y de 15 g para los niños más pequeños. Se recomienda tomar entre 100 y 250 cc al día, repartidos en 8 o 10 tomas.

- *Conserva de jugo de ajos*. Se mezcla a partes iguales el jugo de ajos con glicerina. Se puede utilizar la pasta para humedecer paños o cataplasmas y aplicar sobre las partes afectadas en caso de eccema y úlceras. Por vía interna se tomará a razón de varias cucharaditas al día, en cuyo caso es preferible el jugo de ajo recién exprimido.
- «*Penicilina vegetariana*». Este brebaje es muy clásico dentro de la medicina naturista y combina las propiedades terapéuticas del limón, el ajo y la cebolla. Hay que reconocer que tiene un sabor poco agradable, pero queda compensado con su alta efectividad terapéutica en los procesos infecciosos, y muy especialmente en los procesos respiratorios. La forma de preparación es muy simple, ya que se elabora machacando, hasta formar una pasta, 5 o 6 dientes de ajo y 1 cebolla mediana (cruda), para posteriormente añadir el zumo de 1 o 2 limones y, si se encuentra muy ácido, un poco de agua. Lo mejor es tomarlo recién preparado, y de un trago, pues a pequeños sorbos todavía es más desagradable. Las personas con una sensibilidad grande en el estómago pueden presentar algo de acidez o intolerancia debido a la poderosa combinación de estos 3 alimentos, ya de por sí algo fuertes por separado.
- «*Vino o vinagre de los cuatro ladrones*». Se deja macerar durante 10 días en 2 litros y medio de vinagre puro de vino, o bien de vino espirituoso, la siguiente mezcla de plantas:

  En dosis de 40 g:
  - Ajenjo (*Arthemisia absinthium*)
  - Artemisa póntica (*Arthemisia pontica*)
  - Romero (*Rosmarinus officinalis*)
  - Salvia (*Salvia officinalis*)
  - Menta (*Mentha piperita*)
  - Ruda (*Ruta graveolens*)
  - Lavanda (*Lavandula* officinalis)

  En dosis de 5 g:
  - Ajo (*Allium sativum*)
  - Acoro (*Acorus gramineus*)
  - Canela (*Cinnamomum vulgare*)
  - Clavo de olor (*Eugenia caryophillata*)
  - Nuez moscada (*Myristica fragans*)

Se añaden también:
- 10 g de alcanfor
- 40 g de ácido acético

Pasados los 10 días, se filtra el líquido que se toma a razón de una copita diaria.

- *Linimento alcanforado de ajos*:
  - 500 cc de aceite virgen de oliva de presión en frío, o bien de almendras dulces
  - 15 g de alcanfor
  - 250 g de ajos

  Se hace una pasta fina con los ajos, a la cual se le añade el aceite y el alcanfor, dejándose en maceración durante dos o tres semanas. Pasado este tiempo se filtra cuidadosamente con una muselina o papel de filtro, y se exprime el resto sobrante para que acabe de salir todo el jugo.

- *Elixir de ajos para la aterosclerosis*:
  - 30 dientes de ajo morado pelados
  - 5 limones biológicos

  Se cortan los limones en daditos y se meten en el vaso del túrmix junto con los dientes de ajo. Se tritura y la pasta resultante se lleva a hervir en un litro de agua (solo hasta que aparecen las primeras burbujas). Después se pasa por un tamiz y se mete el elixir en una botella, si es posible oscura, que se guarda en la nevera.

  Se toma un vasito diario antes o después de la comida principal. Se realiza una cura de 3 semanas, se descansa 1 semana y se toma durante otras 3. Esta cura se repite una vez al año. También es útil para la parodontosis y los resfriados.

El ajo en la cocina

El ajo es un ingrediente básico en la cocina de muchos países. Se usa tanto entero como picado, rallado o en polvo, y forma parte de numerosas salsas, encurtidos y otras preparaciones. Su atractivo reside en su sabor fuerte y en que refuerza el aroma de otros alimentos. Su sabor final, que puede ser suave o intenso, depende de la forma de preparación.

Antes de cocinarlo, en la gran mayoría de ocasiones es necesario quitar la pielecilla que envuelve los dientes. Por otra parte, los expertos cocineros advierten que cuando se vayan a freír los ajos, el aceite no debe estar muy caliente, ya que en este caso adquieren un sabor demasiado intenso.

Algunas de las salsas que se elaboran con ajo son el alioli –ajo y aceite de oliva– y la ajada o «aliada» –ajo y pimentón–. También es un ingrediente principal de platos típicos españoles como el ajoblanco malagueño –un tipo de gazpacho que incluye mucho ajo– y las diferentes sopas de ajo. A menudo se prepara con tomate y cebolla, mientras que el perejil fresco se añade frecuentemente para reducir el aliento a ajo.

Los ajos tiernos, disponibles en cualquier época del año, aportan un toque de sabor muy especial, de sabor menos concentrado que el ajo seco, a multitud de recetas culinarias. En cuanto a su conservación, dentro de bolsas de plástico tienen una vida útil de unos 4 a 5 días en la nevera. Resultan deliciosos a la plancha, en salteados de verdura o de huevo junto con otros ingredientes (gambas, gulas, setas...) y en guisos.

Criterios de calidad en la compra y conservación

Los ajos de mejor calidad son los que tienen las cabezas firmes, sin brotes y con una envoltura seca. Conviene escoger las cabezas pequeñas, compactas y pesadas. Los que pesan poco puede que estén ya resecos. Los ajos blancos se conservan menos tiempo –6 meses– que los rojos, que por lo general pueden almacenarse hasta 1 año.

A la hora de conservarlos en casa, los ajos deben mantenerse en un lugar seco, fresco y bien ventilado, para evitar que se enmohezcan y comiencen a germinar. Se pueden colgar en la misma ristra, conservándose así hasta 6 meses.

Si se opta por separar los dientes, se pueden conservar los ajos sin pelar en un bote con agujeros o pelados en un bote de cristal en el frigorífico recubiertos de aceite, que, además de conservarlos bien, confiere al aceite un sabor exquisito para componer diversos platos.

Aunque resulte extraño y no se acostumbre a hacerlo, también se pueden mantener congelados durante 2 meses, aproximadamente, si previamente se ha separado la piel exterior, aunque pierden buena parte de sus propiedades culinarias.

Conclusiones

Quizá después de tanto bombardeo de datos científicos deberíamos volver a nuestros orígenes, al Mediterráneo, donde el ajo se instaló hace unos cuantos milenios, seduciendo a nuestros antepasados.

Hoy en día que tanto se habla de los poderes salutíferos de la dieta mediterránea sobre el colesterol, la arteriosclerosis y sobre la salud en general, hemos de pensar que quizá gran parte de ello sea debido al humilde ajo. La mejor manera de gozar de sus virtudes es incluyéndolo habitualmente en nuestra alimentación, en las típicas sopas de ajo, en las comidas al ajillo, en el famoso ajoblanco y en tantas y tantas recetas populares que nuestros antepasados han ido transmitiendo de generación en generación, conservando eso que se denomina sabiduría popular y que actualmente se ha visto corroborado por la ciencia. Si nuestra salud merma o la edad lo aconseja, la ingestión de un diente de ajo en ayunas será también una sabia medida salutífera

5
La cebolla

La cebolla es una vieja conocida del hombre. Son muchos miles de años acompañándole en sus avatares y participando de sus estrategias para la supervivencia.

Es de aquellos alimentos que sin tener un papel espectacular ni destacar por sus características estéticas deslumbrantes ha realizado siempre un trabajo serio y efectivo.

¿Cuál es nuestra posición actual con respecto a esta hortaliza? En la actualidad se trata de un alimento de bajo coste, lo que en nuestros días implica tener muchos números para ser poco apreciada y valorada, utilizada más como condimento que como alimento. Además, la dinámica de relación que vivimos la mayoría tampoco se presta a ir propagando «según que emanaciones» al vecino. El consumo de cebolla cruda o platos a base de cebolla ha experimentado un gran retroceso y se encontraría, junto con muchos otros, en un grupo de alimentos por los que probablemente debiéramos esforzarnos por recuperar su consumo.

No será fácil puesto que, como bulbo subterráneo que es, se trata de un alimento muy arraigado a la tierra, a lo primitivo, a lo esencial. Es difícil de imaginar en medio de un entorno «refinado» el consumo de cebolla cruda. Más bien parece estar emparentado a las pocas pretensiones a aquello del «contigo, pan y cebolla». No obstante puede seguir siendo aquel recurso fiel al que acudimos en los momentos en que desaparecen ciertos perfumes y solo nos valen las esencias.

Un poco de historia

La cebolla proviene de Asia, probablemente originaria de Afganistán, Irán o Pakistán.

Según los antropólogos en la dieta del *Homo sapiens*, sucesor del hombre de Neanderthal, figuraban las bayas salvajes, setas, avellanas, cerezas, ajos y cebollas.

La historia nos relata cómo los egipcios, siguiendo los ritmos de subida y bajada del Nilo, plantaban en las terrazas cercanas al río cebollas, cebolletas, habas y pepinos; en el interior de las pirámides se encontraron inscripciones que registraban la increíble cantidad de rábanos, cebollas y otros alimentos que consumieron los obreros que las construyeron.

En tiempos del Imperio Romano las cebollas formaban parte de la cultivada gastronomía de la época y, tal y como se describe en el famoso libro de cocina romana escrito por Ápico, eran uno de los ingredientes de las salsas de pescado que tanto apreciaban.

La cebolla ha sido y es muy utilizada como condimento, pero la mayoría de plantas en las que hoy pensamos como condimento fueron utilizadas como medicinales antes de que fueran usadas en alimentación.

En la Edad Media, época en la que existía pasión por las especias y en que la pertenencia a una clase social determinaba lo que cada uno tenía que comer, se denominaba a los ajos y cebollas «las especias fuertes del pobre». No obstante, aunque con «otras compañías», la cebolla también entraba en casa de los poderosos: la reina Isabel I estaba acostumbrada a iniciar el día con un *bouillon de santé*, que era un consomé de pollo condimentado con un puñado de perejil, una ramita de tomillo, tres de menta verde, media cebolla grande y un poco de pimienta y clavo.

En esta época, personajes de otros mundos «más inquietantes» también echaban mano de la cebolla: las brujas la utilizaban como ingrediente de sus brebajes, combinada con otras plantas menos «inocentes».

Los descubridores de América observaron cómo los indios de la parte oriental de América del Norte se contentaban con el sabor natural de los alimentos excepto cuando recurrían al uso de cebollas y ajos silvestres existentes en la zona.

Las cebollas pequeñas eran uno de los ingredientes del «ketchup de mar», destinado a los largos viajes marinos que, paradójicamente, estaban impulsados en gran medida por la búsqueda de nuevas especias.

Hasta nuestros días, la cebolla ha llegado conservando un espacio en muchas de las cocinas del mundo. Es evidente que por sus características la cebolla no ha servido nunca como alimento de base a ninguna cultura, no ha sustentado nunca ningún pueblo, como lo han hecho en momentos determinados el trigo, el maíz, el arroz o las patatas, pero el hecho de que haya acompañado la vida del hombre durante miles de años demuestra que se ha producido una excelente simbiosis entre esta planta y nosotros.

Clasificación

La cebolla pertenece al grupo de alimentos que habitualmente llamamos hortalizas, es decir, productos de la huerta. De hecho, hortalizas son todas las plantas o partes de plantas herbáceas que pueden utilizarse como alimento para el hombre; la designación de verdura corresponde exclusivamente a las partes comestibles de color verde aptas para la alimentación.

Se utilizan varios sistemas de clasificación de las diversas hortalizas cultivadas en el mundo.

Clasificación botánica

Las angiospermas, o plantas con flores, pueden clasificarse en mono o dicotiledóneas, según que el embrión de la planta, que está contenido en la semilla, posea 1 o 2 hojas seminales o cotiledones. Uno de los órdenes de las monocotiledóneas es *Liliiflorae*, entre cuyas familias se encuentra una ampliamente distribuida, la de las liliáceas (Liliaceae), con unos 250 géneros. Entre estos se halla el género *Allium*, que consta de 450 especies. La cebolla, *Allium cepa L.*, es una de ellas junto con el ajo (*Allium sativum L.*), el puerro (*Allium porrum L.*), el cebollino; (*Allium schoenoprasum L.*), la cebolleta (*Allium fistulosum L.*) y la escalonia (*Allium ascalonicum L.*), todas ellas utilizadas como hortalizas. Para los horticultores, este es el único género importante de esta familia.

Según la parte de la planta utilizada

Se pueden clasificar a los distintos tipos de hortalizas desde este punto de vista y aún, dentro de esta clasificación, en función de si se consume la parte aérea o subterránea; así, por ejemplo, entre las primeras, tenemos las hojas (lechuga, espinaca, acelga), los cogollos (col de Bruselas), los tallos (apio), las flores (alcachofa, coliflor) y los frutos (tomate) y entre las segundas, los tubérculos (patata), las raíces (zanahoria, remolacha) y los bulbos (cebolla, ajo, puerro).

Según su contenido nutricional

El contenido nutricional de la cebolla será tratado con detalle en el capítulo «La cebolla como alimento» (página 85). No obstante, queremos señalar aquí que, cuando se clasifican los alimentos básicos en función de su contenido nutricional, es frecuente separar en grupos distintos a las hortalizas y las frutas; el grupo V es el compuesto por aquellos alimentos que habitualmente conocemos como hortalizas, entre los que se encuentra la cebolla, y el grupo VI corresponde a lo que concebimos culturalmente como frutas. La diferencia nutricional más relevante entre ambos es el distinto contenido en azúcares, mayor en las frutas, que en consecuencia tienen un mayor contenido energético.

Las flores de la cebolla pertenecen al grupo de las polinizadas por la concurrencia de insectos (entomófilas), a diferencia de las polinizadas por medio del viento (anemófilas). Se han identificado 267 especies de insectos sobre las flores de la cebolla.

Producción y consumo

La cebolla es una planta que gusta de suelos ligeros, prosperando satisfactoriamente en suelos con pH de entre 6,0 y 6,8. Se adapta a todos los climas, cultivándose en la actualidad en muchas regiones del mundo, si bien cada zona elige de entre las numerosas variedades que existen las que ofrecen mayor rendimiento. Entre algunas de las más conocidas se hallan la globosa amarilla de Brigham, la australiana Brown y la dulce española.

En el hemisferio norte suele sembrarse en octubre y recogerse entre finales de marzo y principios de abril.

La duración total del cultivo desde la siembra hasta la recolección es de 140 a 170 días.

Por regla general, la recolección de los órganos subterráneos se efectúa cuando las partes aéreas se han marchitado por completo, el follaje está casi completamente seco y el cuello de la planta ha perdido su turgescencia. Se desentierran evitando dejar los bulbos arrancados expuestos más de una hora al sol; luego son secadas, limpiadas y almacenadas.

Los caracteres de los bulbos pueden variar en función de su forma (plana, globosa, cilíndrica), color exterior de la piel (blanco, amarillo, marrón, rojo, rosa, verde) y el color de la «carne».

Es quizá debido a la falta de exigencias particulares de su cultivo que su consumo está tan extendido: en los 5 continentes se consume cebolla, como alimento y/o como condimento.

Las raíces y los bulbos contribuyen en número considerable al abanico de los condimentos de la despensa moderna. Aunque de hecho resulta difícil definir qué es un condimento, pues cualquier alimento puede serlo si se utiliza para tal fin, podríamos aceptar que se trata de alimentos que sirven para reforzar o mejorar el sabor de otros alimentos. «Condimento» es, pues, un uso y no ninguna distinción botánica.

La cebolla ha ejercido y ejerce un papel extremadamente importante como condimento, siendo ingrediente principal de muchos adobos, pero como la mayoría de aquellos, no ha quedado recluida a este uso, sino que ha ido más allá y forma parte, o es la base, de algunos platos exquisitos; la *soupe à l'oignon gratinée* (sopa de cebolla gratinada), a la que se atribuye un origen alsaciano, tiene la categoría de plato de fiesta en París.

En Mali (África), por ejemplo, se consumen incluso sus hojas, que se trocean y agrupan en pequeñas bolas que se comen por su propio valor nutritivo o se utilizan como condimento.

Hoy en día, platos habituales de muchos países tienen la cebolla como condimento. Así, por ejemplo, en Estados Unidos, la cebolla es un condimento de la omnipresente hamburguesa (mejor sería al revés) y, sin ir más lejos, la tortilla española está compuesta de patata y cebolla.

La disponibilidad de un mayor número de hortalizas junto con los cambios sociales actuales es probable que contribuya a la disminución del consumo de cebolla en su forma más natural, es decir, cruda, formando parte de las ensaladas o, simplemente, aliñada con aceite.

Características de la hortaliza

Es una de las pocas hortalizas de color blanco, el cual se debe a la presencia de antoxantinas. Además, en los órganos subterráneos no hay clorofila, pigmento responsable del color verde.

Una de las características más importantes de la cebolla es su acritud. Efectivamente, la cebolla cruda se puede incluir entre las sustancias acres, es decir, aquellas que resultan picantes, cáusticas o fuertes para el gusto o el olfato, incluso irritantes. Esta acritud desaparece por completo en la cebolla cocida. Ello condiciona tanto su consumo como su forma de manipularla.

6
La cebolla como alimento

La cebolla, como cualquier otro alimento, es un complejo grupo de sustancias, tanto nutricionales como no nutricionales; estas últimas, evidentemente, pueden ejercer su impacto sobre nuestra salud y, en este caso, se encuentran entre ellas las responsables de la limitación del consumo de este alimento en crudo. Por sus propias características, cada alimento tiene una o más razones por las cuales su consumo no puede ser indiscriminado. En este caso, la cebolla cruda no puede consumirse en cantidades muy importantes porque «pica» y, para muchas personas resulta en mayor o menor grado indigesta. No obstante, a pesar de que cuando está cocida desaparece este efecto, por lo general, las cantidades de cebolla consumidas nunca son muy grandes. Por consiguiente, esta es una de las causas por las que, como veremos a continuación, su contribución a la cobertura de las necesidades nutricionales diarias es muy modesta.

También son las sustancias no nutricionales las responsables de muchas de las propiedades que se atribuyen a esta hortaliza y que la llevan más allá de su condición de alimento-condimento hasta incluirla en los libros de fitoterapia entre las plantas medicinales.

Contenido nutricional

Cuando hablamos del contenido nutricional de los alimentos, es necesario hacer una serie de puntualizaciones:

- La herramienta que utilizamos para saber la cantidad de nutrientes que hay en un alimento son las tablas de composición de alimentos. No obstante, no todas son de la misma calidad. Además, entre las mejores, pueden también observarse diferencias significativas entre los valores nutritivos de los diversos alimentos; ello es debido a que pueden tomarse como referencia distintas variedades del alimento, cultivadas en suelos de composición distinta, expuestas a una mayor o menor insolación, etc. Todo ello conduce a que el contenido en nutrientes, y principalmente los micronutrientes, es decir, vitaminas y elementos químicos, pueda ser muy distinto en los alimentos analizados.

- Por ello, las cifras que encontramos en las tablas de composición de alimentos deben tomarse como puntos de referencia, como cifras medias, y jamás como cantidades exactas no sometidas a posible modificación.

Agua

En la cebolla destaca, como en el resto de las hortalizas, su gran contenido en agua que se sitúa alrededor del 88 %. De hecho es este grupo de alimentos el que posee más agua, llamada agua de constitución. Esta agua contenida en los alimentos puede contribuir de forma importante a cubrir las necesidades hídricas de las personas: habitualmente alrededor de 1 litro de los 2,5 litros que necesita un adulto medio, pero incluso mucho más si en la alimentación abundan hortalizas y frutas.

Glúcidos o hidratos de carbono

Las hortalizas en general se caracterizan por su bajo contenido en glúcidos (muy inferior al de las frutas). Se trata mayoritariamente, como en el caso de estas últimas, de glúcidos simples o azúcares, que se caracterizan por ser dulces y solubles en agua, al contrario del almidón presente en cereales, legumbres y patatas.

Es frecuente clasificar las hortalizas en 3 grandes grupos en función de su contenido en glúcidos:

- *Superior al 10 %*: alcachofas y ajos.
- *Entre un 5 y un 10 %*: aquellas en las que podemos reconocer un cierto dulzor, como, por ejemplo, la cebolla, y también la zanahoria, la remolacha, el puerro, el calabacín, las coles de Bruselas y los nabos. El contenido medio en glúcidos aproximado de la cebolla es de 5 g/100 g. De ellos, aproximadamente 1,9 g son sacarosa (un disacárido compuesto de glucosa y fructosa al que comúnmente llamamos «azúcar»), 1,6 g son glucosa (el glúcido más importante para nuestro

organismo) y 1,3 g son fructosa (el segundo monosacárido en importancia tras la glucosa).

- *Inferior a 5 %*: todas las demás hortalizas de consumo habitual.

En consecuencia, este grupo de alimentos no puede considerarse en la práctica una fuente excesivamente significativa de aporte de glúcidos en nuestra dieta diaria, y en particular, tampoco en el caso de la cebolla, cuyo consumo raramente superará los 100 g/día, unos 5 g de glúcidos, es decir, 20 calorías, lo que representa un 1 % del valor calórico total (v.c.t.) de una dieta de 2.000 calorías.

En la actualidad se recomienda que los glúcidos aporten del 50 al 60 % del v.c.t., más concretamente, el almidón (el glúcido complejo de nuestra dieta) del 40 al 50 %, y el 10 % restante los azúcares. Esta recomendación rara vez se cumple porque no se suele alcanzar el porcentaje de glúcidos totales y se supera el de azúcares; ello se traduce en un consumo insuficiente de productos ricos en almidón y el exceso de azúcar (sacarosa) en nuestra dieta.

Grasas

Las grasas de nuestra alimentación son los llamados triglicéridos, los cuales se nos recomiendan que representen del 30 al 35 % del v.c.t. de nuestra dieta.

Sin duda alguna, el exceso de grasas que hoy en día se observa en el modelo alimentario mayoritario de las poblaciones de los países industrializados no se debe al exceso del consumo de hortalizas, sino más bien al revés. Este grupo de alimentos tiene un contenido en grasas muy reducido que nunca llega al 1 %.

La cebolla no es excepción con sus 0,25 g/100 g y, en consecuencia, su contribución al aporte de grasas es prácticamente nulo.

Proteínas

Como en el caso anterior los aportes de proteínas de la mayoría de las personas de los países ricos supera con creces las recomendaciones de los expertos (1 g/kg/día). Tampoco son las hortalizas un alimento proteico por excelencia, aunque en general sí que contienen cantidades bastantes superiores que las de las frutas de consumo habitual.

La cebolla tiene un contenido en proteínas muy bajo, alrededor de 1,9 g/100 g. Estas cantidades son muy inferiores a los 6 g/100 g de los guisantes y a los 2,6 g/100 g de las espinacas, por poner un par de ejemplos. Es de destacar, sin embargo, la diferencia cuantitativa importante que existe en cuanto al contenido en proteínas entre miembros del mismo género *Allium*; en efecto, el ajo (*Allium sativum*) contiene más de 5 g/100 g de proteínas, mientras que el puerro (*Allium porrum*) se situaría en una posición intermedia con 2,4 g/100 g.

Contenido energético

El contenido energético de los alimentos está en relación inversa con su contenido en agua; un contenido en agua elevado (el agua no tiene valor calórico y, en consecuencia, no engorda) implica un contenido en glúcidos, grasas y proteínas (los macronutrientes) bajo y, por lo tanto, un valor energético o calórico pequeño.

Este es el caso de las frutas y sobre todo de las hortalizas, hecho por el cual se recomienda consumirlas en cantidad en cualquier tipo de dieta en general y en las dietas hipocalóricas en particular.

En el caso de la cebolla, el contenido energético es muy bajo, del orden de las 27 kcal/ 100 g, y por lo tanto su contribución a la cobertura de las necesidades energéticas es insignificante.

Vitaminas

- *Vitaminas hidrosolubles.* Si bien en la cebolla se encuentran presentes todas las vitaminas hidrosolubles del grupo B excepto la B12 o cobalamina (que solo se encuentra en los alimentos de origen animal), lo están en tan pequeñas cantidades que sus aportes con el consumo de esta hortaliza son poco significativos. Por poner un ejemplo de lo dicho citamos la vitamina B6 o piridoxina: mientras que el contenido aproximado en la cebolla es de 152 pg/100 g, las recomendaciones diarias (r.d.a.) para un hombre adulto son de 2 mg, es decir, ¡13 veces más!

  Por lo que se refiere a la novena de las vitaminas hidrosolubles, la C, las cantidades presentes en la cebolla son también pequeñas, alrededor de 7 mg/100 g y poco significativas en la práctica (las dosis diarias recomendadas de estas vitaminas están fijadas en la actualidad en 60 mg/día para los hombres y mujeres adultos). Pero aun estando lejos del contenido de vitamina C de, por ejemplo, los cítricos (50 mg de vitamina C por cada 100 g de naranja o limón) debe considerarse que la cebolla puede contribuir de forma importante en la prevención del escorbuto (deficiencia grave de vitamina C) en aquellas zonas geográficas en las que escaseen otras hortalizas o frutas más delicadas, máxime si consideramos que la cantidad de esta vitamina que se considera necesaria para evitar la aparición de esta grave enfermedad es de 10 mg/día.

Tampoco debe olvidarse que tanto las vitaminas hidrosolubles como los elementos químicos difunden tanto al agua de remojo como en el agua de cocción, y que, en consecuencia, el aporte puede disminuir cuando se consumen las cebollas u otras hortalizas cocidas en agua y no se bebe el caldo (véase «Uso y abuso de la cebolla», página 114).

- *Vitaminas liposolubles.* En general no es significativo (recuérdese que estas vitaminas son solubles en medios lipídicos y en la cebolla hay muy pocas grasas y cualquier otro tipo de lípidos).

  Es sabido que en el reino vegetal no se encuentra la vitamina A como tal (retinol) y que la contribución de los alimentos de origen vegetal a la cobertura de esta vitamina es fundamental (especialmente cuando se toman pocos alimentos lácteos o se consumen desnatados sin suplementar) y pasa por la presencia más o menos importante en estos alimentos de un precursor de dicha vitamina, el betacaroteno.

  Mientras que el contenido de betacaroteno de las zanahorias es tal que bastan aproximadamente 100 g de zanahoria al día para cubrir las recomendaciones diarias de retinol, el contenido de betacaroteno en la cebolla no es, en la práctica, valorable: el suficiente para proporcionar, por cada 100 g de cebolla, 1,15 pg de retinol, siendo la recomendación para un hombre adulto de 1.000 pg/día.

  Algo parecido ocurre con la vitamina E, al tiempo que la vitamina D está ausente.

Sin duda cuando se observa la dispersión de la presencia de los distintos nutrientes en los alimentos se retoma con fuerza la idea de la importancia de la variedad en nuestra alimentación.

Elementos químicos

Lo más destacable a este nivel es el elevado contenido en potasio de esta hortaliza, alrededor de 135 mg/100 g. Asociado al potasio siempre va el sodio (el equilibrio potasio-sodio de la dieta es uno de los 10 equilibrios nutricionales más importantes y se recomienda que sea igual a 1). En la cebolla el contenido en sodio es, como en la mayoría de las demás hortalizas (con algunas excepciones, como, por ejemplo, las alcachofas y el apio) muy bajo, concretamente de alrededor de 9,5 mg/100 g, por lo que la relación potasio-sodio en la cebolla se sitúa en alrededor de 14 (una excelente cifra para intentar compensar la del exceso de sal, cuya relación entre estos dos elementos es de ¡0/400!).

Si bien en general la contribución de las hortalizas a la cobertura de las necesidades de calcio debe ser tenida en cuenta, la cebolla no es el mejor ejemplo: sus alrededor de 30 mg/100 g quedan muy lejos de los más de 100 mg en cardos y acelgas y los cerca de 100 mg en espinacas y grelos.

La presencia de fósforo es similar al de muchas otras hortalizas y se encuentra en una cifra aproximada de 42 mg/100g. Este es, sin embargo, un elemento tan presente en nuestros alimentos que no se describe nunca una deficiencia espontánea, más bien al contrario, un exceso de fósforo en relación con el aporte del calcio puede comprometer la salud del hueso.

El contenido en magnesio (alrededor de 11 mg) es de los más modestos que se encuentran entre las hortalizas; en este sentido, es interesante recordar la ausencia en la cebolla de clorofila, molécula que contiene en el centro de su estructura un átomo de magnesio.

Por lo que se refiere a los microelementos u oligoelementos puede decirse que en general su contenido es poco importante. Deben mencionarse, sin embargo, el medio miligramo de hierro presente en 100 g del bulbo, si bien la mayoría de las hortalizas tienen contenidos en este elemento algo o muy superiores; también son de destacar los valores extremos señalados para el cinc: 1,4 mg/100 g (las R.D.A. de este oligoelemento son de 15 mg para el hombre adulto y 12 mg para la mujer adulta). El ajo tiene también un contenido cercano a 1 mg de cinc por cada 100 g de bulbo.

Es sabido que el contenido en selenio de las hortalizas está en función de la riqueza en selenio del suelo donde son cultivadas, y que, en este sentido, hay zonas en la Tierra ricas en selenio y zonas pobres. Los valores extremos citados en algunas tablas llegan a ser significativos: 10 pg por cada 100 g de cebolla, lo cual representa, aproximadamente, un 20 % y un 14 % de las recomendaciones diarias de este oligoelemento para la mujer y el hombre, respectivamente.

También es remarcable su contenido medio en molibdeno, 32 pg, habida cuenta que las ingestas dietéticas diarias de este oligoelemento estimadas como seguras y adecuadas para el humano adulto se sitúan actualmente entre los 75 y los 250 pg.

Para algunos autores la cebolla es, como se comentará más adelante, un alimento con un contenido destacable en silicio, un elemento químico del cual aún solo se sospecha su esencialidad para el humano.

Fibra

La cebolla no se encuentra entre el grupo de hortalizas que tienen un contenido en fibra más elevado (espinacas, acelgas, guisantes verdes, habas, coles...). Con sus aproximadamente 1,8 g/100 g la podríamos situar entre un grupo bastante numeroso que tienen un contenido medio de entre 1,5 y 2,5 g/100 g (coliflor, alcachofas, apio, espárragos, lechuga, escarola...).

De la fibra presente en la cebolla, la inmensa mayoría, 1,52 g, es fibra insoluble en agua, es decir, celulosas, determinadas hemicelulosas y lignina, con efectos distintos sobre nuestra fisiología que las fibras solubles (pectinas, gomas, mucílagos..); mientras que las primeras actúan preferentemente a nivel del tubo digestivo, los efectos más destacados de las segundas parecen producirse a nivel metabólico. Son, por tanto, el tipo de fibras más indicado para prevenir el estreñimiento y otros problemas asociados, como, por ejemplo, divertículos.

Para resumir este apartado, podemos decir que, desde el punto de vista nutricional, la cebolla tiene muchas de las características de la mayoría de las hortalizas, aunque, debido a las pequeñas cantidades en que se consume tanto cruda como cocida, su aportación es aún más modesta que la de muchas de ellas.

CONTENIDO NUTRICIONAL DE LA CEBOLLA (por 100 gramos de alimento ingerido)			
	Unidades	**Media**	**Oscilación**
Energía	kcal	27,52	
Fibra	%	8	3-14
Nutrientes principales			
Agua	g	87,60	86,00-89,00
Proteínas	g	1,25	1,00-1,40
Grasas	g	0,25	0,10-0,40
Hidratos de carbono metabolizables	g	4,91	–
Ácidos orgánicos metabolizables	g	0,21	–
Minerales	g	0,59	0,57-0,60
Minerales y oligoelementos			
Aluminio	µg	5,10	–
Boro	µg	170,00	130,00-270,00
Calcio	mg	31,00	30,00-32,00
Cinc	µg	220,00	160,00-1400,00
Cobalto	µg	13,00	–
Cobre	µg	46,44	41,00-80,00
Cromo	µg	15,50	1,00-30,00
Flúor	µg	42,00	24,00-64,00
Fósforo	mg	42,00	40,00-44,00
Hierro	µg	500,00	–
Magnesio	mg	11,00	9,00-16,00
Manganeso	µg	83,65	50,00-360,00
Molibdeno	µg	32,00	10,00-54,00
Níquel	µg	8,12	4,90-35,00
Nitratos	mg	20,00	0,00-225,00
Potasio	mg	135,00	95,00-200,00
Selenio	µg	1,47	1,00-10,00
Sodio	mg	9,50	7,00-10,00
Vanadio	µg	5,00	4,00-6,00
Yodo	µg	2,09	2,00-2,10

CONTENIDO NUTRICIONAL DE LA CEBOLLA (por 100 gramos de alimento ingerido)			
	Unidades	**Media**	**Oscilación**
Vitaminas			
A	µg	1,15	–
E	µg	73,80	46,80-126,80
B_1 (tiamina)	µg	34,20	30,00-40,00
B_2 (riboflavina)	µg	20,40	9,00-40,00
B_3 (nocitinamida)	µg	200,00	110,00-320,00
B_5 (ácido pantoténico)	µg	170,00	–
B_6 (piridoxina)	µg	152,00	98,00-186,00
B_8 (biotina)	µg	3,50	–
B_9 (ácido fólico)	µg	7,00	6,10-8,10
C (ácido ascórbico)	mg	7,13	6,00-8,00

Contenido no nutricional

Al margen de su contenido nutricional, todos los alimentos tienen en pequeñas cantidades un gran número de sustancias de diferente procedencia y que pueden ejercer distinto impacto sobre la salud del consumidor. Así, junto con los nutrientes, los alimentos son el vehículo de:

- Las sustancias naturales propias de los alimentos.
- Las sustancias añadidas voluntariamente, como son los aditivos y los pesticidas.
- Las sustancias añadidas involuntariamente; es el caso de contaminantes y microorganismos patógenos.

No hay duda de que los alimentos son estructuras muy complejas y cuyo efecto sobre la salud y la enfermedad de las personas va mucho más allá de su contenido estrictamente nutricional. Al introducirlos en nuestro interior no solo recogemos la herencia biológica de millones de años, sino también la herencia mucho más reciente de algunas de las mayores proezas y torpezas del género humano.

Sustancias naturales propias de la cebolla

- *Ácidos orgánicos.* Los principales ácidos contenidos en las hortalizas son el málico y el cítrico, si bien su contenido es pequeño en relación con el de las frutas, por lo que su pH (con algunas excepciones, como el tomate) es relativamente alto (5,5-6,5).

  El contenido en ácidos orgánicos totales de la cebolla es bajo, alrededor de 0,21 g/100 g.

1. Ácido málico: de entre los ácidos presentes en la cebolla el ácido málico es, con diferencia, el más importante: 189 mg/100 g. El ácido málico es un ácido muy presente en el mundo vegetal y un «buen conocido» de nuestro metabolismo, puesto que se trata de uno de los intermediarios de una de las vías metabólicas más importantes de nuestras células: el ciclo de Krebs o ciclo oxidativo tricarboxílico, vía central y común para el metabolismo de glúcidos (glucosa), ácidos grasos (triglicéridos) y aminoácidos (proteínas). La industria agroalimentaria lo utiliza como aditivo; concretamente se trata de un acidulante que posee el número 296.
2. Ácido cítrico: la cantidad de este otro ácido presente con frecuencia en el mundo vegetal, el ácido cítrico, es mucho más pequeña, 20 mg/100 g, aproximadamente. Se trata también de un intermediario del ciclo de Krebs y, por lo tanto, de un metabolito central de nuestro metabolismo. El ácido cítrico se utiliza también en la industria agroalimentaria como aditivo, concretamente como antioxidante; se trata del E-330 y de sus derivados E-331 (citrato de sodio), E-332 (citrato de potasio) y el E-333 (citrato de calcio).
3. Ácido oxálico: en la cebolla se encuentra también en pequeñas cantidades el ácido oxálico, que se presenta en cantidades variables en algunas hortalizas. Las espinacas y el ruibarbo son especialmente ricas en este ácido, con más de 500 mg/100 g, mientras que remolacha y judías les siguen a distancia, con 72 y 43 mg por cada 100 g respectivamente. En la cebolla las cantidades son mucho más modestas, del orden de 4 mg/100 g. Este ácido debe de considerarse en la práctica como un antinutriente habida cuenta de su conocido efecto inhibidor sobre la absorción de nutrientes

como el calcio, con el cual forma sales insolubles en el intestino que posteriormente no se absorben. Una de las características metabólicas importantes de este ácido es que a partir de él se forman los cálculos de oxalato (oxalato cálcico) que son el tipo más frecuente de cálculos renales. Su consumo debe reducirse en las personas con factores predisponentes a esta situación. No es conveniente tomar mucha cebolla en estos casos y menos aún algunas de sus preparaciones, como caldos, sopas, etc.

- *Purinas.* Las purinas (principalmente adenina y guanina) son componentes fundamentales del material genético de las células que cuando se metabolizan en el organismo se convierten en ácido úrico. La cebolla contiene una cantidad modesta de estas sustancias, alrededor de 13 mg, sobre todo si lo comparamos al que contienen otras hortalizas como, por ejemplo, espárragos y coliflor (50-60 mg), legumbres (alrededor de 70 mg) y, por supuesto, otros alimentos de origen animal como las mollejas, las anchoas y las sardinas (900 mg, 460 mg y 360 mg, respectivamente). Por consiguiente, no figura entre los alimentos de los que deben de reducirse el consumo en las situaciones en las que existen concentraciones de ácido úrico elevadas en sangre (rango normal: hasta 7 mg/100 ml en la mujer y hasta 7,5 mg/100 ml en el hombre) o predisposición a cálculos renales de ácido úrico.
- *Esteroles.* Esta es una familia de compuestos entre los que figura como miembro destacado el colesterol. No obstante, el colesterol únicamente está presente en el reino animal; dicho de otra manera: en los vegetales no hay colesterol, aunque sí otros esteroles vegetales (fitosteroles). En el caso de la cebolla, el contenido total aproximado de esteroles es de 13 mg/100 g siendo con diferencia el principal el betasitosterol (12 de los 13 mg). Algunos autores han publicado que les podrían reducir los niveles de colesterol.
- *Sustancias volátiles con azufre.* La cebolla, el ajo y el puerro son 3 plantas alimentarias importantes que contienen sustancias con azufre responsables de sus aromas fuertes y penetrantes. Estos aromas característicos no se manifiestan más que cuando se destruyen sus tejidos y las enzimas salen de sus compartimentos haciendo que los precursores del flavor (término que ha surgido para un uso que implica

la percepción integral global de todos los sentidos que participan en el momento de consumir el alimento, como el olfato, el gusto, la vista, el tacto y el oído) se conviertan en volátiles olorosos. El constituyente azufrado principal de la cebolla es el sulfóxido de S-(1 propenil)-(L)-(+)-cisteína, presente también en los puerros; se trata de un isómero de posición de la aliína, un aminoácido con azufre que es el principal componente del ajo fresco y al que se atribuye la acción antibiótica de este bulbo. El sulfóxido citado es el precursor de los compuestos responsables del flavor de la cebolla. Una enzima repartida por todo el vegetal, la aliinasa, da lugar a un ácido sulfénico que tras modificación posterior da lugar a una sustancia fuertemente lacrimógena: el tiopropanal S-óxido, que participa también en el aroma global de las cebollas frescas. Parte del ácido sulfénico también se reestructura y descompone para dar un número relativamente grande de compuestos que incluyen mercaptanos, disulfuros, trisulfuros y tiofenos, compuestos que también contribuyen al flavor de las cebollas cocidas. La aliinasa es la que permite liberar el aceite esencial a partir de sus precursores.

- *Otros compuestos.* Otras sustancias conocidas presentes en la cebolla con efectos conocidos son las fructosanas a las que se atribuye la acción diurética de este bulbo y la glucoquinina a cuya presencia se atribuye la acción antidiabética de la cebolla.

Sustancias añadidas

- *Nitratos y nitritos.* Existen en la actualidad múltiples y graves problemas de contaminación ambiental. En el presente los alimentos se han convertido en uno de los vehículos importantes de incorporación de sustancias tóxicas a nuestro organismo.

  Una de las muchas sustancias que preocupan son los nitritos y los nitratos, estos últimos no porque tengan una acción tóxica propia, sino por su posibilidad de convertirse en nitritos.

  Los efectos tóxicos de los nitritos son 2:

1. Actúan como agentes metahemoglobinizantes: la metahemoglobina (MetHb), a diferencia de la hemoglobina, fija el oxígeno firmemente al hierro, de forma que aquel se hace inasequible para los tejidos.

2. Formación de nitrosaminas: estas sustancias conocidas como cancerígenas se forman a partir de nitritos y aminas. Pueden estar ya presentes en los alimentos y existe la hipótesis de su formación endógena en el organismo. Un lugar potencialmente adecuado para su formación sería el estómago, donde se pueden encontrar todos los condicionamientos necesarios: pH ácido, nitritos libres y aminas procedentes de la alimentación. En este sentido se ha señalado el papel protector de la vitamina C (ácido ascórbico).

El contenido en nitritos y nitratos de los alimentos depende de los factores que se enumeran a continuación:

1. Para las carnes y embutidos, de la utilización de nitratos y nitritos como aditivos alimentarios. La acción conservadora la efectúan los nitritos cuyos efectos beneficiosos se ejercen fundamentalmente por su acción antimicrobiana, en especial protegiendo de la presencia del *Clostridium* botulinum (botulismo).
2. Para las hortalizas, dependerá de su presencia en el suelo (origen geológico) o de la utilización de abonos nitrogenados. La cuantificación del nivel de nitratos en las hortalizas es una tarea cuando menos difícil. No obstante, entre los datos publicados puede observarse que no todas las hortalizas parecen contener la misma cantidad de nitratos: entre las de consumo habitual que presentan valores medios más elevados cuando se ha utilizado un cultivo convencional figuran, en escala descendente, de mayor a menor contenido, las acelgas, el apio, la remolacha, la lechuga, la col y las espinacas. En todas las hortalizas cultivadas en invernadero, los contenidos son muy elevados (son frecuentes cifras superiores a los 400 mg/100 g). Evidentemente, el contenido en nitratos de la cebolla se corresponderá directamente con la forma en que haya sido cultivada. En algunas tablas aparece como valor medio 20 mg/100 g, pero se han citado valores máximos de 225 mg/100 g (¡un contenido mayor que de potasio, el elemento químico nutricional cuantitativamente más importante de la cebolla!).

   El elevado contenido en nitratos puede contraindicar su uso en situaciones en las que potencialmente podrían ejercer un efecto benéfico, como es el caso de la preparación de caldos de hortalizas para los lactantes y niños pequeños, o para adultos convalecientes.

Esta es una situación frecuente en el mundo de la alimentación y la dietética: lo que resulta beneficioso en un aspecto puede ser perjudicial en otro, y es que en la práctica suele costar armonizar las conveniencias nutricionales, organolépticas e higiénicas.

- *Otras sustancias.* La presencia de metales pesados (plomo, cadmio, mercurio) y también de aluminio y estaño en nuestros alimentos como consecuencia de la contaminación del aire y del agua resulta también inquietante. Este, no obstante, no es un problema específico de la cebolla. La cebolla no suele ser un vehículo importante de los microorganismos patógenos causantes de las toxiinfecciones alimentarias.

Otros alimentos también muy hidratados, pero con un contenido proteico muy superior, como es el caso de los huevos, la carne y el pescado, suelen estar más implicados en estos trastornos, que en la mayoría de los casos suelen cursar con síntomas gastrointestinales.

7
La cebolla como remedio natural

Es evidente que el botiquín de nuestras abuelas (y abuelos) era muy distinto del que tenemos actualmente. En él hubiéramos encontrado multitud de remedios, entre ellos plantas y alimentos, que hoy están en desuso. Por supuesto que nuestros antepasados actuaban empíricamente, por tradición, por ese legado tan extraordinario que es la cultura popular. En nuestra época, la del método científico, el empeño de muchos es integrar en dicho método remedios de otro tiempo injustamente olvidados y recuperarlos para su uso habitual. Dicho de otra manera: se trata de comprender los mecanismos por los cuales ciertas sustancias contenidas en determinados productos ejercen una acción benéfica en el organismo del individuo, es decir, de explicar científicamente aquello que muchas veces ya se sabía por la práctica.

Indicaciones dietéticas

En principio, todo adulto sano, a excepción de la madre lactante (véanse «Contraindicaciones»), puede encontrar beneficio incluyendo cebolla entre sus alimentos de consumo cotidiano, contribuyendo así a cumplir con uno de los requisitos indispensables de toda dieta que pretenda ser equilibrada: la variedad. Pero además, algunos colectivos pueden encontrar un beneficio específico consumiendo esta hortaliza.

Ancianos

Para los ancianos puede resultar de especial interés consumir cebollas cocidas. Pueden elaborar platos relativamente acalóricos (el exceso de peso es más frecuente entre las personas mayores) y muy sápidos (con la edad disminuye la percepción del sabor), puesto que la cebolla en su faceta de condimento contribuye de forma importante al sabor del plato, lo que puede evitar recurrir de forma excesiva a la sal. Estas preparaciones pueden ser además satisfactorias desde el punto de vista de la textura (en los ancianos son muy frecuentes los problemas dentales) y sus efectos diuréticos y laxantes de la cebolla serles también muy beneficiosos.

Embarazadas

Durante el embarazo, el consumo de cebolla no contribuirá de forma destacada a compensar las necesidades en micronutrientes (especialmente ácido fólico y hierro) de este período de la vida de la mujer fértil, pero sí que gracias a su contenido en fibra y su bajo contenido energético puede ayudar a mantener una elevación del peso en el rango de lo normal (alrededor de 12 kg durante todo el embarazo en una mujer que se halle en su peso ideal en el momento de la concepción) y prevenir o ayudar a resolver el estreñimiento que frecuentemente se presenta en estas situación. Además podría ser también quizás un factor de control de la diabetes gestacional.

Aunque es un tema de tolerancia personal, probablemente la mejor manera de consumir la cebolla en estos casos sea cocida, por ser de más fácil digestión.

El consumo de caldos vegetales, en los que se incluya la cebolla, puede resultar de interés para cubrir las necesidades hídricas de la mujer embarazada y para ayudar a regular el «revuelto» metabolismo hidroelectrolítico del embarazo.

Deportistas

Las necesidades nutricionales de los deportistas, que en general no son muy distintas de las de las personas sedentarias, tienen dos ejes fundamentales: los glúcidos y la hidratación.

Habida cuenta de la falta de reserva de agua corporal y la disminución del rendimiento que se produce con tan solo la pérdida del 2 % del peso corporal en forma de agua (1,4 litros en un hombre de 70 kg) se puede fácilmente imaginar la delicada situación en la que se sitúa un deportista con respecto a su metabolismo hídrico. La reposición de agua es un elemento fundamental para evitar el agotamiento para también problemas más graves como la disminución del volumen sanguíneo y el aumento de la temperatura corporal.

El caldo de hortalizas con cebolla, al que se puede añadir 2 g de sal por litro para compensar las pérdidas de sodio por el sudor, puede resultar una bebida excelente para la reposición de agua y electrolitos (recuérdese el elevado contenido en potasio de estos alimentos).

Por contra, la cebolla cruda debe tomarse con precaución porque puede generar gases.

Indicaciones terapéuticas

Observaciones y deducciones acerca de los efectos de la cebolla en el organismo humano, así como sobre la utilidad de su aplicación en determinados desequilibrios, vienen ya de muy antiguo. Así, por ejemplo, Dioscórides habla de la cebolla en el capítulo 140 del *Libro II* y entre otras cosas señala: «Todas son corrosivas y engendran ventosidades, dan ganas de comer, adelgazan los gruesos humores, inducen sed y traen hastío, y mundifican y ablandan el vientre. Mondadas y bañadas con aceite y puestas en forma de cala son útiles para abrir el camino a cualquier género de evacuación, y especialmente a aquella que se suele hacer por las almorranas. Su zumo, aplicado con miel, sirve contra la flaqueza de vista, contra los fluecos y nubes, y contra las cataratas cuando comienzan a congelarse. Provoca la sangre menstrua. Instilado en las narices, purga la cabeza por ellas. Aplícase con sal, con ruda y con miel contra las mordeduras de los perros. Aprovecha a la dificultad de oír, a los silbos y a los oídos que manan materia. Hace renacer el cabello que derribó la tiña».

Muchos siglos después, tras haber aumentado el bagaje de conocimientos sobre nuestro cuerpo de una forma realmente extraordinaria, es probable que afirmar que los alimentos curan las enfermedades pueda resultar pretencioso.

Desde un punto de vista nutricional, es bien sabido que los alimentos intervienen decisivamente en la configuración del estado nutricional del individuo, que es la resultante de la relación que se establece entre necesidades y aportes nutricionales. Lo cierto es que puede existir un buen estado nutricional y no haber salud, pero es imposible tener salud con un estado nutricional deficiente. Parece, pues, evidente que debido a sus particulares características nutricionales la cebolla puede añadir «su granito de arena» en el conjunto de las medidas dietéticas que hoy se piensa que ejercen un papel favorable en algunas de las patologías más graves y frecuentes que padece la población de los países económicamente desarrollados a principios del siglo XXI.

Pero, como hemos señalado, los alimentos son mucho más que una mezcla de nutrientes y en su interior se reúnen muchas otras sustancias naturales y añadidas. Se desconoce el contenido en los alimentos de muchas de las primeras y, de las conocidas, se sabe poco sobre cuál es el impacto que ejercen sobre nuestra salud. ¿En qué medida actúa la cebolla por su contenido nutricional o por su contenido no nutricional? Cuando hablamos de la cebolla, ¿estamos hablando de un alimento o de una planta medicinal? ¿Existe una frontera bien definida entre estos dos conceptos?

Mientras que se resuelven estos interrogantes creemos estar en condiciones de proporcionar una lista de aplicaciones de la cebolla en determinadas patologías que, de una u otra manera, es sabido ejercen un efecto benéfico y, cuando menos, respetan uno de los principios fundamentales de la medicina hipocrática, aquel que reza: «*Primum non nocere*» («ante todo, no dañar»).

Diabetes

La diabetes es una enfermedad que afecta en primera instancia al metabolismo de los glúcidos y que se caracteriza por la presencia de niveles de glucosa en sangre elevados (hiperglucemia), pero que alcanza también al metabolismo de las grasas y proteínas y ocasiona a la larga lesiones en la microcirculación (retina, riñón) y en los grandes vasos (mayor riesgo de aterosclerosis).

La causa radica en una insuficiente o carente secreción de insulina por parte del páncreas (diabetes del tipo I o insulinodependiente) o en un defecto de utilización de la misma (diabetes tipo II o no insulinodependiente).

La dieta juega en ambos casos un papel primordial: en la diabetes del tipo I ayuda a regular el control de la situación y en la diabetes del tipo II puede bastarse para volver a la normalidad las cifras de glucemia elevadas.

Las hortalizas son, en general, excelentes alimentos para los diabéticos por sus características nutricionales: bajo contenido en glúcidos, bajo contenido en grasas, bajo contenido energético y elevado contenido en fibras. La cebolla no es excepción y resulta, por lo tanto, un alimento indicado en esta enfermedad.

El diabético deberá saber que una ración de glúcidos (10 g) corresponde a 150-200 g de cebolla.

Entre las plantas que tradicionalmente se han utilizado en medicina para el tratamiento de la diabetes figura la cebolla. ¿Cuál es la acción de la cebolla sobre el metabolismo glucídico? Como se ha mencionado anteriormente la glucoquinina parece ser responsable de su acción antidiabética.

Aterosclerosis

Los accidentes vasculares consecutivos a la aterosclerosis son la primera causa de mortalidad en las poblaciones de los países económicamente desarrollados. Se trata por consiguiente de un problema de salud pública mayor.

Es sabido que esta enfermedad es multifactorial y que, en consecuencia, la responsabilidad de su aparición puede corresponder tanto a factores genéticos y metabólicos como a múltiples factores ambientales entre los que, sin duda, destaca la alimentación.

Incluso dentro de la misma nutrición han sido y son estudiados directamente distintos nutrientes cuya presencia o deficiencia podría estar implicada en la aparición de esta enfermedad, como, por ejemplo, las grasas, la fibra alimentaria, el selenio, las vitaminas E y C, betacarotenos, las aguas blandas... e, indirectamente, otros que pueden ser responsables de la aparición de factores de riesgo de las siguientes enfermedades: obesidad (aporte energético excesivo, grasas), hipertensión (sodio, calcio), diabetes (aporte energético excesivo, azúcar).

Con respecto a la aterosclerosis, podemos decir que la cebolla, como el resto de hortalizas, puede consumirse a voluntad, recomendándose utilizar mucha cebolla cruda en la alimentación.

Se ha descrito que la cebolla se opone a la formación de las placas de ateroma; mediante diferentes estudios se ha probado que la cebolla puede inhibir la agregación plaquetaria, si bien su acción parece muy inferior a la del ajo (véase «Propiedades curativas del ajo», página 49 y siguientes).

Puesto que, al parecer, este efecto desaparece al cabo de unas horas, sería aconsejable incluir tanto el ajo como la cebolla en nuestra alimentación cotidiana.

Fórmula magistral para el tratamiento de la aterosclerosis

Una de las fórmulas magistrales para la aterosclerosis que se encuentran en los *vademecum* de prescripción en fitoterapia es como sigue:
Para una cápsula:

- espino albar (extracto seco): 0,12 g
- cebolla (extracto seco): 0,12 g
- olivo (extracto seco): 0,12 g

Se recomiendan de 3 a 4 cápsulas al día.

Hipertensión arterial

En la actualidad un 20 % de la población española presenta hipertensión arterial, si se aceptan para su diagnóstico cifras iguales o superiores a 160 mmHg y/o 95 mmHg para las tensiones sistólica y diastólica (máxima y mínima) respectivamente. Pero si se emplean para su diagnóstico cifras límite inferiores, que ya se están aplicando de manera habitual, como son 140 mmHg para la presión sistólica y 90 mmHg para la diastólica, la tasa de hipertensos casi se duplica y podría etiquetarse de «hipertensa» a casi el 50 % de la población.

Este es, junto con los niveles elevados de colesterol total en sangre y el tabaco, uno de los factores de riesgo primarios de padecer algún tipo de enfermedad cardiovascular, siendo la responsable de más del 25 % de casos de enfermedades cerebrovasculares.

La sal ha sido clásicamente el alimento problema de esta situación, más concretamente el sodio (Na) como nutriente problema. No obstante hoy se piensa que solo algo más de la mitad de los hipertensos son sensibles a la sal, pero, debido a la complejidad de la identificación de esta medida, la recomendación de la restricción de la ingesta de sal hasta valores de entre 5 y 6 g/día (lo que equivale a 2-2,4 g de sodio) se aplica a toda la población hipertensa.

La cebolla utilizada en la cocina como condimento puede ayudar a reducir el frecuente consumo excesivo de sal y contribuir así a una disminución de la presión arterial que la sitúe en cifras de normalidad. Pero, además, entre las propiedades principales de la cebolla se cita la de ser hipertensora, por lo que se recomienda el consumo de 100 a 500 g del bulbo crudo diarios a los hipotensos.

Obesidad

La obesidad es un estado en el que el peso del individuo se halla un 20 % por encima de su peso considerado como ideal debido a un cúmulo de grasa que proviene de la presencia de un desequilibrio energético positivo, es decir, de una ingesta energética superior a la necesaria.

La cebolla, como ningún otro alimento de consumo habitual, no posee ninguna propiedad específica adelgazante (en este sentido recordamos que perder agua no es perder grasa y no debe confundirse la pérdida de líquido con la de grasa, pero sí, como el resto de las hortalizas, se caracteriza por su bajo con tenido energético debido a su elevado porcentaje da agua y su bajo contenido en grasas.

Las hortalizas son, en consecuencia, alimentos de elección en toda dieta hipocalórica porque proporcionan volumen y micronutrientes sin casi aporte de calorías. En el caso de diabéticos no insulinodependientes obesos, la cebolla se convierte en hortaliza de elección.

Estreñimiento

El estreñimiento se puede definir como la dificultad para defecar, endurecimiento de las heces y generalmente disminución en el número de las de las deposiciones. Desde el punto de vista clínico de considera que existe estreñimiento cuando el número de defecaciones es inferior a tres por semana (aunque probablemente «lo mejor» sería un ritmo de una defecación diaria).

Se trata de la patología más frecuente del tubo digestivo en los países económicamente desarrollados. A ello han contribuido activamente el aumento espectacular del sedentarismo y los cambios en los hábitos alimentarios, con los que se ha disminuido el consumo de fibra alimentaria (refinado de los cereales, disminución en el consumo de pan y legumbres, animalización de la dieta).

En este sentido, todo lo que favorezca aumentar la cantidad de fibra que se consume en la actualidad (a menudo no llega a los 20 g/día) será beneficioso.

Ya hemos comentado con anterioridad que la cebolla no es una hortaliza especialmente rica en fibra, sino más bien con un contenido medio.

No obstante, su aporte puede ser de interés y sumarse así a las cantidades que aportan los demás alimentos, hasta conseguir los 30-35 g/día de fibra alimentaria que se recomiendan en la actualidad a la población, especialmente si se consume cocida (por ejemplo, al horno) en cantidades importantes. Además, su presencia en ensaladas puede hacerlas más apetitosas y así estimular su consumo. Recuérdese que las fibras que se encuentran principalmente en la cebolla son las que mayor efecto tienen sobre el tránsito intestinal.

Al margen de la fibra, la ingesta de la decocción de cebolla puede ejercer acciones positivas por un doble aspecto: por sus propiedades emolientes (ablanda, suaviza) y por la toma de agua que implica (el agua puede aumentar el volumen del bolo intestinal).

Decocción de cebolla para combatir el estreñimiento

- Cortar una cebolla en rodajas y cocerla en medio litro de agua edulcorada con miel.
- Colar y tomar una taza por la mañana y otra por la noche.

Diarrea

La diarrea se define como la evacuación anormalmente frecuente de heces de poca consistencia y gran volumen y puede tener causas múltiples.

Una de sus consecuencias más importantes es la pérdida de agua corporal que, siendo grave para todos, lo es especialmente para niños y ancianos.

La primera medida que adoptar en esta situación es rehidratar al sujeto. Los caldos vegetales con cebolla pueden ser una medida excelente por contener, además de agua, elementos químicos y cierta cantidad de azúcares que pueden favorecer la absorción del agua (más aún si se endulzan con miel).

Las plantas con esencia, entre las que figura la cebolla, pueden prestar buenos servicios en estos casos, actuando como elemento modificador de la flora intestinal y por sus propiedades antiinfecciosas. Como desinfectante intestinal se recomienda a los adultos tomar de 100 a 500 g de cebollas crudas a diario.

Nefritis

En los casos de inflamación renal, la cebolla puede intervenir por sus propiedades diuréticas, antimicrobianas y antimicóticas.

Al margen del interés que puede tener el consumo de cebolla cruda y el de caldo de cebolla, es frecuente encontrar en los libros de fitoterapia la recomendación de algún vino diurético para estos casos.

Una de las fórmulas es como sigue:

- Macerar durante 6 días 2 cebollas medianas bien trituradas en 1 litro de vino blanco seco.
- Filtrar y tomar de 60 a 80 mg diarios durante una semana.

Cálculos renales de ácido úrico

No son el tipo de cálculos renales más frecuentes y suelen asociarse a la gota, aunque no siempre. La eliminación elevada de uratos por la orina puede deberse a un aumento de la producción endógena (aunque no es muy frecuente) o a un exceso de alimentos ricos en purinas (que cuando se metabolizan se convierten en ácido úrico). En estas circunstancias, resultan fundamentales 3 medidas:

- *Reducción de alimentos ricos en purinas.* Vísceras, anchoas, sardinas, carnes, legumbres y algunas hortalizas como espárragos y coliflor.
- *Beber abundante agua.* Los cálculos son siempre un problema de concentración; resulta indispensable beber 2 o más litros de agua al día.
- *Alcalinizar la orina.* El pH ácido de esta es uno de los mayores condicionantes para la cristalización.

En estas condiciones, el caldo de cebolla resultará de excelente valor pues cumplirá con las 3 condiciones básicas propuestas. Beberlo en abundancia.

También se deberá bajar de peso si existe un excedente, y disminuir o evitar el consumo de alcohol (en estos casos no se deberá tomar, por ejemplo, vino de cebolla como diurético).

Resfriados

Entre las propiedades principales y mejor conocidas de la cebolla figura la de ser expectorante, antiséptica y emoliente, tres cualidades excepcionales para esta situación.

La toma de jarabe de cebolla en estos casos es bien conocida.

También se aconseja preparar una decocción con una cebolla picada fina en una taza de leche edulcorada con miel, y tomarla caliente antes de acostarse.

Como expectorante se aconseja también tomar de 3 a 4 cucharaditas de zumo de cebolla cruda al día, al que puede añadírsele un poco de miel.

Jarabe de cebolla para los resfriados

Para elaborarlo, se preparará una decocción durante 3 horas a fuego lento con los siguientes ingredientes:

- 1 litro de agua
- 1 kg de cebollas frescas cortadas o ralladas
- 300 g de miel
- 750 g de azúcar

Dejar enfriar, colar y embotellar. Tomar entre 2 y 4 cucharaditas al día.

Bronquitis

El sufijo «itis» indica inflamación y la cebolla se considera como un antiinflamatorio y más específicamente como un antiséptico pulmonar.

Hay distintas formas de ingerir cebolla que se recomiendan en estos casos. Una de ellas es mediante una decocción en 250 ml de leche del bulbo cortado, a la que se le añade miel en el momento de la toma. Se tomarán 2 tazas al día. La ingesta de leche, usada aquí como excipiente, puede ser además una forma de aportar proteínas de excelente calidad y calcio en una situación en la que el enfermo puede estar falto de apetito.

Inflamación de la garganta
Es sabido que en la garganta se hallan ubicados sistemas de defensa importantes que ejercen un efecto barrera intentando evitar la proliferación de los agentes infecciosos al interior del organismo. Esta función expone a esta zona a un riesgo de padecer un número mayor de inflamaciones que otras localizaciones corporales.

En estas situaciones, en las que la deglución es generalmente dolorosa, se aconseja tomar zumo de cebolla diluido en agua y/o tomar caldo de cebollas hervidas con miel.

La alimentación líquida o blanda puede ayudar a mantener el estado nutricional e inmunológico del enfermo.

Reumatismo
De hecho, *reumatismo* es un término general aplicado a diversas enfermedades que provocan dolor en los músculos, articulaciones y tejidos fibrosos.

Mientras que hay afecciones en las que las medidas dietéticas resultan de importancia esencial y no son prácticamente cuestionadas, no es este el caso del reumatismo.

La cebolla es una de las hortalizas que se recomiendan en las afecciones reumáticas: o bien comida cruda o bien picada y macerada en agua caliente, o en decocción, jarabe o zumo (véase «Cuándo, cómo y con qué hay que comer cebolla», página 114).

Osteoporosis
La osteoporosis es un síndrome que se caracteriza por una masa ósea baja y una deterioración de la microarquitectura del hueso que conduce a un aumento del riesgo de padecer fracturas. La osteoporosis se presenta esencialmente en el sexo femenino y se calcula que la padecen alrededor de 3 millones de mujeres en España, con un coste médico y social enorme. Entre sus factores de riesgo se cuentan, además del sexo, la edad, el sedentarismo, los antecedentes familiares, el tabaco y el alcohol.

Hoy en día se considera que la prevención de este síndrome debe realizarse desde la infancia (etapa en la que probablemente se inician las principales patologías de la población adulta de los países económicamente desarrollados), con una dieta variada y completa que contenga cantidades suficientes de calcio, factores indispensables para conseguir y mantener una buena masa ósea, al igual que la práctica de ejercicio bien planificado.

El consumo de cebolla ha sido señalado como eficaz en estos casos por su contenido en silicio. De hecho este elemento químico aún no figura en la lista de oligoelementos esenciales que proponen los expertos que elaboran las r.d.a., que lo sitúan entre los nutrientes que son esenciales para algunos animales, pero de los que no se ha demostrado que sean necesarios para los seres humanos normales.

Se ha descrito que el defecto de silicio da lugar a trastornos estructurales de los huesos largos y del cráneo en los pollos. Al parecer este elemento participa en el crecimiento normal del hueso más a través del proceso de mineralización que a través de la formación de matriz orgánica, si bien no existe unanimidad al respecto y se ha señalado también que la falta de silicio afecta al metabolismo del tejido conectivo al incidir sobre la síntesis de colágeno y, en consecuencia, de la matriz orgánica ósea.

Deben de evitarse las hortalizas con elevado contenido en ácido oxálico o cuando menos no consumirlas junto con las fuentes más importantes del calcio dietético.

Lombrices

Una de las principales propiedades de la cebolla es ser vermífuga, es decir, que provoca la expulsión de las lombrices intestinales.

Se aconseja preparar una maceración colocando en un recipiente 1/4 de litro de agua y una cebolla grande cortada a rodajas. Dejar toda la noche y por la mañana colar el líquido aplastando la cebolla para extraerle todo el zumo. Beber en ayunas.

Usos externos

Existen muy diversas formas de utilizar las plantas en uso externo: vapores y vahos, cataplasmas, emplastos, lociones, baños...

Algunas de estas aplicaciones que utilizan la cebolla resultan de interés en determinadas situaciones.

Por lo que se refiere a la aplicación directa de la cebolla cruda sobre la piel, se debe de recordar que este bulbo es irritante y que en los casos en que se indique debe procederse con mucho cuidado.

Estética y belleza

Mascarillas de belleza
La cebolla cocida es excelente para fabricar máscaras de belleza por sus cualidades emolientes.

Caída del cabello
Muchos son los autores que señalan la efectividad de la cebolla para combatir la caída del cabello. A tal efecto se aconseja friccionar el cuero cabelludo con zumo de cebolla. Es preferible hacer estas fricciones antes de acostarse.

También se aconseja friccionar la parte afectada con una maceración de 4 días de 250 g de cebolla cortada a rodajas en 1 litro de alcohol de 80°. Friccionar mañana y noche.

La cebolla en el botiquín casero

Furúnculos
Se trata de un absceso o infección con pus de una glándula sudorípara o folículo piloso; un «conglomerado de furúnculos» formará el ántrax.

Se recomienda, en esta situación, la aplicación de una cebolla cocida al horno sobre la zona afectada. También tienen excelentes efectos las cataplasmas de bulbo de cebolla muy triturado cocido en agua, renovadas cada 2 o 3 horas.

En estos casos podrá hacérsele a la cebolla un pequeño espacio particular en nuestra alimentación (recuérdese su efecto diurético).

Sabañones
Se recomienda hacer un emplasto a base de jugo de cebolla cruda mezclado con miel y algo de sal, y aplicarlo en la zona afectada.

También se recomienda hacer un ungüento mezclando el zumo de una cebolla con media cucharadita de lanolina, y friccionar un mínimo de 2 veces al día.

Picaduras de insectos
Se recomienda frotar sobre la parte afectada con una cebolla cortada.

Hemorroides
Se trata de dilataciones de las venas situadas en el ano que pueden ser consecutivas al estreñimiento.

Al margen del tratamiento general un tratamiento popular local consiste en rallar una cebolla cruda, hacer una pasta con manteca o mantequilla y aplicarlo sobre la parte afectada.

Heridas
Las propiedades desinfectantes de la cebolla pueden aprovecharse en caso de heridas aplicando zumo de cebolla fresca diluido en agua hervida.

Bronquitis crónica
Maurice Mességué recomienda en estos casos hacer maniluvios (baños de manos) y pediluvios (baños de pies) a base de la siguiente fórmula:

- amapola (flores y cápsulas): 1 puñado
- espliego (flores): 1 puñado
- hiedra terrestre (hojas): 1 puñado
- malva (flores): 1 puñado
- cebolla rallada: 1 grande
- salvia (flores y hojas): 1 puñado.

Resfriado
Es muy popular el colocar media cebolla cruda en la mesita de noche al acostarse para respirar sus compuestos volátiles.

Afonía
Preparar una decocción de 20 g de bulbo en 250 ml de leche, dejando hervir 10 minutos. Efectuar durante el día varios gargarismos. También para la ronquera se recomienda mezclar partes iguales de zumo de cebolla y miel, y tomar 3-4 cucharaditas al día.

Ciática
Se denomina ciática cualquier afección caracterizada por dolor a lo largo del curso del nervio ciático. Entre los remedios populares figuran restregar con cuidado la parte dolorida con la mitad de una cebolla.

Reuma
Se aconseja hacer fricciones con zumo de cebolla en la parte afectada.

Otras preparaciones

Aceites esenciales
Las propiedades antimicrobianas de los aceites esenciales son hoy bien conocidas y bien descritas en las plantas aliáceas; son debidas a la alicina una molécula con azufre derivada de la aliína, activa sobre diferentes bacterias grampositivas y gramnegativas. Pero de hecho, la cebolla no contiene aliína, sino compuestos parecidos: la metil o la propilaliína. Trabajos recientes han demostrado que el aceite esencial de cebolla inhibe preferencialmente ciertas bacterias.

El aceite esencial de cebolla es producido por hidrodestilación de los bulbos y se caracteriza por sus poderosos aromas.

En la actualidad se atribuyen a la esencia de cebolla diversas e importantes acciones farmacológicas: hipoglucemiante, antiséptica, hipocolesterolemiante, anticoagulante, febrífuga, hipotensora, antihelmíntica, balsámica y antirreumática.

Vino de cebolla
Los vinos medicinales se realizan macerando durante un tiempo más o menos prolongado una planta fresca o seca en una cierta cantidad de buen vino.

Es bastante conocida esta forma de preparación de la cebolla, cuya utilización está evidentemente contraindicada para los niños, la mujer embarazada y la madre lactante y las personas afectadas de trastornos hepáticos y personas alcohólicas.

Existe variedad de fórmulas, pero en todas ellas se utiliza el vino blanco, que es el más indicado cuando las propiedades de la planta son diuréticas.

A continuación ofrecemos 2 de ellas:

- Poner en maceración en medio litro de vino blanco de buena calidad 250 g de cebollas frescas cortadas a rodajas y 80 g de miel. Filtrar tras 24 horas y beberlo a cucharadas antes de las comidas (de 20 a 30 ml/día). Esta preparación se indica para aumentar la diuresis.

- Otra fórmula es:

- cebolla cruda rallada: 300 g
- miel blanca: 100 g
- vino blanco: 600 g

Se mezcla la cebolla rallada con la miel hasta formar una masa pastosa homogénea; posteriormente se incorpora poco a poco al vino.

Tintura
Consiste en poner a macerar en frío las partes elegidas de la planta sumergidas en alcohol de diversas graduaciones. La proporción suele ser de 1 parte de la planta por 5 de alcohol. Se deja macerar en un recipiente bien cerrado por espacio de entre 2 y 10 días.

A continuación, se prensa y cuela. Luego se añade alcohol de la misma graduación hasta obtener el peso inicial.

Jarabes
Los jarabes medicinales se obtienen disolviendo 2 partes de azúcar (o miel) en 1 parte de líquido (principalmente agua) y añadiendo a esta solución un principio activo en forma de infusión, decocción, maceración o zumo.

Los jarabes de cebolla son utilizados en los problemas de vías respiratorias.

Extracto en seco
Se trata de una maceración acuosa que se concentra por evaporación completa del agua. Se obtiene un producto capaz de pulverizarse. Esta es una buena manera de preparar la cebolla para la elaboración de cápsulas que al ser tragadas evitan el que el aliento huela a cebolla.

Uso y abuso de la cebolla

Cuándo, cómo y con qué hay que comer cebolla
Aunque existe tradición en ciertos lugares de comer cebolla por la mañana en el desayuno (más en el medio rural que en el urbano) esto no es, sin duda, en la actualidad un hábito frecuente. Puesto que este es un

buen momento para tomar azúcares (fruta) y lácteos, la cebolla no parece tener lugar, por lo menos en los desayunos que se recomiendan actualmente (y menos aún en el desayuno de cafetería, pasta y café con leche, tan frecuente hoy en nuestro medio), aunque si atendemos al dicho popular sería lo mejor: «La cebolla por la mañana es oro, al mediodía plata y por la noche mata».

Las colaciones de media mañana o media tarde tampoco parecen un buen momento para este alimento. Para nuestro ritmo de vida habitual probablemente el mejor momento para comer cebolla cruda (aliento a parte) es el almuerzo.

Cocida puede tomarse a toda horas; por la noche puede ser un buen momento, por ejemplo, en forma de sopa o crema.

Culturalmente no tenemos la costumbre de tomar cebolla cruda junto con la leche y leches fermentadas de tipo yogur. En cambio sí que es frecuente tomarla con queso (incluso con quesos frescos) y otros productos de origen animal. Son también un excelente alimento-condimento para acompañar cereales, legumbres y patatas y, evidentemente, con todo tipo de hortalizas.

La cebolla no puede tomarse sola en forma de zumo en grandes cantidades. Es conveniente acompañarla con otras hortalizas (zanahoria) o frutas (manzana) debido a su fuerte acritud. En general 1 o 2 dedos de zumo de cebolla (el zumo de una cebolla mediana) y el resto del vaso de zanahoria y/o manzana. También se recomienda a veces diluirlo con agua e incorporarle 1 cucharada de miel.

Contraindicaciones

La cebolla no es una hortaliza que deje indiferente. Su poderosa acritud es el factor limitante de su consumo que, en algunos casos, debe ser nulo. Las cebollas cocidas tienen como principal inconveniente la posible facilidad con la que pueden generar gases.

Infancia

La introducción de los alimentos durante el destete o la complementación a la alimentación láctica del recién nacido debe realizarse gradualmente y por separado, generalmente tras los 4-6 primeros meses de vida. En el caso concreto de las hortalizas, se aconseja introducirlas a partir del cuarto mes, pero con algunas excepciones, como, por ejemplo, las espinacas, la remolacha, las coles y, por supuesto, también, la cebolla, el ajo, el puerro.

Acidez estomacal

Cuando se padece acidez estomacal, uno de los objetivos dietéticos es disminuir o neutralizar la secreción ácida, mientras que la cebolla es un estimulante de la secreción de ácido clorhídrico (HCl).

En esta situación la cebolla cruda o frita es una de las hortalizas que se recomienda evitar. Esto es válido también en los casos de gastritis.

Patología biliar

La vesícula biliar es el receptáculo fisiológico de la bilis secretada por el hígado, mientras que las vías biliares tienen la función de conducir la bilis al duodeno.

La presencia de cálculos u otras causas pueden dificultar el funcionamiento normal de ambas y crear dolor y otros síntomas como vómitos, cefalea, digestión difícil, así como mala absorción de las grasas y con ella de las vitaminas liposolubles.

En estos casos se desaconsejan o limitan los alimentos grasos y también los fritos, así como los alimentos flatulentos entre los que figuran hortalizas como la cebolla, más cruda que cocida, el pimiento y el pepino.

Colitis ulcerosa

Se caracteriza por ulceraciones en el colon localizadas con preferencia en el segmento distal. Las heces contienen moco, sangre y pus, y presentan generalmente una consistencia disminuida.

En estos casos se aconsejan las dietas sin residuos evitando alimentos difíciles de digerir y, en consecuencia, no se aconseja la cebolla.

Insuficiencia renal avanzada

En general, en estos casos, está disminuido el aclaramiento de potasio, por lo que pueden presentarse temibles hiperpotasemias que pueden ser responsables de cambios en la función cardíaca que desemboquen en paro cardíaco. En consecuencia, debe reducirse el potasio dietético hasta cifras de 1.500-1.800 mg/día, lo cual traducido a alimentos significa moderar el consumo de legumbres, patatas, frutas y hortalizas. Sumergidos en abundante agua durante un buen rato, estos alimentos pueden llegar a perder de un 30 a un 40 % del potasio.

No está indicado, pues, en estas situaciones un consumo importante de cebolla cruda ni tampoco de algunas de sus preparaciones culinarias, como caldos y sopas.

Cálculos renales de oxalato

Ya hemos visto con anterioridad que la cebolla no es de las hortalizas más ricas en oxalatos. No obstante, en estas circunstancias debe reducirse su consumo, especialmente de algunas de sus preparaciones como caldos o sopas, debido a que en estas situaciones es conveniente acidificar la orina para evitar la precipitación de las sales de oxalato.

8
La cebolla en la cocina

La cebolla es probablemente una de las hortalizas más utilizadas en la cocina por su doble aspecto de alimento-condimento. Sus registros son de lo más variado: desde los platos más frugales (por ejemplo, ensaladas verdes), a los más viscerales (morcillas); de los más económicos a los más costosos.

Conservación

Las hortalizas y las frutas no son cuerpos inertes, continúan viviendo, evolucionando tras haber sido recogidos. En consecuencia, se deben manipular con precaución y conservar en buenas condiciones.

No todas las hortalizas tienen el mismo tiempo de conservación; mientras que algunas se conservan poco tiempo (hortalizas de hoja, judías verdes, coliflor, pepinos, etc.), la mayoría de tubérculos, raíces y bulbos se pueden almacenar durante meses.

En general, el mejor procedimiento es la refrigeración con una humedad relativa del aire elevada.

Al contrario de lo que sucede con sus semillas, cuya longevidad es relativamente corta, la capacidad para el almacenamiento de los bulbos maduros de cebolla le ha permitido convertirse en un cultivo importante. La temperatura óptima de conservación de la cebolla es de entre -2 °C y 0 °C, temperaturas que no se alcanzan en un refrigerador doméstico (lo más frecuente es entre 2 y 8 °C en estos electrodomésticos). Entre temperaturas de -2,5 y -2 °C y con una humedad relativa del 80-95 % la duración posible del almacenamiento es de 40 semanas. Los bulbos de cebolla más colorados y más ricos en materia seca son los que mejor se conservan.

En el África rural, donde no dispone de métodos de refrigeración, los bulbos de cebolla se almacenan en cabañas de paja.

En el propio hogar suele bastar con colocarlas en un lugar fresco y ventilado al abrigo de la luz.

Cebolla deshidratada

Deshidratar los alimentos es uno de los métodos de conservación más antiguos. Las hortalizas deshidratadas son aquellas privadas de parte del agua de su constitución por procedimientos tecnológicos apropiados. La deshidratación de hortalizas persigue disminuir el contenido en agua del producto fresco hasta el límite crítico para el desarrollo bacteriano (12-15 %) y preservar los componentes nutritivamente importantes, el sabor y el aroma; no obstante, el proceso de deshidratación comporta una serie de graves alteraciones.

Las ventajas de la deshidratación son, por un lado, la elaboración de productos alimenticios que se pueden conservar largo tiempo y, por otro lado, que resultan rápidos a la hora de ser utilizados.

Se puede encontrar cebolla deshidratada en diversas formas: picada, dados, rodajas, molida... En los tres primeros casos se puede rehidratar por espacio de unos 5 a 10 minutos con una cantidad equivalente de agua, escurriendo antes de servir.

De todas maneras la cebolla fresca es infinitamente preferible a la deshidratada.

Cebolla congelada

Desde el punto de vista nutricional la congelación es uno de los mejores sistemas de conservación, de tal manera que los productos congelados son, en este aspecto, muy parecidos a los alimentos frescos.

En los últimos tiempos ha habido un aumento creciente en el consumo de alimentos congelados (que permiten «liberarnos» de algunos de los pasos obligados en su preparación, como el limpiado, pelado, etc., y también comprar más cantidad cada vez y, por lo tanto, menos veces). Este aumento no solo responde a la cantidad de alimentos, sino también a la variedad, si bien, en el caso concreto de las hortalizas, no todas resultan apropiadas para congelar (es el caso, por ejemplo, de rábanos, lechuga y tomates enteros). Por su parte, la cebolla sí que ha entrado en este «carrusel» del congelado.

No obstante, no todo el mundo sabe cuáles son las normas básicas de compra, conservación y descongelación de los alimentos congelados.

Los productos congelados deben mantenerse tras su congelación a una temperatura igual o inferior a -18 °C. La descongelación debe efectuarse de forma diferente si el producto es destinado a la cocción o va a ser consumido crudo. En el primer caso la descongelación es rápida, sumergiendo el alimento en agua hirviendo. En el segundo caso debe realizarse una descongelación lenta, colocando varias horas antes de su consumo el alimento preferiblemente en el refrigerador (esto es también lo recomendable para carnes y pescados). De todas formas, las hortalizas destinadas a ser consumidas crudas no es conveniente que sean congeladas, porque pierden textura.

Cebollas fermentadas

La fermentación de las hortalizas consiste en dejar que sufran una fermentación láctica espontánea; al descender el pH se impide el desarrollo de los microorganismos sensibles en medio ácido. La adición de la sal tiene también, además, un efecto conservante.

En esta forma de conservación no se persigue mantener el sabor y olor específicos del producto primario, sino desarrollar aromas y sabores nuevos y típicos.

La mejora de la tecnología y de la calidad de las materias primas, unida a los elevados costes de financiación de grandes reservas de producto en salmuera han actuado en contra de los productos con fermentación completa y han favorecido técnicas de procesado más rápidas.

Cebollas encurtidas

El proceso de encurtido consiste en someter a la acción del vinagre procedente del vino, con o sin adición de sal, azúcares u otros condimentos, los alimentos vegetales en su estado natural, los que han sido tratados con salmuera o los que han sufrido una fermentación láctica.

Aunque quizá no alcancen el grado de consumo de los pepinos y pepinillos (en Estados Unidos los pepinos encurtidos representan el principal negocio de encurtidos) no cabe duda de que esta es una de las formas en que más se consume la cebolla a nivel popular.

Anteriormente las cebollas solían ser suministradas fundamentalmente de los destríos de cosechas, pero en la actualidad se dispone de variedades específicas que producen cebollas pequeñas apropiadas para el encurtido.

En el proceso de encurtido rápido las cebollas no fermentan de modo significativo y permanecen en salmuera solo durante un corto período y de esta forma retienen en alto grado el aroma de cebollas frescas.

También se expenden en el mercado «ensaladas mixtas» de este tipo de productos a base principalmente de pepinillos, zanahorias, coliflor y cebollas.

Cebollas irradiadas

La irradiación es un proceso de conservación relativamente reciente y... cuestionado. El alimento se expone a radiaciones ionizantes durante un tiempo determinado, utilizándose en la actualidad varias fuentes de radiaciones (la más utilizada es el cobalto 60, que emite radiaciones gamma, pero también aceleradores de partículas y generadores de rayos X). Los científicos aseguran que se trata de un método muy seguro (según su opinión sin riesgo de radioactividad) y con gran futuro, con aplicaciones muy diversas y que tiende a mejorar la calidad del producto y a aumentar el tiempo de conservación.

Lo cierto es que la gama de productos para los cuales se autoriza, solicita o prevé el tratamiento por radiaciones ionizantes no deja de aumentar.

Una de sus actuales aplicaciones en industria agroalimentaria es para evitar la germinación de bulbos y tubérculos (ajos, cebollas, chalotes y patatas). Un tema más para la polémica.

Utilización de la cebolla en crudo

La cebolla está clasificada junto con el ajo como condimento aliáceo.

Cómo cortar y rallar la cebolla

Independientemente de cuál sea la preparación que realicemos posteriormente con la cebolla, esta debe cortarse siempre de arriba abajo.

Para rallarla será conveniente partirla por la mitad, separando solo la piel seca más exterior, pero sin quitar las primeras capas situadas inmediatamente por debajo de esta (más fibrosas) que nos servirán de protección de los dedos pudiendo aprovechar al máximo las capas jugosas y tiernas.

¿Qué hacer para no llorar?
Es evidente que cuando más alejemos el rostro de la cebolla menos contacto se establecerá entre los compuestos volátiles lacrimógenos y nuestros ojos. Utilizar unas gafas de buceo puede parecer una medida exagerada y casi cómica... ¡pero muy de agradecer si tenemos que pelar más de cuatro cebollas!

¿Qué hacer para que no pique?
Para atenuar el sabor fuerte del vegetal puede sumergirse en agua, pero si quiere obtener el mismo efecto pero con una mínima pérdida de propiedades (aunque con una ganancia energética considerable) puede macerarse la cebolla durante algunas horas en aceite de oliva.

¿Qué hacer para evitar «oler a cebolla»?
Va resultar difícil habida cuenta de que los compuestos volátiles no solo se eliminan por vía respiratoria, sino también por la piel. No obstante, por lo que al aliento se refiere puede intentarse mascando una hoja de menta fresca o bien un grano de café.

Desde el punto de vista gastronómico la cebolla en crudo se utiliza básicamente en las ensaladas, junto con otras hortalizas y también junto con otros productos de origen animal.

En España también es costumbre comer cebollas cortadas a rodajas finas generosamente aliñadas con aceite de oliva y acompañadas de pan.

Cómo cocinar la cebolla

Todos los tipos de cebollas se utilizan en la elaboración de salsas, caldos e innumerables guisos

Cuando se cocina la cebolla se observa un aumento del color amarillo cuyo responsable son las flavonas.

La cocción de ciertas hortalizas puede generar sabores o aromas desagradables. Así, ciertos tioglucósidos se descomponen, bajo el efecto del calor, en fenoles y sulfuro de alilo (cebolla, ajo, puerro) e incluso en sulfuro de hidrógeno de olor nauseabundo muy característico. Puesto que estos compuestos son volátiles, es preciso dejarlos destilar al comienzo de la cocción, dejando el recipiente que los contiene abierto. Esta destilación será tanto más rápida cuanto mayor sea la superficie de contacto entre el producto (cebolla picada, por ejemplo) y el agua. Debe evitarse, sin embargo, un tiempo de cocción demasiado prolongado, pues la síntesis de sulfuro de hidrógeno daría un sabor desagradable al producto.

Una de las formas más sabrosas de comer la cebolla cocida es asada entera al horno; en estas circunstancias no se pierden sustancias y se caramelizan los azúcares de este bulbo.

No obstante la utilización culinaria más frecuente de la cebolla es el sofrito, base de innumerables platos. La cebolla en estos casos se pica muy finamente o se ralla; puesto que suele aplicársele fuego vivo se aconseja remover frecuentemente para que sus azúcares no pasen de caramelo a carbón.

Aunque la cebolla frita es muy utilizada, no existe en nuestro medio la costumbre de comer cebolla frita sola.

Sopa de cebolla

Pese a estar presente en la confección de muchísimos platos de la mayoría de las cocinas del mundo, no existen muchos que se elaboren a base de cebolla. Quizás uno de los más conocidos es la sopa de cebolla, de la que existen una gran variedad de recetas, propias de cada cultura gastronómica, desde las más sencillas a las más elaboradas, y presentes siempre en todos los libros de cocina.

La sopa de cebolla puede ser un plato económico para las cenas de invierno.

Caldos vegetales

La cebolla es un ingrediente clásico de los caldos vegetales.

La utilización de hortalizas para elaborar caldos puede hacerse atendiendo al gusto y a las disponibilidades del consumidor.

Existen, no obstante, algunas normas fundamentales que será conveniente tener en cuenta para la realización de un buen caldo.

Puesto que de lo que se trata aquí es de facilitar el paso de las sustancias contenidas en los alimentos al agua, algunos de los procedimientos son justo lo contrario de lo que deberemos hacer cuando hirvamos hortalizas para consumirlas y queramos, por tanto, conservar su contenido en micronutrientes:

- Colocar las hortalizas en agua fría. Si las colocamos en agua caliente el *shock* térmico bloquea el traspaso de las sustancias de los alimentos al agua.
- Introducir las hortalizas cortadas en pequeños trozos, para conseguir el máximo de contacto de la superficie de los alimentos con el agua y, en consecuencia, el paso de las sustancias de estos al medio.
- El tiempo de cocción será prolongado.

Tanto para este caso como cuando lo que queremos es consumir las hortalizas deberá recordarse que el medio ácido protege las vitaminas, por lo cual será conveniente añadir algunas gotas de zumo de limón o vinagre.

Se recomienda no utilizar espinacas o acelgas, debido a su elevado contenido en oxalatos.

Cebollas y microondas

En la actualidad, los científicos se han pronunciado favorablemente en favor de la ausencia de peligros en la utilización del microondas como método de cocción. Se trata de una forma de cocción distinta de las demás: funciona gracias a uno o varios generadores (los magnetrones) que convierten la energía eléctrica en un tipo de energía de alta frecuencia (2.450 MHz); estas ondas que se propagan a la velocidad de la luz producen una agitación de las moléculas muy importante que genera fricción entre ellas, lo cual genera a su vez una rápida elevación del calor.

Las principales ventajas de esta tecnología residen en su rapidez y en la homogeneidad de la cocción obtenida.

La cebolla como el resto de las hortalizas y de aquellos alimentos con un elevado contenido en agua pueden cocerse de esta manera con un mínimo de pérdidas nutricionales y de otras sustancias. Se aconseja trocearlas previamente.

No obstante, debe recordarse aquí que el microondas cuece, pero no dora, y es la parte que se dora la que resulta más sápida y cubre las expectativas organolépticas de muchos de los alimentos que ingerimos.

Cabe recordar, además, que el microondas permite una descongelación rápida e higiénica de los alimentos congelados.

9
El limón

Un poco de historia

Los cítricos, en su conjunto, se consideran plantas que tuvieron su origen en las regiones tropicales y subtropicales de Asia. Posteriormente su cultivo se difundió a diferentes zonas del mundo.

El limonero silvestre quizá sea originario del norte de la India, donde crece espontáneamente a los pies del Himalaya. Las plantaciones de Asia, donde se originó, han mantenido su tradicional forma de cultivo.

Se cree que algunas especies fueron cultivadas ya desde muy antiguo (siglo II a. C.), en un principio con una finalidad distinta de la alimentaria (jardinería, perfumería).

El cultivo europeo del limonero se inició mediante técnicas y plantas árabes, posiblemente en el siglo XIII en España o Sicilia. Es significativa en este sentido la procedencia árabe (*lymon*) de la palabra *limón*.

Como cultivo comercial no se empezó a extender hasta finales del siglo XVIII por algunas regiones de Europa, especialmente la zona del Levante español. Fue en esa época cuando se supo que el limón prevenía y curaba el escorbuto. A finales del siglo XIX, el limón se extendió por determinadas zonas de América del Norte (California, Florida y posteriormente Arizona).

En la actualidad existen múltiples variedades de este árbol.

Clasificación

El limón pertenece a la familia de los cítricos, que tiene otros miembros destacados como la naranja, el pomelo, la mandarina y la lima.

La denominación de *cítricos* se ha aplicado desde tiempos lejanos a diferentes tipos de frutas. Fue en el año 1957 cuando se sugirió llamar *cítricos* a aquellas frutas de la familia rutácea que pertenecen a los géneros *Citrus, Fortunella* y *Poncirus,* si bien solo tienen importancia comercial algunas especies del género *Citrus.*

El limón se clasifica dentro del grupo de las frutas ácidas.

Producción y consumo

Más del 70 % de la producción mundial de cítricos corresponde a la naranja, que es, sin duda, el cítrico más importante cuantitativamente hablando. Le siguen de lejos las mandarinas, con alrededor de un 13 %, y después las limas y limones, que, conjuntamente, representan, con 6,6 millones, alrededor del 10 %.

España ocupa un lugar destacado en la producción de cítricos por detrás de Brasil y Estados Unidos, y es el primer productor de mandarinas por delante de Japón.

Asimismo, es uno de los principales países en la producción del limón. El protagonismo de la gran producción española recae casi totalmente en la región levantina, especialmente en las provincias de Valencia, Alicante y Murcia. La mayor parte de nuestra producción de cítricos (alrededor de un 80 %) se exporta. El porcentaje restante se destina a las industrias alimentaria y farmacéutica, y al consumo de la población.

Al margen de los países citados, Italia, México, la India, Egipto y Argentina son también potencias mundiales en la producción de cítricos.

Habida cuenta de que los principales países productores se encuentran fundamentalmente en zonas subtropicales, puede deducirse que el limón se desarrolla mejor en un clima templado o caluroso, húmedo (si los veranos son secos es necesario el regadío) y, sobre todo, constante a lo largo del año.

Entre las variedades comercializadas más importantes figuran la eureka y lisboa en Estados Unidos, *femminello* y *monachello* en Italia y bernia en España, que, si bien no es de las más apreciadas, es muy productiva.

La producción y comercialización de los cítricos como fruta fresca, o de sus derivados y subproductos, se ha convertido en una importante página del comercio internacional y su consumo es, en la actualidad, un indicador utilizado para determinar el nivel de vida de los pueblos.

Características del fruto

El tipo de fruto al que pertenece el limón se denomina *hesperidio.*

Si bien algunas características pueden diferir de una variedad a otra, podemos generalizar diciendo que, en lo referente a su aspecto externo, el limón es un fruto de forma ovoide, de unos 6 cm de diámetro y 10 cm de largo, que termina con una protuberancia mamiliforme, y posee una piel más o menos rugosa de color verde cuando el fruto está inmaduro y de un intenso color amarillo cuando ha madurado.

Por lo que respecta a su interior, se pueden distinguir tres partes morfológicamente distintas:

- *Exocarpio* o *flavedo*. En él están contenidos los distintos carotenoides que dan el color característico al fruto y unas glándulas aceitosas que contienen un aceite esencial al que se asocian otros constituyentes no hidrosolubles; no obstante, también se han observado pequeñas bolsas de aceite embebidas en las vesículas que contienen el zumo. Esta es la parte utilizada preferentemente en la elaboración de la esencia o aceite esencial de limón.
- *Mesocarpio* o *albedo*. Inmediatamente debajo del exocarpio se sitúa el mesocarpio. Es de color blanco y está formado por grandes células parenquimatosas ricas en sustancias pécticas y hemicelulosas. La combinación del flavedo y el albedo se denomina *pericarpio*, conocido comúnmente como corteza o piel.
- *Endocarpio* o *pulpa*. Es la parte utilizada habitualmente y de donde se extrae el zumo. Consta de un corazón central del que parten radialmente unas membranas que lo dividen en segmentos o gajos. Es de un color amarillo menos intenso que el exocarpio y muy jugoso, debido a su gran contenido en agua.

El limón suele clasificarse, junto con frutas como la naranja, el pomelo, la piña, la fresa, la uva, etc., como una fruta no climatérica (se denomina *climaterio* a un incremento de la respiración que se produce en el estado de maduración).

Este tipo de frutas suele madurar en la propia planta. Las frutas climatéricas (manzana, plátano, aguacate, melocotón, ciruelas, etc.) pueden seguir madurando tras su cosecha.

Ello no quiere decir, ni mucho menos, que este tipo de fruta se recoja siempre madura; la maduración de las frutas está directamente relacionada con la síntesis de etileno. Este y los compuestos que lo producen en determinadas condiciones son utilizados para acelerar la maduración. Por ejemplo, en el caso de los cítricos, su uso tras la recolección produce una aceleración de la maduración.

De hecho, los limones se recogen en enero, agosto y noviembre, antes de que su color verde pase a amarillo.

No se debe olvidar que el Código Alimentario Español contempla el concepto de *madurez comercial,* que se define como «el estado que precede a la maduración fisiológica de la fruta y que permite que los frutos puedan soportar el transporte y la manipulación, ser almacenados en buenas condiciones hasta el momento de su consumo y responder a las exigencias comerciales que se establezcan».

El limón, como los demás cítricos, tiene como uno de sus principales atributos el aroma, junto con el sabor, lo cual es importante si se considera que el hombre se ha guiado en la selección de su alimentación, desde los tiempos más remotos, tanto por el aspecto visual como por los estímulos producidos en los órganos receptores del olor y del sabor, es decir, por lo que hoy se podría llamar *flavor* o *percepción integral global* de todos los sentidos que participan en el momento de consumir el alimento.

En los cítricos, el aroma es el resultado de la presencia en ellos de un gran número de constituyentes que se encuentran en concentraciones muy variables. Las sustancias olorosas características que aportan a cada especie su aroma propio son principalmente aldehídos, cetonas, ésteres, alcoholes e hidrocarburos terpénicos.

10
El limón como nutriente

Los alimentos proporcionan los nutrientes necesarios para cubrir nuestras necesidades nutricionales. Cada alimento tiene su propia composición nutricional. Ahora bien, los alimentos son mucho más que una mezcla de hidratos de carbono, grasas, proteínas, vitaminas o elementos químicos; junto a ellos, encontramos:

- Cientos o miles de sustancias naturales propias de cada alimento (pigmentos, ácidos orgánicos, alcaloides, compuestos volátiles, taninos, principios amargos, etc.), que no son nutrientes y que, evidentemente, pueden ejercer un impacto sobre nuestra salud, favorable o desfavorable, pero cuyos efectos comienzan a ser estudiados en la actualidad y son, en general, muy poco conocidos. Se sabe que algunos de ellos ejercen una influencia negativa sobre la biodisponibilidad de algunos nutrientes y por ello son llamados *antinutrientes*.
- Toda una serie de sustancias que se caracterizan por no ser propias del alimento y que le son añadidas voluntariamente (aditivos, pesticidas, etc.) e involuntariamente (contaminantes y microorganismos patógenos).

Es cierto que mientras que para la ingestión de las primeras no está a nuestro alcance efectuar ninguna modificación, la ingesta de las sustancias añadidas puede, hasta cierto punto, depender ampliamente de nuestra elección a la hora de hacer la compra del alimento (cultivo biológico, que no contenga aditivos, información sobre el origen del alimento, etc.) y de los cuidados que le prestemos al manipularlo en casa.

Trataremos, en los párrafos siguientes, de abordar estos puntos aplicándolos al limón, mientras recordamos una idea que nos parece fundamental: ningún elemento del ambiente al que se halla expuesto el ser humano es tan químicamente complejo como los alimentos. Por ello es difícil establecer una relación entre alimentación y salud.

Contenido nutricional

El limón pertenece a uno de los grupos de alimentos básicos de nuestra alimentación, el de las frutas, y podemos decir, en general, que responde a las características nutricionales de este grupo. No obstante, tiene unas particularidades dignas de destacar que mencionaremos a continuación (véase la tabla de la página 134). Además, el limón, como alimento, posee algunas características que lo diferencian del resto de las frutas y que tienen un efecto determinante a la hora de valorar tanto su contenido nutricional como su contribución a la cobertura de las necesidades nutricionales: así, por ejemplo, su propia acidez (pH 2,5), ligada a su bajo contenido en hidratos de carbono, hace que, en la práctica, casi nunca se consuma la fruta entera, sino únicamente el zumo (y el contenido nutricional de ambos es distinto, tal y como puede verse comparando las tablas de las páginas 134 a 136). A ello debe añadirse el hecho de que el zumo de limón tampoco se toma en estado puro, como es el caso del resto de los zumos de las demás frutas, sino diluido con agua, lo cual hace que las cantidades ingeridas sean muy a menudo inferiores.

Al hablar del contenido nutricional de los alimentos se han de mencionar algunas cuestiones ligadas a sus tablas de composición. Estas tablas son, en la práctica, la única herramienta válida para convertir los alimentos en nutrientes. No obstante, su utilización presenta algunas limitaciones importantes que se justifican por los siguientes motivos: el contenido en nutrientes de un alimento depende no solo del tipo de alimento, sino también de la variedad, de la zona geográfica donde se ha producido y, en el caso de las frutas, ¡incluso de su ubicación en el árbol!, de su manipulación posterior, etc. Todo ello explica por qué pueden encontrarse diferencias sustanciales entre las diferentes tablas publicadas y por qué deben tomarse las cifras como puntos de referencia y jamás como cifras exactas.

Agua

Aproximadamente, el 90 % del peso de 100 g netos de limón es agua, siendo, junto a la sandía y el melón, una de las frutas con mayor contenido en este elemento. El agua, parte constituyente de los alimentos, contribuye, juntamente con la de las bebidas y el agua metabólica, a compensar las pérdidas diarias que se producen por la orina, pulmón, piel y heces. Es evidente que cuanta más agua de constitución ingiramos menores serán nuestras necesidades de beber.

Macronutrientes

Las frutas no destacan por su contenido en macronutrientes. Solo es significativo, en algunas más que en otras, su contenido en hidratos de carbono (en forma de glucosa, fructosa y sacarosa), mientras que el contenido en proteínas y grasas es muy reducido. En el caso concreto del limón, el contenido en estos dos últimos macronutrientes es muy parecido al de muchas otras frutas comunes y, en la práctica, su aportación a la cobertura de las necesidades diarias es muy poco significativa. Así, por ejemplo, un hombre de 70 kg de peso debería tomar 10 kg de limón al día para obtener las proteínas que precisa, y en forma de zumo casi 18 litros. El contenido en grasas es muy reducido en el caso del limón como fruta y prácticamente nulo en el zumo (no deben confundirse las grasas con los aceites esenciales), al tiempo que, como todos los alimentos de origen vegetal, no contiene colesterol, aunque sí algunos esteroles vegetales.

De su contenido en hidratos de carbono es importante destacar que es el más bajo del que se suele encontrar entre las frutas habitualmente consumidas, y más aún si consideramos que es más bajo en el zumo que en la fruta entera. Esta característica reviste una importancia especial, sobre todo por lo que respecta a algunas aplicaciones concretas desde el punto de vista dietético y también organoléptico. De los 2,4 g de hidratos de carbono que podemos encontrar en 100 ml de zumo de limón, aproximadamente 1 g corresponde a glucosa, 1 g a fructosa y 400 mg a sacarosa.

CONTENIDO NUTRICIONAL DEL LIMÓN (por 100 gramos de alimento ingerido)			
	Unidades	**Media**	**Oscilación**
Energía	kcal	35,48	
Fibra	%	36	20-53
Nutrientes principales			
Agua	g	90,2	89,30-91,00
Proteínas	g	0,70	0,30-0,90
Grasas	g	0,60	–
Hidratos de carbono metabolizables	g	3,16	–
Glucosa	g	1,40	–
Fructosa	g	1,35	–
Sacarosa	mg	410,00	–
Ácidos orgánicos metabolizantes	g	4,88	–
Minerales	g	0,50	–
Minerales y oligoelementos			
Boro	µg	175,00	140,00-210,00
Bromo	mg	38,00	–
Calcio	mg	11,00	10,00-40,00
Cinc	µg	106,00	30,00-200,00
Cloro	mg	4,50	–
Cobre	µg	129,00	74,00-400,00
Flúor	µg	10,00	2,80-17,40
Fósforo	mg	16,00	10,00-22,00
Hierro	µg	450,00	100,00-600,00
Magnesio	mg	28,00	
Manganeso	mg	42,00	0,00-50,00
Níquel	mg	20,00	16,00-22,00
Potasio	mg	149,00	148,00-150,00
Selenio	mg	1,02	1,00-12,00
Sodio	mg	2,70	2,00-3,00
Yodo	µg	1,49	0,50-1,60

CONTENIDO NUTRICIONAL DEL LIMÓN (por 100 gramos de alimento ingerido)			
	Unidades	**Media**	**Oscilación**
Vitaminas			
A (betacaroteno)	mg	3,40	–
K	mg	0,20	–
B1 (tiamina)	mg	51,00	34,00-60,00
B2 (riboflavina)	mg	20,00	10,00-34,00
B3 (nicotinamida)	mg	170,00	100,00-230,00
B5 (ácido pantoténico)	mg	270,00	260,00-270,00
B6 (piridoxina)	mg	60,00	45,00-100,00
B9 (ácido fólico)	mg	7,00	6,10-8,10
C (ácido ascórbico)	mg	50,68	35,00-62,00
Ácidos de la fruta			
Málico	mg	200,00	–
Cítrico	g	4,68	3,50-7,20
Ferúlico	mg	1,40	–
Cafeico	mg	2,10	–
Paracumárico	mg	600,00	–
Salicílico	mg	180,00	–

CONTENIDO NUTRICIONAL DEL ZUMO DE LIMÓN (por 100 gramos de alimento ingerido)			
	Unidades	**Media**	**Oscilación**
Energía	kcal	26,47	
Fibra	%	0	–
Nutrientes principales			
Agua	g	91,00	89,70-92,80
Proteínas	g	0,40	0,0-0,20
Grasas	g	0,10	–
Hidratos de carbono metabolizables	g	2,43	–
Glucosa	g	1,00	0,52-1,49
Fructosa	g	1,03	0,80-1,44
Sacarosa	mg	399,00	200,00-510,00
Inositol	mg	66,00	–
Ácidos orgánicos metabolizantes	g	4,75	–
Minerales	g	0,34	0,30-0,43
Minerales y oligoelementos			
Boro	µg	24,00	21,00-27,00
Calcio	mg	11,00	5,60-17,00
Cinc	mg	–	25,00-200,00
Cloro	mg	5,40	3,60-8,50
Cobre	µg	129,00	74,00-400,00
Flúor	µg	200,00	–
Fósforo	mg	11,00	9,20-14,00
Hierro	µg	140,00	100,00-200,00
Magnesio	mg	10,00	8,20-11,00
Manganeso	µg	–	0,00-50,00
Potasio	mg	138,00	126,00-146,00
Sodio	mg	1,00	0,50-1,50
Yodo	µg	5,20	–

CONTENIDO NUTRICIONAL DEL ZUMO DE LIMÓN (por 100 gramos de alimento ingerido)			
	Unidades	**Media**	**Oscilación**
Vitaminas			
B_1 (tiamina)	µg	40,00	30,00-60,00
B_2 (riboflavina)	µg	10,00	–
B_3 (nicotinamida)	µg	100,00	–
B_5 (ácido pantoténico)	mg	100,00	–
B_6 (piridoxina)	µg	52,00	–
B_9 (ácido fólico)	ng	900,00	–
C (ácido ascórbico)	mg	53,00	46,00-62,00
H (biotina)	ng	300,00	–
Ácidos de la fruta			
Málico	mg	250,00	–
Cítrico	g	4,50	–

Energía

Se sabe que cuanta más agua y menos macronutrientes (en especial grasas e hidratos de carbono) tiene un alimento, menor es su contenido energético. Por eso, el limón es una de las frutas más acalóricas. Este aspecto es interesante por cuanto representa un alimento con elevada densidad en algunos micronutrientes, contrariamente a aquellos alimentos que contienen muchas calorías y pocas vitaminas y elementos químicos, es decir, a aquellos alimentos a los que llamamos *calorías vacías* y cuyos exponentes principales en nuestra alimentación cotidiana son el azúcar (de hecho, se trata del disacárido sacarosa, que es uno de los azúcares de nuestra alimentación y está compuesto por glucosa y fructosa) y las grasas (que por ser liposolubles no contienen más que vitaminas liposolubles y ninguno de los nutrientes hidrosolubles, que son la mayoría).

En la práctica, su abundante presencia en nuestra dieta es uno de los principales factores responsables de que, con el modelo alimentario actual, sean frecuentes los estados nutricionales deficientes en determinados micronutrientes, lo que algunos autores han llamado *deficiencias en situación de abundancia.*

El zumo de limón tiene un contenido energético de 26,47 kcal por cada 100 ml. ¡Serían necesarios 10 litros de zumo para obtener 2.600 kcal! De este total de calorías, prácticamente 10 kcal corresponden a los hidratos de carbono y solo 1,6 y 0,9 kcal a las proteínas y las grasas, respectivamente. El resto corresponde a los ácidos orgánicos que contiene.

Fibras

Si bien el conjunto de sustancias que habitualmente se engloban en el concepto de *fibra* probablemente no puedan considerarse propiamente nutrientes, las citamos por estar, en su mayoría, emparentadas con los hidratos de carbono. Cabe decir que la pulpa del limón tiene un bajo contenido en fibras que queda prácticamente reducido a nada cuando lo tomamos en zumo.

Vitaminas

Las vitaminas con mayor presencia en las frutas son la vitamina C y la A (no como tal, sino en forma de su precursor principal, el betacaroteno).

Vitamina C

Sin duda, el nutriente más conocido y abundante en los cítricos en general, y en el limón en particular, es la vitamina C. Se trata de una vitamina muy particular:

- Es la única de las nueve vitaminas hidrosolubles que no pertenece al grupo B.
- El hombre es una de las pocas especies animales que es incapaz de sintetizarla a partir de la glucosa.
- Su mecanismo de acción es diferente al de las demás vitaminas hidrosolubles, que actúan como coenzimas.
- Está considerada un antioxidante, y en función de ello la industria agroalimentaria la utiliza como aditivo; concretamente el E-300 es el ácido ascórbico (vitamina C) y los E-301, E-302 y E-304 son ácido ascórbico en unión con sodio, calcio y ácido palmítico, respectivamente.

El limón tiene un notable contenido en vitamina C: 100 ml de zumo de limón contienen alrededor de 50 mg de la vitamina. Esta cantidad es muy importante, especialmente si consideramos que, según los expertos de Estados Unidos, la recomendación diaria para un hombre o mujer adultos es de 60 mg, cantidad que se mantiene en las edades más avanzadas.

En caso de embarazo y lactancia, estos expertos aconsejan una toma adicional de 10 y 35 mg, respectivamente.

Como recomendación alimentaria práctica debe señalarse que un consumo adecuado de vitamina C obliga a la ingesta de alimentos crudos, debido a que esta es una de las vitaminas más sensibles a los agentes físicos y químicos, destruyéndose con facilidad; se aconseja que en nuestra dieta estén presentes de forma diaria hortalizas y frutas crudas (las vitaminas hidrosolubles carecen de almacenes de reserva importantes, con excepción de la cobalamina), siendo recomendable que entre estas últimas se encuentre algún cítrico.

La deficiencia grave de vitamina C provoca el escorbuto, enfermedad conocida desde muy antiguo y descrita ya en el antiguo Egipto. El escorbuto despertó gran interés en la época de las grandes aventuras marítimas tras el descubrimiento de América. De hecho, la historia relata que, a mediados del siglo XVIII, el médico naval escocés James Lindt comprobó cómo sus hombres se reponían de forma casi «milagrosa» de esta gravísima enfermedad cuando ingerían frutas frescas, sobre todo cítricos. La introducción del zumo de limón en la dieta de los miembros de la British Royal Navy desde 1800 dio lugar a una espectacular reducción de la incidencia de la enfermedad: de los 1.457 casos registrados en el Royal Naval Hospital de Portsmouth en 1780 se pasó a tan solo 2 casos en 1806. La lección fue clara: la ingesta de algunos alimentos era necesaria para prevenir determinadas enfermedades, si bien se desconocía el porqué y el cómo. Tendrían que pasar casi doscientos años (1932) para que se llegara a conocer la estructura de la sustancia contenida en el limón y otras frutas y hortalizas que curaba y/o prevenía el escorbuto: el ácido ascórbico. Seis décadas después, cuando el escorbuto ha sido prácticamente erradicado en los países económicamente desarrollados, siguen existiendo muchos interrogantes y mitos sobre esta vitamina.

Puesto que la vitamina C es el nutriente más importante de los presentes en el limón, insistiremos un poco sobre algunas de sus funciones, ya que, en la actualidad, muchas de las aplicaciones que se atribuyen al limón se deben a la vitamina C que contiene. Así, aunque esquemáticamente, podemos decir que la vitamina C:

- Es de crucial importancia para la síntesis de las proteínas del tejido conjuntivo, como el colágeno y la elastina.
- Favorece la absorción intestinal del hierro inorgánico de nuestra alimentación (el hierro no hemínico).
- Interviene en la síntesis de carnitina, sustancia necesaria para la oxidación de los ácidos grasos.
- Participa en los mecanismos de defensa inmunitaria de tipo humoral y celular.
- Es necesaria para la síntesis de prostaglandinas.
- Interviene en la síntesis de hormonas esteroideas y catecolaminas.
- Interviene en la formación de neurotransmisores en el cerebro.
- Participa en la transformación del colesterol en sales biliares. En la destrucción y eliminación de toxinas.
- Como antioxidante, participa en la protección del organismo de la acción nefasta de los radicales libres.

Por sus múltiples acciones, es evidente que la deficiencia de vitamina C en fases anteriores a la aparición del escorbuto puede tener importantes repercusiones negativas sobre la correcta funcionalidad del organismo; dicho de otra forma, hoy se hacen esfuerzos por conocer cuáles son los efectos sobre el metabolismo de la deficiencia de vitamina C (y de los demás nutrientes) en las fases precoces y con qué marcadores se pueden detectar, a fin de diagnosticar cuanto antes un estado nutricional deficiente.

Cómo conseguir la cantidad diaria recomendada de vitamina C

Ingerir cualquiera de las siguientes cantidades de frutas y verduras nos proporcionará la cantidad diaria necesaria de vitamina C: 60 mg.

- 1/2 vaso de zumo de limón (125 ml)
- 100 g de fresas
- 50 g de pimiento
- 1 naranja (aprox. 150 g)
- 30 g de perejil fresco
- 180 g de mandarinas
- 65 g de kiwi
- 150 g de pomelo
- 100 g de col
- 100 g de papaya

Fuentes exóticas de vitamina C

Aunque por diferentes caminos y de distinta forma, determinados tipos de frutas han arraigado entre nosotros y hoy forman parte de nuestro repertorio alimentario habitual. Este es el caso de limones, naranjas, manzanas, peras, uva, melocotones y un largo etcétera. Pero tendencias actuales como la globalización, la mejora de los métodos de conservación y envasado y los adelantos en el transporte aumentan nuestras posibilidades de conocer otras frutas y consumirlas. ¿Se integrarán a nuestros hábitos y serán cada vez más consumidas? ¿Ocurrirá como con el kiwi, que en pocas décadas ha pasado de ser una fruta prácticamente desconocida que llegaba de tierras remotas a ser cultivada en España y a formar parte de la dieta de muchos de nosotros o, por el contrario, quedarán en un consumo marginal y casi en el olvido? Desde una perspectiva nutricional, podemos decir que aportan variedad a nuestra dieta, lo cual siempre es una buena noticia, y muchas de ellas tienen contenidos muy importantes de vitamina C. Veamos unos cuantos ejemplos:

- *Carambola.* Destaca su contenido en vitaminas A y C y en cantidades de hierro.

- *Papaya.* Aporta muy pocas calorías, dado su bajo contenido en azúcares. Rica en vitamina A, vitamina C y magnesio.
- *Mango.* Contiene mucha vitamina A y también cantidades importantes de ácido fólico y vitamina C. Contiene 1 mg de vitamina E por cada 100 g.
- *Lichi.* Contiene elevadas cantidades de azúcares, parecidas a las de la uva: alrededor de 16 g/100g. Es también una buena fuente de vitamina C.
- *Acerola.* Su contenido en vitamina C es realmente extraordinario: 1,7 g/100 g. Esto quiere decir que con solo 5 g de dicha fruta se obtiene la cantidad diaria recomendada de esta vitamina.
- *Guayaba.* Aunque con mucha menos vitamina C que la acerola, su contenido de la misma es muy elevado. Rica también en vitamina A.
- *Kumquat.* Contenido notable en vitamina C y mucho más modesto en vitamina A. Contiene alrededor de un 15 % de azúcares.
- *Rambután.* Tiene tanta vitamina C como las naranjas y los limones, es decir, unos 50 mg/100 g. Destaca su elevado contenido en hierro, que se acerca a los 2 mg por cada 100 g.
- *Alquequenje* o *physalis.* Rico en hierro, más de 1 mg/100 g; cantidades importantes de vitaminas A, C y B_3 (niacina). Por ser una fruta, destacan sus más de 2 g de proteínas por cada 100 g.
- *Mangostán.* Contenido importante de azúcares, un 16 %. Destaca su contenido en vitamina B_1 (tiamina); por el contrario, sus cantidades de vitamina C son más que modestas.

La granada y el limón: dos vidas bastante paralelas

La granada es una fruta relativamente poco consumida, pero a la que se le atribuyen importantes efectos beneficiosos, que, en buena medida, son paralelos a los del limón. Así, su elevado contenido en agua y potasio y escaso contenido en sodio le confieren propiedades diuréticas y depurativas, lo que, unido a su concentración de ácido cítrico, hace que se favorezca la eliminación de ácido úrico y sus sales a través de la orina, por lo que su consumo se considera muy adecuado en caso de gota, cálculos renales de ácido úrico y también en casos de obesidad e hipertensión.

También se ha descrito el efecto antiaterosclerótico de su zumo, pudiendo recomendarse en la prevención de enfermedades inflamatorias y apoplejías, así como en tratamientos contra el sida.

Al mismo tiempo, la presencia de los ácidos cítrico y málico le otorgan cualidades antisépticas y antiinflamatorias.

Teniendo en cuenta todo lo anterior, podemos preparar un auténtico cóctel de salud obteniendo un zumo de granada al que podemos añadir zumo de limón. Con otra ventaja añadida: estamos ante un excelente manjar.

Otras vitaminas

A pesar de su bello color amarillo (especialmente el de su piel), hay que decir que el contenido del limón en caroteno, y más concretamente en betacaroteno, que es el mejor precursor conocido de la vitamina A, es muy bajo (la vitamina A no se encuentra en los alimentos de origen vegetal). Así pues, ni su contribución a la cobertura de las necesidades en esta vitamina ni los posibles efectos benéficos de los betacarotenos como tales son significativos en el limón.

Por lo que respecta a las demás vitaminas, tanto hidrosolubles como liposolubles, las cantidades presentes en el zumo de limón son tan pequeñas que, a efectos prácticos, no tienen ningún valor. A título de ejemplo: la ingesta de 100 ml de zumo de limón cubre, aproximadamente, el 0,5 % de las recomendaciones de ácido fólico (vitamina B_9) de una mujer adulta y el 0,5 % de las necesidades de niacina (vitamina B_3) de un hombre adulto.

Elementos químicos

Se debe señalar el elevado contenido en potasio (138 mg/100 ml de zumo y también el bajísimo contenido en sodio (1 mg/100 ml de zumo). Ello hace que, como en el resto de las frutas, la relación entre potasio-sodio sea muy favorable a favor del primero, lo cual es muy interesante considerando que en nuestra dieta habitual la relación suele estar a favor de sodio (especialmente debido al exagerado consumo de sal), lo cual puede ser el origen de algunos problemas para la salud.

En el limón se mantiene una relación calcio-fósforo ideal, es decir, igual a 1, si bien su contribución al aporte de ambos nutrientes es poco significativa. Su contenido en magnesio (Mg) y en hierro (Fe) es demasiado pequeño para llegar a ser relevante. En todo caso, puede destacarse su contenido en cobre (Cu), ya que 100 ml de zumo podrían representar una octava parte de la cantidad mínima de cobre que en la actualidad se recomienda a los adultos (1,5 mg diarios).

Respecto a los demás elementos químicos, su contenido es muy bajo y, en consecuencia, poco importante.

Haciendo un breve resumen de este apartado, podemos decir que el limón es un alimento que se caracteriza por su alto contenido en agua fisiológica, su bajo contenido en todos los macronutrientes y, en consecuencia, su escaso componente energético, su prácticamente nulo aporte en fibras, su nulo contenido en colesterol, su alto contenido en vitamina C y su favorable relación entre potasio y sodio. Este panorama es el que probablemente define la mayor parte de sus indicaciones conocidas.

Contenido en sustancias naturales no nutricionales

Ácidos orgánicos

El limón se clasifica entre las frutas ácidas. La acidez de los cítricos se debe principalmente a los ácidos cítrico y málico. De hecho, el limón es, de entre las frutas utilizadas habitualmente, la más ácida (pH 2,5), incluso comparándola con otras frutas tradicionalmente consideradas ácidas, como el pomelo, la naranja (pH 3,3) y la piña (pH 3,4).

- *Ácido cítrico*. El ácido cítrico es el ácido que da nombre a las frutas cítricas. Es un metabolito bien conocido de la célula, pues se trata de un intermediario del ciclo de Krebs, vía metabólica cíclica central común a la oxidación de grasas, hidratos de carbono y proteínas de vital importancia para la obtención de la energía celular y, en consecuencia, para la vida de la célula. La industria agroalimentaria lo utiliza como aditivo, concretamente como sustancia que puede reforzar la acción antioxidante de otras sustancias. Se utiliza en la elaboración de caramelos, zumos de frutas, helados, mermeladas, jaleas, conservas de hortalizas, quesos fundidos, mantequilla, etc., y actúa como supresor del ennegrecimiento de frutas y hortalizas, y como agente sinérgico de los antioxidantes.

  También se utiliza como acidulante de las bebidas no alcohólicas y como reactivo analítico para la determinación de la albúmina, glucosa y pigmentos biliares.

  Las preparaciones que contienen ácido cítrico se usan para disolver cálculos renales y para prevenir la incrustación en los catéteres urinarios. El ácido cítrico es un componente de las soluciones anticoagulantes; también se ha utilizado en preparaciones para el tratamiento de alteraciones gastrointestinales y acidosis metabólica. La solución 1:500 de ácido cítrico en agua puede ser utilizada como desinfectante para los pies y para la boca.

En el limón, el ácido cítrico se encuentra en cantidades muy importantes, y es, con diferencia, el ácido que se halla en mayor concentración: de los aproximadamente 4,9 g de ácidos orgánicos disponibles que encontramos en el limón, alrededor de 4,7 g son ácido cítrico. Estas proporciones se mantienen en el zumo de limón, si bien en cantidades ligeramente inferiores (4,75 g de ácidos orgánicos utilizables, de los cuales 4,5 g son ácido cítrico).

Estas cifras son extraordinariamente importantes, sobre todo si consideramos que este ácido es, después del agua, el componente cuantitativamente más importante de este cítrico y que la presencia de otro ácido muy importante, el ácido ascórbico, es de «solo» unos 50 mg.

- *Ácido málico.* Desde el punto de vista cuantitativo, es el segundo ácido en importancia de los presentes en el limón, si bien se encuentra en cantidades muy inferiores a las del ácido cítrico: alrededor de 200 mg por cada 100 g de limón y 250 mg por cada 100 ml de zumo de limón.

  Se trata, como en el caso del anterior, de un metabolito intermediario del ciclo de Krebs, de ahí su extraordinaria importancia metabólica.

  Se utiliza también como aditivo, y este y sus sales poseen como números provisionales el 296 (ácido málico) y el 350, 351 y 352 para el malato de sodio, potasio y calcio, respectivamente. Se usa corrientemente en mermeladas, jaleas, sorbetes, bebidas refrescantes, conservas de hortalizas y frutas. Los monoésteres con alcoholes grasos se emplean como agentes antisalpicantes en grasas de fritura.

¿Cuáles son las consecuencias de esta composición cuantitativa y cualitativa de ácidos del limón? El limón, contrariamente a lo que se cree, no genera acidosis, sino más bien al contrario. Para muchos autores, el limón, en contra de lo que pudiera pensarse, no ocasiona acidez gástrica, sino que genera la formación de citrato de sodio, que neutraliza la hiperacidez del medio gástrico. No obstante, no suele recomendarse en los enfermos con úlcera gastroduodenal.

Es importante el aspecto organoléptico de este gran contenido en ácidos del limón. Por un lado, esta acidez es responsable de que muchas personas rechacen su consumo. Por contra, es también la responsable de un efecto estimulante que en ocasiones incita a consumirlo.

El bajo pH que produce hace que el limón pueda considerarse un buen conservante.

Otros constituyentes

Más allá de la cincuentena de nutrientes que en la actualidad se consideran necesarios para garantizar un equilibrio nutricional, los alimentos contienen miles de sustancias naturales susceptibles de ejercer diferentes efectos en nuestro organismo, en algunos casos benéficos y en otros perjudiciales. Muchas de estas sustancias están despertando el interés de numerosos científicos y empiezan a ser estudiadas en profundidad. Entre ellas se encuentran las sustancias fenólicas, o polifenoles, un grupo muy numeroso de sustancias que incluyen familias de compuestos con diferentes estructuras. Los flavonoides constituyen uno de los subgrupos de polifenoles, de los que en la actualidad se conocen más de cinco mil diferentes. Se trata de pigmentos naturales presentes en los vegetales que fueron descubiertos por el Premio Nobel Szent-György, quien en 1930 aisló de la piel del limón una sustancia, la citrina, que regulaba la permeabilidad de los capilares. Los flavonoides se denominaron en un principio vitamina P (por permeabilidad) y también vitamina C2 (porque se comprobó que algunos flavonoides tenían propiedades similares a la vitamina C). Sin embargo, el hecho de que los flavonoides fueran vitaminas no pudo ser confirmado, y ambas denominaciones se abandonaron alrededor de 1950. En la actualidad se considera que, desde el punto de vista de su actividad biológica, muchos polifenoles tienen propiedades captadoras de radicales libres, lo que les otorga actividad antioxidante que podría estar relacionada con la prevención de algunos trastornos como las enfermedades cardiovasculares y de determinados tipos de cáncer. Además de este papel protector, en la mayor parte de las investigaciones se ha constatado la existencia de efectos antiinflamatorios, antivirales o antialérgicos. Sus propiedades anti radicales libres se dirigen fundamentalmente hacia los radicales hidroxilo y superóxido, especies altamente reactivas implicadas en el inicio de la cadena de peroxidación lipídica, y se ha descrito su capacidad de modificar la síntesis de eicosanoides (con respuestas antiinflamatorias), de prevenir la agregación plaquetaria (efectos antitrombóticos) y de proteger a las lipoproteínas de baja densidad de la oxidación (prevención de la placa ateromatosa). Además de sus efectos antioxidantes, los flavonoides presentan otras propiedades que incluyen la regulación del crecimiento celular y la inducción de enzimas de desintoxicación tales como las monooxigenasas dependientes de citocromo P-450, entre otras.

El organismo humano no puede producir estas sustancias químicas protectoras, por lo que deben obtenerse mediante la alimentación o en forma de suplementos. Están ampliamente distribuidas en plantas, frutas, verduras, semillas y en diversas bebidas como el vino y la cerveza, y representan componentes sustanciales de la parte no energética de la dieta humana.

Algunos de los tipos de flavonoides presentes en los alimentos son:

- *Flavonoides de la soja o isoflavonoides.* Están presentes en la soja y los alimentos derivados de ella, tales como tofu, tempeh, leche de soja, proteína vegetal texturizada, harina y miso. Los dos más conocidos son la genisteína y la daidzeina.
- P*roantocianidinas.* Se localizan en las semillas de uva y en el vino tinto.
- *Antocianidinas.* Son pigmentos vegetales responsables de los colores rojo y rojo-azulado de las cerezas, remolacha, ciruelas, arándanos, grosellas y moras.
- *Ácido elágico.* Es un flavonoide que se encuentra en frutas como la uva y en diferentes verduras.
- *Catequina.* El té verde y negro son buenas fuentes.
- *Kaemferol.* Aparece en puerros, brócoles, rábano, endibias y remolacha roja.
- *Citroflavonoides.* Quercitina, hesperidina, rutina, naranjina y limoneno. La quercitina es un flavonoide amarillo-verdoso presente en cebollas, manzanas, brécoles, cerezas, uvas y repollo rojo. La hesperidina se encuentra en la piel de las naranjas y limones. La naranjina da el sabor amargo a frutas como la naranja, limón y pomelo, y el limoneno se ha aislado del limón y la lima.

De hecho, en los cítricos se han identificado más de cincuenta flavonoides.

Aunque los hábitos alimenticios son muy diversos en el mundo, el valor medio de ingesta de flavonoides se estima en unos 23 mg/día, siendo la quercitina el predominante con un valor medio de 16 mg/día. En opinión de algunos autores, la llamada dieta mediterránea aporta una cifra muy superior, que se sitúa entre los 150 y 300 mg/día. De hecho, se ha publicado que una dieta rica en frutas y verduras nos puede aportar unos 1.000 mg/día. La cantidad diaria recomendada se sitúa entre los 300 y 400 mg/día.

Aún queda mucho por conocer sobre estas sustancias, por ejemplo, aspectos clave como su biodisponibilidad y su presencia en los alimentos en función de diferentes factores. Sin embargo, no hay duda de que con ellas se está pasando una nueva página acerca de la contribución de los diferentes alimentos en nuestra salud.

Alimentos funcionales y nutrición óptima

El concepto actual de nutrición, como casi todo, está evolucionando. La «nutrición adecuada», entendida como «suficiente», dirigida a evitar déficits, ha dejado de ser la meta en las sociedades desarrolladas, al tiempo que crece la concepción de la alimentación como «nutrición óptima», cuyo objetivo es la calidad de vida y el bienestar integral del individuo. De esta forma, la nutrición adquiere un nuevo enfoque terapéutico y preventivo, participando en la promoción de la salud y siendo considerada un factor de protección ante una larga serie de circunstancias patológicas. En este marco están apareciendo con fuerza los llamados *alimentos funcionales* (AF).

Un AF contiene un componente, nutriente o no nutriente, con actividad selectiva relacionada con una o varias funciones del organismo, con un efecto fisiológico añadido por encima de su valor nutricional y cuyas acciones positivas justifican que pueda reivindicarse su carácter funcional o saludable. En la definición de consenso de Madrid (octubre, 1998) se subrayó que un AF es aquel que contiene al menos un elemento, nutriente o no nutriente, positivo para una o varias funciones del organismo, más allá del aspecto nutricional convencional, encaminado a incrementar el bienestar o disminuir el riesgo de enfermar. Un AF puede serlo para toda la población o para un grupo específico. Abarcan macronutrientes con efectos fisiológicos concretos (almidón, ácidos grasos omega 3, etc.) y micronutrientes esenciales con ingestas «funcionales» necesariamente superiores a las recomendaciones dietéticas diarias. Pueden ser nutrientes o no nutrientes, esenciales o no esenciales, naturales o modificados. Según la concepción europea, el AF debe seguir siendo en todo momento un alimento; es decir, es necesario que ejerza sus efectos beneficiosos consumido como tal, dentro de una dieta convencional y en la cantidad en que se ingiere habitualmente.

Entre los tipos de AF se sitúan en la actualidad las frutas y hortalizas con sus compuestos fenólicos, entre los que destacan los flavonoides, dentro de los cuales se distinguen las flavononas (naringina, presente en la uva), flavonas (tangeretina, nobiletina, sinensetina; presentes en las naranjas), flavonoles (quercetina, en el vino tinto, té verde y negro, cacao), flavonoides fenólicos (monómeros y polímeros de catequina de bajo y alto peso molecular, polifenoles; presentes en el vino tinto y rosado, sidra, cacao) e isoflavonas, previamente comentadas. Otros fitonutrientes relevantes son las antocianinas, que se encuentran principalmente en frutos de color violáceo/carmesí (manzana roja, uvas, bayas) y en el vino, los triterpenos (limoneno y afines, limón, mandarina, uvas) y los compuestos organosulfurados (glucosinolatos y sus productos de la hidrólisis, isotiocianatos; abundantes en la berza, el repollo, las coles de Bruselas y la coliflor).

Además de los compuestos fenólicos, las frutas y hortalizas proporcionan un sorprendente arsenal de sustancias funcionales, pues aportan vitaminas, provitaminas, minerales y otras moléculas con actividad antioxidante, antiinflamatoria, antimicrobiana y reguladora de la homeostasis lipídica.

En este contexto, es importante recordar que la dieta mediterránea proporciona de forma tradicional, como base de la alimentación, numerosos y variados AF: frutas, hortalizas, legumbres, pescados, lácteos fermentados, aceite de oliva virgen y, en cantidades moderadas, frutos secos y vino. No debe olvidarse que la dieta ha de constituir el objetivo prioritario. Quizás en un futuro próximo hablaremos, más que de alimentos funcionales, de dieta funcional.

Importancia de comer alimentos crudos

La cocción es una manipulación que ejercemos sobre los alimentos, produciéndose con ella determinadas modificaciones que, en algunos casos, permiten que el alimento pase de no ser comestible a poder ser integrado en nuestra alimentación. Esto es lo que ocurre, por ejemplo, con los cereales o con las legumbres. Pero entre los cambios experimentados por los alimentos cuando se cuecen no todos son positivos, dado que las elevadas temperaturas y su contacto con el agua cuando se hierven provocan pérdidas importantes de nutrientes valiosos, como determinadas vitaminas y minerales que, dicho sea de paso, en no pocos casos no están presentes en las cantidades necesarias en nuestra dieta. Este es el principal argumento nutricional para fomentar el consumo de alimentos que puedan comerse crudos, entre los que figuran, naturalmente, muchas hortalizas y todas las frutas, pero también alimentos como el aceite de oliva virgen, las frutas secas (avellanas, almendras, nueces, etc.) y las frutas desecadas (pasas, higos secos, ciruelas secas, etc.).

Así pues, en un mundo industrializado en el que todo nos viene envasado, precocinado y manipulado, mantener un consumo regular de alimentos crudos nos permite conservar una relación con los alimentos más directa y con mejores perspectivas nutritivas. En la actualidad se considera que su presencia en la dieta es una garantía para nuestro equilibrio nutricional, por eso se aconseja su ingesta diaria. Por ejemplo, 2 piezas de fruta, un buen plato de ensalada y de 3 a 5 cucharadas de aceite de oliva virgen pueden considerarse, por término general, un mínimo. Dichas recomendaciones diarias pueden ser superadas con amplitud y sin problemas en el caso de las hortalizas, y también pueden ser algo superiores en el caso de la fruta. También hay buenas noticias por lo que a la gastronomía se refiere, y es que, en contra de lo que suele pensarse habitualmente, con los alimentos crudos también se puede gozar en la mesa y satisfacer paladares exigentes.

Dieta y longevidad

A lo largo de la historia son muchos los alimentos que han sido propuestos como elixires de juventud, como antídotos frente al paso inexorable de los años, como sustancias mágicas que permiten alargar la vida. Y el limón no ha faltado a esa cita. Sin embargo, hasta ahora no se han podido probar tales virtudes y nadie ha podido obtener un mínimo consenso al respecto. Pero algo muy distinto ocurre cuando hablamos de la alimentación como un todo; en este sentido, nadie duda de que una alimentación saludable es un presupuesto indispensable para proporcionar años a la vida y vida a los años. Para ello, y al contrario de lo que muchas veces queremos pensar, lo mejor no es empezar a tomar medidas cuando comienza a asomar la cuarta o la quinta década de la vida, sino cuanto antes mejor, y no hay comienzo más temprano que el de nuestra gestación en el útero materno. Una alimentación equilibrada de la futura mamá durante el embarazo, una lactancia materna prolongada y la adquisición de buenos hábitos alimentarios en los primeros años son los cimientos sobre los que se edifica un buen estado nutricional a lo largo de todo nuestro ciclo vital. No hay que olvidar que los trastornos relacionados con una nutrición desequilibrada no se gestan en un día ni en una semana. Son el resultado de años de contravenir las necesidades reales del organismo. Por consiguiente, en las etapas finales de la vida recogemos, en gran medida, lo sembrado en los años anteriores. He aquí unas medidas alimentarias y nutricionales que se consideran fundamentales para vivir en plenitud durante muchos años:

- Evitar tanto los excesos como los defectos en el peso mediante un aporte energético ajustado a nuestras necesidades.
- Evitar los excesos de proteínas y grasas, tan habituales en nuestros días. En este sentido, es particularmente importante moderar el consumo de carne.
- Cuidar la calidad de las grasas ingeridas, utilizando preferentemente aceite de oliva como grasa de adición.
- Dar protagonismo a los productos del huerto, con su importante caudal de nutrientes antioxidantes.
- Comer alimentos crudos a diario; como mínimo una ración de fruta y otra de hortalizas crudas.
- Elegir productos de alta calidad, lo que no quiere decir de más prestigio, ni más caros.
- No recurrir al *fast-food* (comida rápida) más que de forma ocasional, y huir de los alimentos muy manipulados.
- Apostar por los productos biológicos, es decir, libres de productos fitosanitarios, y evitar la ingesta de aditivos siempre que sea posible.
- Comer con moderación y cuando se tiene hambre.

- Favorecer buenas digestiones no abusando de preparaciones pesadas, evitando comer en exceso y hablar de problemas en la mesa.

Antioxidantes

El estrés oxidativo se caracteriza por un desequilibrio en el balance prooxidante y antioxidante. La generación de especies reactivas de oxígeno, consecuencia de este desequilibrio, es un atributo propio de la vida, pues se caracteriza por una formación constante de prooxidantes que, en condiciones óptimas, resulta equilibrada por la desaparición de los mismos debido a la acción de las sustancias antioxidantes. Para mantener este equilibrio, es necesario que exista una regeneración constante de la capacidad antioxidante, puesto que, si no se consigue, las lesiones por oxidación subsiguientes darán lugar a distintos trastornos en el organismo. Algunas vitaminas, entre ellas la C, son algunos de los compuestos antioxidantes que actúan como agentes protectores frente a la inevitable tendencia de la oxidación.

Factores oxidantes que aumentan la cantidad de radicales libres y provocan lesiones y envejecimiento en las células de nuestro organismo:

- Rayos ultravioleta procedentes del sol; agravado por la permeabilidad aumentada de la capa de ozono.
- Contaminación ambiental por metales tóxicos, como plomo, aluminio, mercurio y cadmio.
- Estrés y cansancio mental y físico: aumentan los requerimientos metabólicos y, por consiguiente, la oxidación.

Factores antioxidantes que nos protegen de la acción de los radicales libres:

- Vitaminas: C, E, B_6, betacarotenos.
- Minerales: selenio, cinc, manganeso, cobre.
- Muchos polifenoles.

Todos ellos están presentes en los alimentos vegetales.

Dieta rica en nutrientes antioxidantes

Aspectos prácticos

El consumo diario de aceite es fundamental para conseguir las cantidades recomendadas de vitamina E. También algunos frutos secos, como las avellanas y las almendras, son excelentes fuentes de esta vitamina.

Los cítricos son alimentos muy ricos en vitamina C. Pero hay alimentos que incluso los superan, como las fresas y los pimientos.

Entre las hortalizas ricas en betacaroteno destacan, sin duda, las zanahorias. Entre los productos de la huerta, también las espinacas, las acelgas y los nísperos los contienen en cantidades elevadas.

El pan integral, los quesos, las legumbres, los cacahuetes, las carnes y el marisco contienen elevadas cantidades de cinc.

Carnes, pescados, huevos, leche, cereales, ajos y champiñones son todos alimentos ricos en selenio.

Para personas adultas, y cuando no haya contraindicación, tomar un poco de vino, por ejemplo, 100 ml al día, tiene cabida en el marco de una dieta antioxidante.

Las aspiraciones de una dieta a ser rica en sustancias antioxidantes y a ayudarnos a enfrentarnos a los radicales libres se acrecientan a medida que su composición se acerca a la de la alimentación mediterránea tradicional, en la que frutas, hortalizas y aceite de oliva tienen un destacado protagonismo.

Sustancias añadidas

El limón, como la mayoría de las demás frutas y hortalizas, no se libra, la mayor parte de las veces, de la exposición a contaminantes ambientales y pesticidas. Entre los primeros preocupan principalmente los metales pesados, ya que se ha observado que su presencia en el ambiente va en aumento y sus repercusiones en el organismo son graves, pudiendo comprometer, entre otras, la funcionalidad del sistema nervioso central, la función renal y el metabolismo óseo.

Los pesticidas son todas aquellas sustancias que se utilizan para proteger la producción de los cultivos y los productos vegetales contra las enfermedades, el ataque de los insectos, los parásitos, las malas hierbas y los microorganismos nocivos, e incluyen, entre los grupos más importantes, los herbicidas, los fungicidas y los insecticidas.

Recientemente, la comunidad científica se está preocupando por el posible impacto negativo de algunas de estas sustancias sobre un problema que aparece cada vez como más grave: la disminución alarmante en las últimas décadas del número y la movilidad de los espermatozoides en el semen del hombre, lo cual repercute negativamente en la fertilidad de muchas parejas.

Preocupante debe ser el contenido de estas sustancias en las frutas cuando expertos de la Administración aconsejan a la población que pele aquellas frutas susceptibles de comerse con piel cuando se desconoce su origen. Pero ¿y cuando utilizamos la piel para alguna preparación culinaria o algún remedio casero? En este caso, la ingesta de sustancias añadidas por vía sistémica es inevitable.

Parece hoy más razonable que nunca promover los métodos de cultivos biológicos, es decir, los que prescinden de los pesticidas y respetan los ritmos naturales de producción, así como los ciclos naturales. Ello también implica la necesidad de una educación del consumidor, sobre todo cuando se sabe que muchas de estas sustancias potencialmente dañinas se aplican simplemente por motivos estéticos, para mejorar el aspecto de los frutos y hacerlos más apetecibles.

11
El limón, fuente de salud

El limón, gracias a sus características nutricionales más conocidas, encuentra una serie de aplicaciones lógicas, tanto dietéticas como también terapéuticas.

Indicaciones dietéticas

El zumo de limón puede resultar interesante en determinadas situaciones fisiológicas, especialmente por su contenido en vitamina C, potasio y agua. Son situaciones en las que el equilibrio de estos nutrientes puede verse amenazado, ya sea por un aumento de las necesidades o por una disminución de la ingesta, por un aumento de la eliminación o por la suma de las circunstancias anteriores.

En el deporte

El equilibrio hídrico es uno de los más importantes y más delicados. Si es difícil para todos, aún resulta más complejo para el deportista que tiene la sudoración como principal mecanismo de disipación del aumento de la temperatura corporal provocada por el ejercicio. El ritmo de pérdida de agua en forma de sudor puede ser muy importante, y resulta peligroso que no se equilibre mediante la ingesta de agua durante la práctica del deporte. En muchos casos, es aconsejable beber antes de empezar el ejercicio, incluso sin sed. En este caso, la incorporación de zumo de limón al agua puede mejorar el gusto de la bebida y estimular a beber.

Al ser decisiva para un buen rendimiento, la hidratación del deportista ha sido muy estudiada en las últimas décadas. Hemos asistido a la aparición en el mercado de bebidas especialmente diseñadas para ello. Es evidente que es un tema controvertido y del cual no se ha escrito todavía la última palabra. No obstante, parece claro que la bebida del deportista debe basarse en:

- *Agua.*
- *Contenido de algún azúcar* (glucosa, sacarosa, maltodextrinas que parecen tener efectos similares), siempre que el ejercicio dure más de 45 minutos, y en concentraciones variables según la situación particular, que pueden ir desde los 30 a los 80 g por litro de agua (concentraciones del 3 al 8 %).
- *Sal* (cloruro sódico). En función de la pérdida de elementos químicos, especialmente de sodio, por el sudor, puede ser conveniente la adición de un poco de sal. Hoy día parece que tanto ciertos azúcares como el sodio estimulan la absorción intestinal del agua.
- *Zumo de limón.* Creemos que la adición del zumo de dos limones a un litro de agua puede contribuir de forma doblemente positiva en esta bebida del deportista; por un lado, ayuda a aportar el potasio que normalmente se pierde por el sudor, y por otro, mejora el sabor de la bebida, lo cual actúa como un poderoso estímulo para beber.

Esta bebida casera, de fácil elaboración y bajo coste puede ser realmente efectiva, y también resulta útil para la rehidratación posterior al ejercicio.

Además, bien fresca (entre 8 y 13 °C, el vaciado gástrico es más rápido y, con ello, la absorción de agua) puede ser excelente para recuperar el agua perdida durante los cálidos veranos.

¿Qué es una bebida isotónica?

Al sudar perdemos agua y, junto a ella, también algunos minerales, como el sodio, el potasio, el calcio y el magnesio. Sin duda, reponer agua es lo más urgente y lo más básico, pero las llamadas bebidas isotónicas aspiran a más, es decir, a reponer también los minerales perdidos, aumentando al mismo tiempo la velocidad de absorción del agua ingerida. Su necesidad y eficacia siguen siendo tema de controversia, y es que, junto con los que las defienden, están quienes opinan que los minerales perdidos se recuperan con facilidad con las tomas alimentarias posteriores.

En la vejez

Los ancianos son un grupo de riesgo de deficiencia de prácticamente todos los nutrientes y, por supuesto, de deficiencia en agua. Es sabido que entre las modificaciones fisiológicas que se producen durante el envejecimiento se encuentra la pérdida de agua corporal, al tiempo que disminuye la percepción de la sensación de sed. Conocida esta situación, la mejor manera de afrontarla es la prevención.

Es importante dar de beber al anciano aunque no tenga sed, lo cual no es siempre fácil. La adición de zumo de limón al agua o la preparación de una limonada ligeramente endulzada (con azúcar o miel) pueden estimular la ingesta de agua en el anciano y, con ello, proporcionar una mejor hidratación o la prevención de la deshidratación.

No se debe olvidar que, a pesar de las grandes cantidades de agua que se hallan presentes en nuestro organismo (un 60 % en el hombre adulto y un 55 % en la mujer adulta) no existen reservas, y que nuestro organismo es extremadamente sensible a las pérdidas de agua, de tal modo que la pérdida de un 2 % de peso corporal en forma de agua puede reducir el rendimiento físico en un 20 %.

Durante la lactancia

La secreción media diaria de leche de una madre lactante se sitúa alrededor de los 800 ml, de los cuales un 88 % es agua, porcentaje que representa alrededor de 700 ml de agua.

Durante esta etapa fisiológica de la vida de la mujer es frecuente recomendar la ingesta de unos 3 litros de agua diarios, que pueden tomarse con más facilidad en épocas calurosas. En estas circunstancias, puede ser favorable tomar líquidos nutritivos (caldos, zumos, horchatas, etc.). Cuando se beban caldos, infusiones e incluso zumos de frutas y/o hortalizas o simplemente agua, la adición de zumo de limón puede, además de mejorar el sabor, contribuir a cubrir las necesidades suplementarias de vitamina C propias de este período, que se fijan en unos 35 mg diarios según las raciones dietéticas aconsejadas (RDA).

En la adolescencia

En muchos casos, los adolescentes tienen unas necesidades nutricionales superiores a las de los adultos, debido al crecimiento propio de esta etapa. Ello confluye con las «tormentas» propias de esta edad que, cómo no, tienen su manifestación en el comportamiento alimentario: rechazo del modelo alimentario familiar, ritmos horarios anárquicos, etc. Por ello se observa que la ingesta de hortalizas y frutas crudas, fuentes de la vitamina C, es escasa o muy escasa durante este período.

El consumo de limonadas caseras puede contribuir a cubrir las necesidades de esta vitamina, y garantiza, a su vez, una adecuada hidratación del organismo, al tiempo que puede ser una alternativa ideal a los refrescos industriales, que generalmente presentan concentraciones en azúcares cercanas al 10 %, además de que la presencia de gas puede ser causa de molestias digestivas.

Esta puede ser, asimismo, una bebida de mesa que dispense de tomar la fruta cítrica del postre, no siempre aceptada por los adolescentes.

En la menopausia

La menopausia es un acontecimiento natural en la mujer, un período de transición en el que los ovarios dejan de producir óvulos. Conocida también como climaterio, se produce entre los cuarenta y los cincuenta y cinco años. Durante la misma, cesa la ovulación, eliminando la posibilidad del embarazo, y la menstruación se hace menos frecuente, deteniéndose finalmente. En algunas mujeres, la actividad menstrual se detiene de forma repentina, pero, por lo general, va disminuyendo poco a poco en cantidad y duración del flujo, y los períodos menstruales se hacen más seguidos o más espaciados. Los síntomas que aparecen durante la menopausia son provocados por cambios en los niveles de estrógeno y progesterona. A medida que los ovarios se vuelven menos funcionales, producen menor cantidad de los mismos y el cuerpo reacciona a ello. Algunas mujeres experimentan pocos síntomas o ninguno, mientras que otras sufren varios síntomas que van de leves a graves. Una disminución gradual de los niveles de estrógeno permite que el cuerpo se ajuste lentamente al cambio hormonal, pero en ocasiones se produce una disminución repentina del nivel de estrógeno, causando síntomas importantes. La reducción en el estrógeno está asociada con muchos efectos secundarios que pueden ser muy molestos. Los sofocos causados por una liberación súbita de calor corporal y la sequedad vaginal son los dos efectos secundarios experimentados frecuentemente. Los cambios en el estado de ánimo y la falta de deseo sexual asociados algunas veces a la menopausia pueden resultar parcialmente de la disminución de la hormona, pero también pueden ser producto de la incomodidad asociada a los sofocos y la sequedad vaginal. Además de estos dos efectos secundarios, existen otros que se pueden desarrollar durante meses o años. La disminución de los niveles de estrógeno incrementa el riesgo de osteoporosis, la cual a veces no se detecta hasta que se produce una fractura ósea. La disminución de los niveles de estrógeno asociados a la menopausia también produce cambios en los niveles de colesterol, que pueden aumentar el riesgo de enfermedad cardiaca de la mujer.

Esta etapa fisiológica de la mujer incide principalmente, desde el punto de vista nutricional, sobre dos aspectos importantes: por un lado, el equilibrio energético y, por otro, el metabolismo del calcio.

Se observa una tendencia clara en las mujeres a ganar peso y a perder masa ósea. Ambos aspectos confluyen negativamente sobre la salud de la mujer.

En esta situación, es importante aumentar el aporte nutricional de la dieta, evitando en lo posible todos los alimentos superfluos que pueden aumentar las calorías de la dieta, sin incrementar el aporte en micronutrientes.

Es un momento ideal para mantener o aumentar la presencia de hortalizas y frutas en la dieta. Ambos grupos de alimentos se caracterizan por su bajo contenido energético y su importante aporte en vitamina C, betacarotenos y calcio (especialmente las hortalizas de hoja).

La contribución del zumo de limón puede resultar de interés por su elevado contenido en vitamina C (básica para la funcionalidad de la piel y los huesos) y su bajo contenido energético, así como para mejorar la calidad organoléptica de la alimentación, que podría resentirse como consecuencia de la aconsejable disminución de grasas y sal.

Truco para paliar los sofocos de la menopausia

El limón también se utiliza en diferentes preparaciones que contribuyen a paliar los sofocos propios de esta etapa. Una de ellas se elabora a partir de salvia y limón. Se pican de 6 a 8 hojas frescas de salvia que se cubren con zumo de limón. Se deja reposar toda la noche. Por la mañana se exprime el zumo resultante y se bebe. Puede tomarse cada día a lo largo de un mes.

Durante el embarazo

Las necesidades de vitamina C se ven también aumentadas en esta etapa fisiológica de la vida de la mujer, concretamente, según los expertos que elaboran las RDA, en 10 mg/día. En esta situación, el limón puede ser beneficioso, pero no solo por su aporte en vitamina C como tal, sino también porque activa la absorción del hierro no hemínico de la dieta. Está claro que, debido al aumento espectacular de las necesidades de este elemento químico durante el embarazo (las RDA pasan de 15 a 30 mg/día), cualquier conducta que pueda ser útil para incrementar sus aportes y que no presente contraindicaciones puede ser beneficiosa.

El uso de limón como aderezo, o beber una limonada durante la comida, puede servir para obtener el benéfico efecto de la vitamina C del limón.

12
INDICACIONES TERAPÉUTICAS

Evidentemente, existe mucha bibliografía acerca de los efectos curativos del limón. En nuestro país, algunos autores llegaron a afirmar que se trataba prácticamente de un «curalotodo». Hacer una larga lista de enfermedades que «cura el limón» es fácil, pero creemos que es el momento de preguntarse: ¿qué hay de cierto en ello?, ¿en qué se basan estos datos?, ¿no sería interesante revisarlos a la luz de los conocimientos actuales para quedarse con los que estén realmente probados o de los cuales se conozca el mecanismo? Lo cierto es que, en la actualidad, se mantienen algunas afirmaciones que no resisten el más mínimo análisis.

Creemos que con los conocimientos actuales es, cuando menos, arriesgado afirmar que un alimento cura una enfermedad. El impacto que puede tener cada uno de los alimentos que ingerimos habitualmente viene dado por el hecho de que forma parte de un todo, de un conjunto complejo que es nuestra alimentación, y este conjunto, en definitiva, determina nuestro estado nutricional, que, a buen seguro, resulta decisivo para nuestra salud. Hoy en día existen suficientes evidencias científicas para afirmar que se produce una correlación entre alimentación y salud o, si se quiere, entre alimentación y enfermedad. Las «grandes patologías de la civilización» pueden prevenirse ¡y hasta en muchos casos curarse! con simples modificaciones alimentarias. Pero es nuestra alimentación la que puede contribuir a enfermar o curar a una persona. Creemos que la máxima de Hipócrates responde a este espíritu: «Que tu medicina sea tu alimento; que tu alimento sea tu medicina». Nos alejamos en la medida de lo posible de la estrecha fórmula enfermedad-remedio para acercarnos a una alimentación saludable, variada y placentera desde un punto de vista tanto dietético como gastronómico, a una medicina holística, integral y preventiva.

No creemos que contribuya a ello el hecho de construir castillos en el aire y viejas afirmaciones dogmáticas. Seamos realistas: ¿cuáles son nuestros conocimientos actuales sobre el impacto que tienen sobre nuestra salud los flavonoides, los ácidos orgánicos, los esteroles vegetales, los taninos, los aceites esenciales, los pigmentos...? Si aún existen inmensas lagunas en el conocimiento de muchos de los aspectos más básicos de los micronutrientes, ¿qué pensar de todas aquellas otras sustancias que, en número de cientos o de miles, se hallan de forma natural en nuestros alimentos y no son nutrientes?

En la mayoría de los casos, los potenciales beneficios del limón se deberán a su particular contenido nutricional (aquí los factores que intervienen de forma principal son su bajo contenido energético, su bajo contenido en hidratos de carbono, su buena relación potasio-sodio y, especialmente, su contenido en vitamina C) mientras que en otros serán los efectos de algunos de sus compuestos naturales no nutrientes: citral, cumarinas, etc. En este caso, en algunas situaciones se emplean preparaciones obtenidas a partir del limón, como, por ejemplo, su aceite esencial.

La relación de patologías en las que creemos que el limón puede ejercer un efecto favorable es importante no tan solo por su número, sino también por su gran incidencia.

Obesidad

La incidencia de la obesidad en nuestra sociedad es muy importante. Se sabe que la obesidad es, en última instancia, la inevitable consecuencia de un balance energético positivo (se incorpora más energía de la que se gasta) y que, entre los nutrientes que nos proporcionan energía, los principales son los hidratos de carbono y las grasas. No obstante, en cualquier dieta hipocalórica ambos deben estar presentes hasta alcanzar determinadas cantidades, por debajo de las cuales pueden presentarse problemas nutricionales y metabólicos: debemos ingerir un mínimo de 100 g de hidratos de carbono diarios a fin de evitar la cetonemia y la pérdida de proteínas corporales, y un mínimo de 25 a 30 g de grasa si queremos asegurar la cobertura de los ácidos grasos esenciales y vitaminas liposolubles (A, D, E y K): la suma de ambos representa unas 650 kcal.

Los hidratos de carbono de la dieta se clasifican en dos grandes grupos: por un lado, los azúcares, que se caracterizan por ser solubles en agua y poseer un sabor dulce, siendo los principales la glucosa, la fructosa, la sacarosa y la lactosa. Se encuentran en frutas, miel, en el «azúcar» (que es la sacarosa) y los productos con él elaborados, y la leche y leches fermentadas, como el yogur (en estos últimos solo encontramos la lactosa); por otro lado, el almidón presente en los cereales y derivados, las legumbres y las patatas. Como el almidón es un polímero de glucosa (es decir, la unión de muchas glucosas) bastaría solo con su consumo para obtener el glúcido más importante para nuestro metabolismo. Sin embargo, el consumo de otros alimentos que contienen azúcares resulta, asimismo, muy importante para nuestro equilibrio nutricional debido a que también contienen vitaminas (es el caso de las frutas, que contienen principalmente vitamina C y betacarotenos), calcio y excelentes proteínas (es el caso de los lácteos). En caso de obesidad, la elección de frutas con un menor contenido en hidratos de carbono puede resultar muy útil por permitimos ingerir menos calorías, sin detrimento de algunos de los micronutrientes. Las frutas con más azúcares son las más dulces: plátano, chirimoya, uva, higo, palo santo, que tienen entre un 15 y un 20 % de azúcares. Entre las frutas de consumo habitual con menos azúcares se encuentra el limón. Tomar limón es una de las formas «menos energéticas» de tomar la vitamina C que necesitamos. Además, el zumo de limón puede sustituir otros aderezos mucho más calóricos.

No obstante, no es cierto que el limón adelgace, como tampoco lo hace el pomelo ni ningún otro alimento. Lo que cuenta, en definitiva, es el valor energético total de la dieta y su relación el gasto.

Son innumerables las propuestas de dietas para adelgazar que han ido apareciendo en las últimas décadas. Por supuesto, no tienen el mismo valor ni la misma eficiencia. La llamada dieta hipocalórica es la que surge de los conocimientos de nutrición y dietética más contrastados, y es la que ha demostrado tener una mejor relación beneficios/costos a lo largo del tiempo. En el otro extremo encontramos una multitud de modelos que no tienen ninguna base científica y que, en muchos casos, son tan desequilibrados que acarrean serios riesgos para el equilibrio nutricional y la salud. Dentro del repertorio de las medidas drásticas, podemos incluir las distintas dietas de frutas: dieta de la uva, dieta de la manzana, dieta del pomelo... y, por supuesto, la dieta del limón. Algunas de estas propuestas pueden servir, siempre bajo control médico, para determinados fines saludables, pero difícilmente son útiles para adelgazar teniendo en cuenta que no pueden seguirse durante muchos días y que la pérdida de grasa corporal es, por definición, una cuestión a largo plazo.

Durante estos decenios de relación entre alimentación y pérdida de peso corporal algunas cosas han ido quedando claras, por ejemplo, que:

- Adelgazar, más que un *sprint*, es una carrera de fondo.
- Perder peso y mantener esa pérdida es difícil.
- No se conoce, en la actualidad, ninguna fórmula dietética mágica que permita conseguir la pérdida de peso con facilidad y de forma duradera.
- En la mayoría de propuestas para adelgazar que han resistido el paso del tiempo conviven puntos fuertes y puntos débiles.
- No existe una manera única ni perfecta de adelgazar con la dieta.
- Casi todas las dietas pueden funcionar en algunas personas en determinados momentos, pero ninguna sirve para todo el mundo siempre.

En este sentido, queremos recordar que los alimentos que ejerzan un efecto diurético no ayudan a disminuir el sobrepeso o la obesidad: perder agua no es perder grasa y el excedente de la persona obesa es de grasa y no de agua, de la cual no hay reservas en el organismo.

Hipertensión arterial (HTA)

Esta es otra de las llamadas *patologías de la civilización,* habida cuenta del elevado porcentaje de personas que la padecen en nuestro medio y entre cuyas consecuencias principales figura el ser un factor de riesgo de la aterosclerosis. La HTA se asocia a un mayor riesgo de accidente vascular cerebral.

Clásicamente, se ha considerado que el principal problema nutricional de esta patología es el consumo excesivo de sodio debido a la ingesta excesiva de sal (cloruro sódico). No obstante, actualmente se sabe que no todo el mundo es igualmente «sensible» a la sal: hay personas en las que el exceso de sal puede ser causa de HTA, mientras que en otras no; se ha publicado que algo más de la mitad de los hipertensos son sensibles a la sal, es decir, sus cifras de presión arterial se elevan al consumir una dieta con alto contenido en sal y descienden cuando se elimina de la dieta habitual.

Por otro lado, las deficiencias de algunos micronutrientes también podrían estar implicadas en el desarrollo de la HTA. Este parece ser el caso del potasio y, particularmente, el de una baja relación potasio-sodio (la relación potasio-sodio es uno de los equilibrios nutricionales importantes que deben respetarse; en la actualidad se recomienda que sea cercana a 1). En este sentido, el limón actúa favorablemente, debido a su elevado contenido en potasio y muy bajo en sodio (la relación de estos elementos químicos en el zumo de limón expresada en miligramos por cada 100 ml es de 138/1); en todas las frutas de consumo habitual se encuentra una elevada relación. Estos alimentos pueden ayudar a enderezar la tendencia de nuestros modelos dietéticos actuales, en los que tal relación es extremadamente baja debido a la reducida ingesta de alimentos ricos en potasio y al elevado consumo de sodio, principalmente debido al importante consumo de sal. Además, algunos autores atribuyen a esta relación potasio-sodio elevada la acentuación del papel diurético del agua que contienen. Una dieta rica en potasio favorece la excreción urinaria de sodio (la retención de sodio se acompaña del aumento del volumen plasmático y gasto cardiaco), mejorando las cifras de presión arterial del hipertenso.

Desde el punto de vista de su contenido nutricional, la sal es absolutamente prescindible para una correcta nutrición. La adición de sal a la comida es una cuestión cultural, a la que nos habituamos progresivamente. En los casos en que puede ser conveniente una dieta hiposódica, algunas especias, plantas aromáticas y alimentos pueden resultamos útiles como sustitutos de la sal.

Agregar zumo de limón a las hortalizas cuando se consumen crudas o cocidas puede, para aquellos que están acostumbrados a comer con sal, servirles de sustituto y ayudarles a la deshabituación de esta, haciéndoles menos traumática la reducción de su consumo.

Aterosclerosis

Los trastornos vasculares asociados a la aterosclerosis (los principales son el infarto de miocardio y el accidente vascular cerebral) representan la primera causa de mortalidad en los países económicamente desarrollados. Se trata, en consecuencia, de uno de los principales problemas de salud pública. La aterosclerosis es una enfermedad multifactorial en la que se están viendo implicados muchos factores. Desde hace ya varias décadas (uno de los pioneros fue el ya fallecido Grande Covián) se ha intentado establecer la relación entre la naturaleza de las grasas de nuestra alimentación, niveles de colesterol y la aterosclerosis. En la actualidad, se sabe que las grasas saturadas son el principal factor nutricional por lo que se refiere al aumento del colesterol plasmático, uno de los principales factores de riesgo de esta enfermedad, que suele desarrollarse durante 3 o 4 décadas y que algunos autores han señalado que puede tener su inicio en la primera infancia.

Pero, juntamente con las grasas, en los últimos años se han señalado otros factores que también podrían ser causantes de este «taponamiento» de nuestras arterias. En este sentido, ha venido cobrando fuerza la idea de que los radicales libres podrían dañar el endotelio vascular y, como consecuencia, favorecer la aterogénesis. Los radicales libres son estructuras muy reactivas que alteran la estructura normal de los lípidos, hidratos de carbono y proteínas, particularmente las nucleoproteínas de nuestro organismo, de ahí sus nefastos efectos; en la actualidad, hay autores que los responsabilizan de múltiples enfermedades. Se forman en reacciones propias de nuestra fisiología, pero su producción puede verse aumentada en determinadas situaciones adversas. Nuestras células disponen de equipamiento para hacer frente a estas sustancias, cuyo funcionamiento depende de la presencia de algunos oligoelementos (por ejemplo, el cinc, el cobre, el manganeso, el selenio) y ciertas vitaminas (E, C y betacarotenos, que es una provitamina A). Los problemas sobrevienen cuando la producción de radicales libres supera la capacidad del organismo de neutralizarlos, situación que se conoce como *estrés oxidativo* y que puede deberse a determinadas deficiencias nutricionales.

Como ya hemos mencionado, la vitamina C es un antioxidante y, aunque la existencia de un posible efecto benéfico de esta vitamina en la aterosclerosis es una cuestión que dista mucho de estar resuelta, existen trabajos que demuestran que el nivel de ácido ascórbico en el plasma es significativamente más bajo en pacientes con aterosclerosis coronaria. Una vez más, resulta del máximo interés mantener un balance nutricional correcto de esta vitamina, al que puede contribuir de forma destacada el zumo de limón. Este es el motivo que justifica la incorporación del limón a la dieta de la aterosclerosis, si bien algunos autores lo incluyen por su riqueza en ácido cítrico y, como señala el doctor J. Valnet, por disminuir la hiperviscosidad sanguínea.

Por su bajo contenido en hidratos de carbono, el limón puede estar especialmente indicado en aquellas personas con hipertrigliceridemia (elevaciones anormales de triglicéridos en plasma) sensible a los azúcares. Los triglicéridos elevados (según la Sociedad Española de Aterosclerosis, las cifras deseables se sitúan por debajo de 200 mg/dl) son un factor de riesgo secundario de aterosclerosis.

Diabetes

Nos referimos aquí fundamentalmente a la diabetes no insulinodependiente, o diabetes del tipo II o del adulto. De los aproximadamente 800.000 diabéticos que hay en España, un 70 % son no insulinodependientes. Se trata de una patología importante que acaba repercutiendo sobre los grandes vasos de la circulación (la diabetes constituye un factor de riesgo cardiovascular, puesto que en los diabéticos el riesgo relativo de aparición de una enfermedad coronaria es de dos a tres veces superior al de la población general) y sobre los pequeños vasos (retinopatía que puede llegar a provocar ceguera y problemas renales que pueden conducir a la insuficiencia renal).

El papel de los factores ambientales, en especial de la obesidad, en el desarrollo de este tipo de diabetes es indiscutible. La prevención pasa por mantener un peso normal (balance energético correcto en la dieta), la disminución del consumo de azúcares y un aumento de la actividad física.

El limón puede, desde el punto de vista nutricional, contribuir favorablemente en los dos primeros factores por una misma razón: su bajo contenido en azúcares. El limón es, efectivamente, una de las formas de tomar vitaminas (sobre todo la C), con menos hidratos de carbono y, por consiguiente, con menos calorías.

Estreñimiento

El estreñimiento consiste en una dificultad o disminución de la frecuencia de la deposición de las heces, y es una de las más importantes alteraciones de la función intestinal. Muchas personas consideran que debe haber una deposición diaria, y que, cuando ello no se produce, podemos hablar de la existencia de estreñimiento, pero esto no es cierto. La función excretora varía de unas personas a otras y se consideran perfectamente normales las variaciones entre tres deposiciones diarias a una cada tres días. Las causas que pueden dar lugar al estreñimiento son muchas y variadas. La dieta escasa en fibras y líquidos, la vida sedentaria o la falta de hábito a la hora de defecar suelen provocar el estreñimiento. Pero también puede producirse por otra serie de anomalías y lesiones de nuestro organismo. Todas estas causas acaban por influir en el tránsito de la materia fecal por el intestino grueso, que se ralentiza, por lo que la mucosa del colon dispone de mucho tiempo para reabsorber agua. Las heces se tornan más secas y duras, lo que dificulta su evacuación. Debido a ello, la frecuencia de las deposiciones disminuye, acumulándose las heces, más duras y secas, en el intestino grueso. Para tratar con éxito el estreñimiento, lo primero y necesario es identificar la causa que lo origina. En cualquier caso, siempre son aconsejables una serie de medidas higiénicas saludables, como la práctica de ejercicio físico suave, la modificación de los hábitos alimentarios para ingerir una mayor cantidad de líquidos y alimentos con mayor cantidad de residuos y fibra. Es importante tener en cuenta que las fibras retienen agua, por lo que las heces tienden a ser más blandas y voluminosas; este incremento del volumen produce un aumento del estímulo reflejo, provocando que las heces atraviesen el intestino grueso más rápidamente. Una buena hidratación es, pues, una medida fundamental. Y si bien el limón tiene reconocidas propiedades astringentes, en este caso el hecho de añadir unas gotas de zumo al agua de bebida puede estimular el consumo de la misma, contribuyendo a ingerir las cantidades necesarias de líquido.

Cáncer

La relación alimentación-cáncer es extremadamente compleja y difícil, si bien los expertos (Instituto Nacional del Cáncer de Estados Unidos, 1984) han señalado que entre los principales factores de riesgo asociados al cáncer, los relacionados con la alimentación suponen el mayor porcentaje relativo, con un 35%. Evidentemente, están implicados múltiples aspectos, desde las deficiencias nutricionales hasta la ingesta de sustancias potencialmente cancerígenas con los alimentos.

La asociación que se ha encontrado entre la vitamina C y el cáncer, en el curso de las encuestas epidemiológicas, descansa sobre la existencia de una relación inversa entre la frecuencia de cáncer y el consumo de alimentos ricos en esta vitamina, más particularmente cáncer de esófago y estómago.

De hecho, una de las relaciones que ha merecido muchos estudios y publicaciones en los últimos tiempos es la que vincula la presencia de nitratos y nitritos en la dieta, la vitamina C y el cáncer de estómago. Efectivamente, cuando se aborda el tema del cáncer gástrico y sus causas nutricionales, el primer problema que se plantea es el de las nitrosaminas y nitrosamidas, siendo muchos los trabajos que han revelado la gran potencia cancerogénica de estas sustancias, que pueden tener dos procedencias:

- *Un origen exógeno, concretamente alimentario.* Las nitrosaminas se detectan en muchos alimentos en cantidades variables.
- *Un origen endógeno.* Se sintetizan a partir de las aminas y los nitritos en un medio con un pH ácido (de 2 a 3), como el del estómago, en una reacción de nitrosación.

No obstante, más importante que la ingesta de nitritos es la de nitratos. Los nitratos abundan en nuestros alimentos y también pueden estar presentes en el agua; el contenido de nitratos de las hortalizas y del agua depende esencialmente del uso más o menos «generoso» de abonos nitrogenados. La OMS recomienda que el agua utilizada para beber contenga una tasa de nitratos inferior a 50 mg/l. En Chile, donde los abonos con nitratos se han utilizado mucho, se observa una tasa elevada de cáncer gástrico, sobre todo en las poblaciones agrícolas y, de hecho, hoy se considera una medida importante para la profilaxis del cáncer de estómago la limitación del empleo de estos abonos y la vigilancia del contenido en nitratos del agua y hortalizas. Además, los nitratos y nitritos también son utilizados como aditivos alimentarios para prevenir la intoxicación botulínica en alimentos sensibles como el jamón y los embutidos (la toxina botulínica es la más potente que se conoce y es sintetizada por *Clostridium botulinum,* una bacteria anaerobia esporulada), concretamente los E-249, E-250, E-251 y E-252 son, respectivamente, el nitrito de potasio, el nitrito de sodio, el nitrato de sodio y el de potasio.

Los nitratos no se utilizan directamente en la formación de nitrosaminas. El problema que plantean es que son convertidos en nitritos bajo la acción de las bacterias bucales (nuestra saliva contiene fisiológicamente nitratos y nitritos) y en el estómago, antes de que estas sean inactivadas por la acidez gástrica. Por eso, en las personas con una hiposecreción de ácido clorhídrico (gastritis, ancianos), la conversión de los nitratos en nitritos es mucho más activa e importante.

Además de nitrosaminas, nitratos y nitritos, las aminas se encuentran también de forma abundante en los alimentos. Así pues, como medidas preventivas, podríamos señalar la disminución del uso de los abonos con nitratos, la disminución de la adición de los aditivos alimentarios citados y el consumo de vitamina C. En efecto, hoy se sabe que esta vitamina inhibe la conversión de nitratos en nitritos y, en consecuencia, de estos en nitrosaminas. Por eso, desde el punto de vista dietético, se recomienda la ingesta de frutas y hortalizas frescas por su contenido en vitamina C.

El limón, alimento anticáncer

Los doctores Richard Béliveau y Denis Gingras, de la Universidad de Québec, en Montreal, que trabajan en el laboratorio de medicina molecular del centro de cancerología Charles Bruneau, incluyen en su libro *Los alimentos contra el cáncer* (véase bibliografía) los cítricos como uno de los elementos indispensables en la dieta para prevenir esta enfermedad, no solo por su contenido en vitamina C, sino también por ser portadores de grandes cantidades de flavonoides y diversos compuestos fitoquímicos que pueden actuar directamente sobre las células cancerosas y evitar su progresión.

Anemia

Las anemias pueden deberse a diferentes causas, pero, sin duda, la anemia más frecuente es la que aparece como consecuencia de una carencia de hierro: de hecho, la carencia de hierro constituye la carencia nutricional más extendida en el mundo, y afecta tanto a los países en vías de desarrollo como a los países económicamente desarrollados. En nuestro medio, es excesivamente frecuente encontrar entre las mujeres adultas fértiles, que son un grupo de riesgo de deficiencia en hierro a causa de las pérdidas de la menstruación, cifras anormales de hemoglobina, que se sitúan para este colectivo por debajo de los 12 g/dl. En caso de embarazo, las necesidades de hierro aumentan espectacularmente y es práctica médica habitual prescribir sistemáticamente un suplemento de hierro a las mujeres que se encuentran en esta situación fisiológica.

No obstante, debe considerarse que la anemia constituye una fase muy avanzada de la carencia en hierro y es, como señala Hercberg, la punta visible del iceberg. Hoy en día se sabe que la deficiencia en etapas más precoces tiene consecuencias no hematológicas importantes, como, por ejemplo, una limitación de la capacidad física al esfuerzo, una disminución de las capacidades intelectuales y una menor resistencia a las infecciones. Las nefastas consecuencias de su deficiencia, así como su gran frecuencia, han motivado que el hierro sea hoy el oligoelemento más estudiado y mejor conocido.

¿Por qué es tan frecuente la carencia en hierro? Una de las causas principales es su baja biodisponibilidad o, lo que es lo mismo, el bajo porcentaje del hierro presente en los alimentos que llega a absorberse en el intestino delgado, habitualmente solo del 5 al 15 % del total ingerido. Desde este punto de vista podemos dividir el hierro presente en nuestros alimentos en dos grandes grupos:

- *El hierro hemínico.* Hierro ligado a determinadas proteínas que se halla presente solo en carne y pescado, donde representa del 40 al 50 % de su hierro total. Este tipo de hierro se absorbe en un 25 %, independientemente de los otros constituyentes de la comida.
- *El hierro no hemínico.* Se trata del hierro restante y suele representar, según el modelo alimentario, del 80 al 95 % del aporte total del hierro de la dieta. Su porcentaje de absorción es mucho menor que el del hierro hemínico y depende de distintos factores que inhiben o activan su absorción. Entre los inhibidores, los más importantes son los taninos (por ejemplo, del té), la fibra y los fitatos (presentes principalmente en las cubiertas de los cereales, aunque quizá sea algún otro factor el responsable del efecto inhibidor del salvado). Entre los activadores, actualmente se considera que la vitamina C es el más potente activador conocido de la absorción del hierro no hemínico; en este sentido, se ha señalado que la absorción de este tipo de hierro presente en una comida pueda multiplicarse por tres cuando se ingieren en ella unos 50 mg de esta vitamina (100 ml de zumo de naranja o limón). Esto puede ser especialmente interesante para determinados colectivos que presentan un mayor riesgo de deficiencia en hierro como son, por ejemplo, los ovolactovegetarianos (que no tienen hierro hemínico en sus dietas), particularmente si son mujeres.

Las consecuencias de aumentar la presencia de activadores y disminuir la de inhibidores son tan importantes que pueden llegar a determinar un estado nutricional adecuado o no de hierro sin modificar su cantidad ingerida.

Una de las propiedades clásicamente atribuidas al limón es su efecto antianémico. Probablemente, la explicación mejor contrastada de cómo puede contribuir el limón a la prevención o curación de una anemia ferropénica se deba al efecto señalado de la vitamina C, sin olvidar que prevenir la deficiencia en hierro es, con toda seguridad, mucho más que prevenir la anemia.

Es más que probable que la antigua costumbre de añadir limón al té no tuviera su origen en el conocimiento de los opuestos efectos que pueden ejercer estas dos sustancias en la absorción intestinal del hierro (¿compensa la vitamina C del segundo los negativos efectos de los taninos del primero?) pero, quién sabe, quizás una vez más el conocimiento empírico del humano nos confirme que todas las tradiciones culturales esconden una gran sabiduría, y recuérdese, además, que la tradición de los ingleses es tomar el té a las cinco de la tarde, lejos de toda comida principal.

La anemia y el cobre como nutriente

Funciones del cobre:
Formación de hemoglobina, glóbulos rojos, respiración celular, síntesis de colágeno y de neurotransmisores, protección contra los radicales libres.

Recomendaciones:
De 1,5 a 3 mg.

Principales fuentes alimentarias:
Hígado, ostras, frutos secos, legumbres, cereales.

Valoración del estado nutricional:
Concentraciones en suero; valores normales en el hombre: 70-140 mcg/dl; en la mujer: 80-155 mcg/dl.

Consecuencias de la deficiencia:
Anemia, trastornos osteoarticulares, disminución de la inmunidad, niveles elevados de colesterol.

Resfriados y gripe

Desde hace mucho tiempo se viene considerando la vitamina C como un protector contra los resfriados y la gripe, y, por ello, muchas personas toman suplementos de esta vitamina en otoño e invierno con la esperanza de prevenir o curar estos cuadros. Hasta la fecha, por los trabajos científicos realizados, no se puede concluir que exista un interés real en utilizar la vitamina C en grandes dosis en estas situaciones. Otra cosa muy distinta es tomar la vitamina C en cantidades suficientes para mantener un buen estado nutricional de la vitamina, que, como hemos señalado, interviene tanto en la inmunidad celular como humoral. En nuestras latitudes, la sabia naturaleza nos ofrece en estas estaciones los frutos cítricos, que se caracterizan por su elevado contenido en vitamina C. Su consumo diario puede que sea, probablemente, una de las mejores formas de garantizar la cobertura de las necesidades de esta vitamina y, con ello, contribuya a mantener nuestras defensas en estado óptimo.

La vitamina C y la cura de los resfriados

La historia de la vitamina C es muy larga, y aún no ha llegado a su fin. En ella se conjugan la intuición, la imaginación y el método científico. A ella se asocian una gran cantidad de nombres propios, y uno de ellos es el de Linus Pauling. Este genial químico norteamericano y doble Premio Nobel, se desmarcó de la mayor parte de la comunidad científica al afirmar y publicar que la toma de megadosis de vitamina C, a razón de varios gramos diarios (la recomendación actual en España para los adultos de ambos sexos se sitúa en los 60 mg) era útil para prevenir y/o curar el resfriado común. Es una vieja polémica que aún hoy continúa vigente. Incluso sabiendo que la vitamina C participa en los mecanismos de defensa inmunitaria de tipo celular y humoral, el conjunto de los estudios realizados hasta la fecha para corroborar las tesis de Pauling no han podido verificarlas. A pesar de ello, con este argumento, la vitamina C se mantiene en cabeza de la lista de ventas como suplemento vitamínico en España.

Truco: limón para bajar la fiebre

Durante los estados febriles suele recomendarse una dieta hídrica con bebidas abundantes de frutas ricas en vitamina C. Una de las bebidas por excelencia para esta situación es una limonada a base del zumo de 1 o 2 limones por vaso de agua caliente y 1 cucharada de miel. Puede beberse a voluntad. Además, los azúcares de la miel impedirán la cetosis, que frecuentemente se observa en los niños que se encuentran en esta situación y se hallan desganados. Los efectos pueden ser mejores si en lugar de agua se ha preparado una infusión con plantas medicinales indicadas para el caso.

Bronquitis

Es recomendable beber cada día dos limonadas calientes con una cucharada de miel. También en la rinofaringitis y dentro de las medidas higienicodietéticas puede darse a beber zumo de limón.

Sinusitis

En el marco de las medidas generales, durante la fase aguda, se recomienda para el adulto una dieta hídrica durante 24 a 48 horas con zumo de limón y rábano negro.

Anginas

Pueden utilizarse como tratamiento local los gargarismos con zumo de limón: de 1 a 10 cucharaditas pequeñas de zumo por vaso de agua. Entre las medidas generales puede incluirse la ingesta de zumo de limón por su riqueza en vitamina C.

Enfermedades de la vesícula y vías billares

En esta situación, uno de los principios dietéticos básicos es la reducción de las grasas de la alimentación y también de la fibra, especialmente la de los alimentos que provocan flatulencia. En estos casos, el zumo de limón puede prestar buenos servicios, tanto porque puede ser utilizado como aderezo en sustitución de las grasas, como por la ausencia de fibra en el zumo, y por ser una buena fuente de vitamina C, máxime si consideramos que en estas situaciones deben tomarse con mucha prudencia (según la tolerancia personal), dos de los alimentos que habitualmente más contribuyen a la ingesta de esta vitamina, esto es, el pimiento y la naranja. Además, tampoco es muy interesante consumir frutas muy dulces que puedan provocar una secreción importante de insulina que favorezca la síntesis de colesterol.

Pancreopatías

En esta situación, la cantidad de grasas se reducirá al mínimo posible debido a la insuficiente presencia de enzimas digestivas pancreáticas, con lo que el limón puede volver a prestar buenos servicios como aderezo para hacer más apetecible la dieta.

Su baja concentración en azúcares tampoco forzará importantes secreciones de insulina.

Diarrea

La diarrea, considerada como un aumento en el peso diario de las heces por encima de los 200 g, se define también como un incremento en el número, volumen y fluidez de las heces de una persona en relación con su hábito intestinal normal. Está considerada un problema sanitario de alta mortalidad y morbilidad, especialmente en la infancia y en países poco desarrollados desde el punto de vista económico y sanitario. En los países desarrollados, el 10 % de los ingresos en los hospitales pediátricos se produce por esta causa. Los menores de 5 años presentan entre 1 y 2 episodios de diarrea al año, mientras que en los países en vías de desarrollo el número es de entre 10 y 20 episodios. Tanto en niños como en adultos la diarrea se produce por infección; en un 70 % de los casos el agente causal es un virus, en un 20 % es bacteriano y en un 10 % se trata de parásitos. Entre los grupos más propensos a padecerla se encuentran los viajeros que se desplazan a países en desarrollo, los consumidores de marisco, varones homosexuales, pacientes con VIH, ancianos, personas que reciben quimioterapia y niños que asisten a guarderías.

Cualquiera que sea la causa de la diarrea, se produce un aumento en el número de las deposiciones y una disminución en su consistencia, todo ello debido a una menor reabsorción de agua. Es por ello que se produce una pérdida hídrica más o menos importante, según los casos, que puede llegar a ser muy grave.

El primer objetivo dietético es, en consecuencia, rehidratar a la persona. La adición de miel y zumo de limón al agua puede resultar de gran utilidad, tanto para aumentar la absorción de agua (recuérdese que, en pequeñas concentraciones, los azúcares estimulan la absorción de agua), como para mejorar el sabor, lo cual estimula a beber.

La clásica «agua de arroz» también presta en estos casos inmejorables servicios. Los zumos de fruta pueden estar indicados en una fase posterior, si bien el de naranja no está indicado en estos casos por estimular el reflejo gastrocólico. Será también de utilidad evitar la ingesta de fibra y los alimentos irritantes.

De hecho, una de las propiedades clásicas atribuidas al limón es la de ser astringente.

Diarrea del viajero

Este es uno de los trastornos más frecuentes entre los turistas. Fundamentalmente, afecta a las personas que viajan a zonas con escasas condiciones de higiene. Aparece con mayor frecuencia en verano, puesto que el calor favorece la presencia de agentes infecciosos. Por regla general, la diarrea del viajero comienza a los dos o tres días de llegar al país de destino y, en la mayoría de los casos, se resuelve de manera espontánea tras unos cuatro días.

La causa es la infección por bacterias, virus o parásitos y su diagnóstico es difícil porque el germen varía de un país a otro y solo se identifica en algunas personas. El microorganismo infeccioso se transmite a través de los alimentos y las bebidas contaminadas, como el agua no tratada. Los alimentos de riesgo son los manipulados de forma poco higiénica, los almacenados incorrectamente y los que se conservan a temperatura ambiente o de forma inadecuada. El tratamiento depende de la gravedad del caso y se debe comenzar en cuanto se detecten los primeros síntomas. En el caso de diarreas leves suele bastar con cambiar de dieta e ingerir abundantes líquidos con azucares y sales, a los que se puede añadir, si se dispone de limón, su zumo. En las farmacias existen unos preparados, conocidos como soluciones de rehidratación oral, que ayudan a reponer el líquido y las sustancias que se pierden durante el proceso diarreico. Se deben tomar pequeñas cantidades, pero de forma frecuente, hasta alcanzar de 2 a 4 litros diarios. Además, también se suele recomendar seguir una dieta blanda, como cereales, arroz y yogur, entre otros alimentos. Y, por supuesto, se recomienda evitar el alcohol, el café, la leche y los alimentos muy condimentados.

Cuando las deposiciones son muy abundantes, se debe pedir ayuda sanitaria. Para hacer frente a la diarrea del viajero, sin duda, la mejor arma es la prevención. Y para ello es fundamental tomar una serie de medidas dietéticas e higiénicas. Como regla de oro, siempre se deben hervir, cocinar bien y pelar los alimentos que se vayan a ingerir. Se utilizará solo agua que haya sido hervida, desinfectada químicamente o embotellada, tanto para beber como para lavar alimentos o para higiene personal.

Estados infecciosos en general

Son muchos los nutrientes que intervienen en el mantenimiento de las defensas orgánicas, empezando por las proteínas y acabando por algunos de los micronutrientes: oligoelementos como el cinc y el hierro, y las vitaminas A, B_6, ácido fólico y ácido ascórbico.

Las observaciones «históricas» del escorbuto indicaban una gran sensibilidad a las infecciones. Se ha observado que en la especie humana las enfermedades infecciosas se acompañan de una disminución de la tasa sanguínea de vitamina C. El zumo de limón puede ser beneficioso en la medida en que contribuya a conseguir un estado nutricional adecuado de esta vitamina.

Acidosis

Por su contenido en elementos químicos, las frutas se pueden considerar alcalinizantes, aunque para muchas personas el gusto ácido de algunas, como, por ejemplo, del limón, les haya hecho creer lo contrario. El organismo humano oxida con gran rapidez los ácidos cítrico y málico presentes en el limón. Los datos documentados en la bibliografía indican que el cuerpo humano es capaz de expulsar sin dificultad los ácidos orgánicos existentes en una gran cantidad de fruta. Estos ácidos no producen acidosis. De hecho, tal y como se verá, el limón se recomienda en una situación metabólica en la que interesa alcalinizar la orina: los cálculos renales de ácido úrico.

Reumatismo

Bajo el término *reumatismo* se engloban diversas enfermedades que provocan dolor en los músculos, articulaciones y tejidos fibrosos. Entre las medidas higienicodietéticas aplicadas en estas patologías se encuentra la recomendación de la toma específica de algunas frutas, entre las que se halla el limón. De hecho, algunos autores lo describen como antirreumático, antigotoso y antiartrítico.

Litiasis úrica

Los cálculos de ácido úrico no se encuentran entre los cálculos renales más frecuentes, y ocupan entre el 10 y el 20 % del total. En este caso, como en los demás, es de vital importancia beber mucho líquido, como mínimo 3 litros de agua al día, puesto que los cálculos son una cuestión de concentración.

Una particularidad de este tipo de cálculos es que es muy importante la alcalinización de la orina para evitar la cristalización. Pueden contribuir a ello, y por este motivo está permitido el consumo de todas las frutas y el uso de limón y vinagre como condimentos.

En efecto, al ser el limón una fruta con propiedades alcalinizantes de la orina, se la considera un buen recurso para evitar la litiasis renal. Algunos profesionales señalan que, para combatir estas dolencias, es muy útil la dieta de la cura del limón, que consiste en tomar el zumo de un limón diluido en agua y aumentar progresivamente la dosis, añadiendo un limón diario hasta llegar a 11 o 12. A continuación se invierte el proceso hasta llegar de nuevo a un limón diario. Esta medida debe añadirse a las demás estrategias higienicodietéticas adoptadas en estos casos.

Fumadores

Que el tabaco ejerce nefastos efectos sobre diversos sistemas fisiológicos es una realidad documentada. Hoy se sabe que los fumadores son un grupo de riesgo de deficiencia de vitamina C. Es un hecho aceptado que los fumadores necesitan casi el doble de vitamina C que los no fumadores. Los mismos expertos que elaboran las RDA han propuesto en su última revisión cifras de 100 mg/día (frente a los 60 mg/día de la población general) para los fumadores habituales de cigarrillos.

Distintos estudios han mostrado que las concentraciones de ácido ascórbico (vitamina C) en el suero y los leucocitos eran más bajas en fumadores de cigarrillos que en los no fumadores. Estas cantidades inferiores no se justifican más que en parte por la menor ingesta de la vitamina en este colectivo. Recientemente, se ha publicado que entre los fumadores podría haber una utilización por encima de lo normal de vitamina C para intentar neutralizar una gran cantidad y variedad de radicales libres generados por el tabaco.

Qué duda cabe de que la mejor solución en estos casos sería dejar el tabaco, pero el zumo de limón puede ayudar, cuando menos, a aumentar la ingesta de ácido ascórbico para hacer frente a sus crecientes necesidades.

Fatiga

La relación entre la fatiga, observada, por ejemplo, en enfermedades como el escorbuto, y la deficiencia en vitamina C podría establecerse, según se ha postulado, por el papel que tiene en la síntesis de la L-carnitina, molécula necesaria para que los ácidos grasos, el combustible cuantitativamente más importante de nuestro organismo, entren en las mitocondrias, donde son oxidados para la obtención de energía celular. La deficiencia de L-carnitina podría comprometer esta oxidación.

De hecho, los vegetales ricos en vitamina C están indicados para niños fatigados.

Truco antifatiga

Para hacer frente a la fatiga se puede preparar una bebida tónica con los siguientes ingredientes:

- 1 kg de miel
- 150 g de piñones molidos
- 50 g de polen de abeja
- la corteza rallada de 2 limones
- 15 ampollas de jalea real

Para la preparación, se mezclan todos los ingredientes a excepción de la jalea. Cuando hayan formado una masa homogénea, se añade la jalea, se mezcla bien y se guarda el preparado en un lugar fresco y seco. Se recomienda tomar por la mañana 2 o 3 cucharaditas de este preparado cuando nos sintamos fatigados, cansados o débiles.

Acné

Autores como Duraffourd señalan que, en caso de acné con trastornos hepáticos, las curas de zumo de limón pueden ser muy beneficiosas: se tomará el zumo de un limón el primer día y se irá aumentando la dosis diaria de limón a razón de uno por día hasta llegar a 10 limones diarios.

También se ha recomendado beber varias veces al día el zumo de un limón diluido con una cucharadita de miel.

Cicatrización

La cicatrización de las heridas supone el crecimiento y reparación de los tejidos. Una dieta completa y equilibrada será necesaria para que la piel tenga a su disposición todas las sustancias nutritivas necesarias para su reconstrucción. Se sabe que las situaciones de malnutrición hospitalaria conllevan el retraso en la cicatrización de las heridas quirúrgicas. Por tanto, un adecuado estado nutricional mejorará la evolución y evitará las posibles complicaciones derivadas de esta situación. Una ingesta óptima de vitamina C es fundamental para el buen funcionamiento de la piel, y parece importante para conseguir una reparación de los tejidos cutáneos ya que es un cofactor fundamental para las enzimas prolil-hidrolasa y lisil-hidrolasa, que favorecen la hidroxilación de prolina y lisina del colágeno. Cuando existe deficiencia de vitamina C, los fibroblastos producen moléculas de colágeno inestables que se degradan con rapidez, y este proceso retrasará la cicatrización, ya que el colágeno constituye la estructura básica en dicho proceso. De hecho, los problemas de cicatrización son una de las manifestaciones propias de la deficiencia en esta vitamina. Algunos autores recomiendan suplementar la dieta de los pacientes quirúrgicos y politraumatizados con un estado nutricional deficitario con dosis de 1 a 2 g al día de vitamina C. En cualquier caso, las ingestas de estas grandes dosis deben ser prescritas por el médico.

Intoxicación alimentaria

Cuando ciertas bacterias patógenas invaden la comida pueden producir intoxicaciones alimentarias. Cada año se producen millones de casos de intoxicación alimentaria y la mayoría de ellos podrían prevenirse siguiendo unas medidas higiénicas básicas adecuadas. La intoxicación alimentaria comienza muchas veces con síntomas parecidos a los de la gripe, tales como náuseas, vómitos, diarrea o fiebre, de ahí que mucha gente no se dé cuenta de que la enfermedad es causada por bacterias u otros organismos patógenos presentes en los alimentos. La edad y la condición física hacen que algunas personas corran mayor riesgo que otras, sin importar la clase de bacteria. Los niños pequeños, las mujeres embarazadas, los ancianos y las personas con el sistema inmunológico débil corren mayor riesgo de ser atacados por bacterias patógenas. Algunas personas pueden caer enfermas al ingerir unas cuantas bacterias dañinas, mientras que otras pueden permanecer libres de síntomas después de haber ingerido miles de bacterias. Durante el verano debemos tener mayor cuidado a la hora de manipular y consumir los alimentos, ya que las intoxicaciones alimentarias se dan con mayor frecuencia durante las épocas cálidas. La ingesta de agua con zumo de limón es una de las medidas higienicodietéticas que podemos seguir en estas situaciones.

Varices

Una variz es una vena dilatada que se alarga y se convierte en tortuosa, pudiendo aparecer de color azulado o violeta. Por lo general, se trata de venas superficiales con alteraciones en sus paredes que provocan una insuficiencia valvular, lo que dificulta el correcto flujo de sangre hasta el corazón. Pueden producirse en cualquier lugar del organismo, apareciendo en muchas ocasiones en las piernas.

Las varices afectan a alrededor del 10 % de la población adulta en mayor o menor intensidad, lo que en España corresponde a 2,5 millones de personas, presentándose 4 veces más en mujeres que en hombres. Distintos factores predisponen a tener varices. Unos son inevitables, pero otros, si se introducen determinados hábitos en la vida cotidiana, se pueden prevenir. Entre los primeros se encuentran la edad, la herencia y el estado hormonal; también tener los pies planos facilita la aparición de varices. En cuanto a los factores evitables, se encuentra la obesidad, el estreñimiento, el sedentarismo, la exposición prolongada al sol, el calor, el uso de ropa demasiado ajustada y las profesiones que exigen estar de pie o sentado de forma continua y prolongada. Asimismo, los anticonceptivos orales, así como algunos deportes violentos para las piernas pueden afectar negativamente a la patología venosa. Otros factores que facilitan su aparición son el abuso de alcohol y el tabaco.

Cuando aparecen, las varices son incurables, aunque siempre se pueden operar.

Algunos de los consejos dietéticos habituales para su prevención y tratamiento son tomar fruta del tiempo en el desayuno y comidas, comer abundantes verduras y hortalizas crudas (col, zanahoria, nabo, rábano, lechuga, espinaca) aliñadas con ajo, cebolla, perejil, estragón, cebolleta, salvia y ajedrea, aceite de oliva y zumo de limón. Para beber, mejor entre comidas, agua de limón o infusiones de plantas medicinales con acción tónica sobre las venas y capilares como bolsa de pastor, rusco, castaño de indias, hidrastis, hamamelis, ginkgo biloba, grosellero negro, vara de oro, ciprés, milenrama, nogal y salvia.

Estrés

La Organización Mundial de la Salud (OMS) considera el estrés como el trastorno psíquico de mayor incidencia mundial. En buena medida, deja de sorprendernos cuando tenemos en cuenta la inmensidad de la lista de situaciones que pueden exigirnos «demasiado». Por lo que a las relaciones entre alimentación y estrés se refiere, podemos indicar que son complejas, pudiéndose influir mutuamente. Así, el estrés puede influir negativamente en la salud y en nuestro estado nutricional, puesto que su presencia suele asociarse a una reducción de las conductas saludables y a un incremento de las conductas no saludables. De esta forma, el hecho de comer a cualquier hora, cualquier cosa, con prisas, de forma ansiosa va a acabar alterando, más tarde o más temprano, el funcionamiento de nuestro tubo digestivo y nuestro equilibrio nutricional. En la dirección opuesta, un buen ejemplo nos lo proporciona el magnesio. Y es que se ha establecido un círculo vicioso entre estrés y deficiencia en elemento químico: el estrés parece capaz de provocar un déficit de magnesio mediante mecanismos de tipo neurohormonal, pero, a su vez, el déficit de magnesio crea un estado de hipersensibilidad al estrés que se observa incluso en los casos de pequeñas deficiencias crónicas. Lo preocupante es que, con nuestros hábitos alimentarios actuales, el magnesio es un nutriente que suele escasear en nuestras dietas. Considerando que sus mejores fuentes se encuentran en alimentos de origen vegetal y teniendo en cuenta la gran cantidad de productos animales que se consumen, no es extraño que muchas personas encuentren dificultades para alcanzar las recomendaciones actuales de los expertos, que se sitúan en los 350 y los 330 mg diarios para hombres y mujeres adultos respectivamente. De ese modo, cualquier aportación puede ser bienvenida. Y si bien hemos comentado que las cantidades de magnesio que podemos obtener con el limón son modestas, su consumo habitual puede poner su granito de arena para mantener este equilibrio. Hay que recordar que el consumo de un vaso de zumo de esta fruta puede aportarnos unos 20 mg de magnesio.

Indigestión

Está descrito como remedio el hecho de tomar el zumo de un limón diluido en dos dedos de agua. Seguidamente se recomienda beber otros dos dedos de agua con media cucharadita de bicarbonato sódico.

Enfermedades degenerativas

La doctora rusa Catherine Kousmine dedicó gran parte de su dilatada carrera a la investigación y el tratamiento de enfermedades degenerativas. Sus éxitos clínicos con enfermos graves le proporcionaron un prestigio creciente, creando, con el paso del tiempo, la Association Médicale Kousmine Internationale, con sede en Dijon, y cuya finalidad es proseguir y divulgar sus investigaciones. La esencia de su mensaje señala que cada uno de nosotros es el directo responsable de su salud. Su concepto hipocrático de «somos lo que comemos» y «no hay enfermedades degenerativas sin intoxicación crónica del intestino» dio forma a su método, basado en 4 pilares:

- *Alimentación sana.* Hay que reducir las proteínas animales y grasas saturadas, suprimir los azúcares, harinas y aceites refinados y sustituirlos por alimentos frescos, granos enteros y aceites prensados en frío.
- *Limpieza intestinal.* Las enfermedades degenerativas están estrechamente vinculadas a la intoxicación crónica que empieza en el intestino y el hígado. La práctica regular de enemas forma parte de su método.
- *Alcalinización de la orina.* Para neutralizar dicha acidez, el organismo debe recurrir a sus reservas de sales minerales, creándose una carencia de las mismas, que hay que corregir.
- *Suplementación con vitaminas y minerales.* La dieta occidental es excesiva, pero crea muchas carencias.

El resultado de poner en práctica este método es que a los pocos meses aumenta la salud y bienestar del paciente. En su opinión, la dieta occidental es acidificante, y considera que el pH de la orina (es decir, el grado de acidez), no debería ser ácido. Para evitarlo, aconseja la ingesta de unas sales básicas, pero como para tomar dichas sales es necesario el control médico, muchos de sus colegas seguidores aconsejan empezar por la toma regular de zumo de limón, controlando diariamente durante quince días o un mes el pH urinario mediante unas tiras reactivas que pueden comprarse en las farmacias.

La técnica consiste en controlar el pH urinario a media mañana y a media tarde, orinando en una tira reactiva y comparando el color que adquiere con una escala de colores que viene en la caja del reactivo. Debe anotarse el resultado, y si el pH se mantiene en 7, es correcto. Si está en menos de 6,5 hay que empezar tomando zumo de limón de la siguiente forma: se hierve cebolla y apio durante 20 minutos y se guarda el caldo en la nevera para varias veces. Media hora antes de comer y cenar se tomará un tazón de este caldo (tibio) con zumo de limón. Esta práctica es muy desintoxicante y reduce el nivel de acidosis del organismo.

VIH

En la XV Conferencia Internacional del Sida celebrada en Bangkok, el investigador Roger Short de la Universidad de Melbourne (Australia) presentó los resultados de un ensayo in vitro en el que encontró que una solución con el 20 % de zumo de lima o limón inactivaba un 90 % la actividad de transcriptasa inversa del VIH en 2 minutos. La idea le surgió tras «enterarse de que las mujeres lo habían utilizado como método anticonceptivo casero durante siglos». Después supe que «las trabajadoras sexuales en Nigeria, y posiblemente en otros países con alta prevalencia de esta enfermedad, utilizan las duchas de lima o limón de forma regular como un anticonceptivo postcoital y para prevenir infecciones». El Dr. Short investigó en cultivos celulares el grado en que se inactiva la replicación del VIH a diferentes disoluciones de zumo de lima y limón, así como la viabilidad de las células infectadas por VIH. En su opinión, «si se puede reducir el pH de la eyaculación a 4 (cuanto más bajo el pH de un fluido, mayor será su acidez) se puede inmovilizar de manera eficaz el 100 % las células del esperma en 30 segundos». El pH del zumo puro de lima o limón es aproximadamente 2,5. En su trabajo expuso células mononucleares de sangre periférica (CMSP) a diferentes disoluciones de zumo de lima o limón. Posteriormente cultivó el VIH dentro de las células por un período de 2 semanas y midió la replicación del VIH. La aplicación de una solución de zumo de limón al 5 % en un cultivo redujo a la mitad la replicación del VIH al cabo de 1 hora, mientras que la misma solución al 10 % la redujo en dos tercios. Ninguna de estas 2 soluciones fue tóxica para las CMSP en cultivo. En cambio, una solución al 20 % reducía la replicación del VIH en un 90 % al cabo de 2 minutos, pero también destruyó el 25 % de las CMSP, lo que indica los posibles límites de esta estrategia en cuanto a toxicidad. Short ya ha llevado a cabo posteriores investigaciones in vitro con esperma de hombres VIH positivos, y ahora está planificando un ensayo de fase I para evaluar la seguridad del uso de zumos de cítricos como microbicida tópico.

Usos externos

En patologías

- *Otitis.* Para la desinfección de la oreja pueden aplicarse 2 gotas de zumo de limón 2 o 3 veces al día. O también 5 gotas de la siguiente preparación: zumo de un limón en 30 ml de agua arcillosa.
- *Sinusitis.* Introducir algunas gotas de zumo de limón en la nariz varias veces al día.
- *Hemorragia nasal.* Introducir con un cuentagotas varias gotas de zumo de limón por el orificio nasal y tapar con un algodón. Suele ser suficiente para detener las hemorragias. También puede utilizarse un tampón de algodón empapado en zumo de limón. Además, las hemorragias nasales, en particular, y capilares, en general, son propias de la deficiencia de vitamina C.
- *Migraña.* La migraña es un trastorno crónico de causa no establecida que se manifiesta por crisis o ataques repetitivos de intensos dolores de cabeza. Suelen asociarse a unas características especiales como náuseas, fotofobia o hipersensibilidad a la luz, hipersensibilidad al ruido y empeoramiento de la actividad física.

  Habitualmente, la migraña comienza antes de los 40 años y se pueden diferenciar 2 tipos. Las migrañas comunes o sin aura, que representan el 80 % del total. En ellas el dolor de cabeza comienza de manera unilateral, pero después se expande a toda la cabeza. El dolor es «palpitante», de intensidad moderada-intensa y exacerbada por el movimiento. Los episodios pueden durar entre 4 y 72 horas. Suele haber una historia previa de ataques similares y no hay evidencia de enfermedad orgánica. Por otra parte, las migrañas clásicas comienzan con un aura o aviso que puede darse desde varias horas a 2 días antes del inicio del dolor de cabeza y dura menos de 60 minutos, dejando paso al propio dolor de cabeza. El aura visual es muy común en la migraña y tiene 2 formas: un área de pérdida visual y la presencia de brillos en zig-zag.

Existe la sospecha de que las migrañas están ocasionadas por la dilatación de los vasos sanguíneos de la cabeza, que estimulan las terminaciones nerviosas que ocasionan el dolor. Estas dilataciones provocan un dolor palpitante intenso, normalmente sobre un lado de la cabeza, y están asociadas a náuseas y vómitos. Las migrañas afectan a las mujeres tres veces más que a los hombres y tienden a heredarse.

Existen una serie de consejos útiles en el tratamiento de las migrañas. En primer lugar, conviene mantenerse en reposo, sin ruidos y en un lugar oscuro. Unas compresas, alternando agua fría y tibia en la frente y base del cuello, disminuirán el dolor. También ayuda a reducir los síntomas tomar baños de agua tibia y realizar masajes en el cuello y la nuca. También podemos colocar sobre la sien compresas de zumo de limón o rodajas del fruto y renovarlas cada cierto tiempo.

La prevención de los dolores de cabeza es, como ocurre casi siempre, más importante que el tratamiento. Dado que muchas de las causas son conocidas, resultan evitables. Siguiendo algunos consejos sencillos, se puede mitigar un 90 % de los dolores de cabeza. Entre ellos, por ejemplo, la ingestión abundante de agua cada día, evitar alimentos que se hayan podido relacionar con la agravación del problema, hacer ejercicio de forma regular, dormir a diario las horas necesarias y evitar las situaciones generadoras de estrés.

- *Heridas.* Las heridas son lesiones que se producen por rotura de la piel a causa de golpes, cortes o abrasión. El nivel de gravedad es muy variable y los síntomas dependerán en buena medida de la persona que la haya sufrido. El dolor, en mayor o menor grado, siempre acompaña a una herida o a un corte. Otro tanto ocurre con el sangrado, que será de mayor o menor intensidad, dependiendo de dónde esté localizada la herida y de la profundidad de la misma. El tratamiento más urgente que hay que aplicar sobre una herida o un corte es limpiar la zona afectada. La limpieza puede realizarse con agua fría y con ayuda de jabón si no es muy profunda, porque, de lo contrario, se podría irritar más la zona. Posteriormente, se secará con cuidado la herida con una toalla limpia o gasa.

El zumo de limón puro aplicado directamente de forma repetida a la herida puede servir para desinfectar cortes y heridas superficiales. Recordemos además la importancia para la cicatrización que tiene la vitamina C a través de la síntesis de colágeno.

Es aconsejable dejar al aire las heridas de poca importancia porque cicatrizan mejor.

Las heridas mayores y con hemorragia incontrolada habrá que taparlas, presionando con gasas o toallas limpias y acudir al médico urgentemente.

- *Hongos en las uñas.* Son más frecuentes de lo que puede pensarse. Por sus propiedades antibacterianas, el limón puede resultar una buena ayuda para eliminar esos resistentes hongos de las uñas de las manos o de los pies. Para ello, podemos mojar las uñas con zumo de limón, dejando que se seque poco a poco. Aunque quizá no sea una solución definitiva, puede contribuir, junto con los demás tratamientos, a eliminar este problema.
- *Sabañones.* Como tratamiento local, puede ser útil realizar fricciones con zumo de limón. Puede servir también para prevenirlos.
- *Picaduras de insectos.* Frotar la parte afectada con una rodaja de limón. El aroma a limón también puede servir para ahuyentarlos.
- *Neuralgia.* Masajes sobre la parte afectada con medio limón.
- *Reumatismo.* Partir por la mitad un limón y friccionar la parte afectada por los dolores reumáticos. Repetir varías veces al día.

En cosmética y cuidados corporales

Una de las funciones de la vitamina C conocida desde hace más tiempo es su participación en la síntesis de la proteína colágeno, una proteína básica del tejido conjuntivo y, en consecuencia, de la piel.

Las alteraciones que se observan en la piel a través del tiempo son consecuencia tanto del envejecimiento cronológico como del fotoenvejecimiento. Que la exposición al sol castiga la piel es algo conocido desde muy antiguo; agricultores, pescadores y cualquier otra persona que por determinados motivos se vea sometida a muchas horas de insolación han experimentado sus efectos negativos. En la actualidad se acepta que en la lesión cutánea inducida por efecto del sol están directamente implicados los radicales libres. De hecho, se ha observado que la concentración de antioxidantes lipofílicos e hidrofílicos, como la vitamina C, es muy superior en la epidermis que en la dermis. Hoy en día la vitamina C se considera un fotoprotector biológico de amplio espectro que actuaría neutralizando los radicales libres inducidos por la radiación solar, favoreciendo la síntesis y reparación del colágeno dérmico dañado; y aún hay más: probablemente la misma luz ultravioleta provoque una depleción cutánea de vitamina C que facilite el aumento de los radicales libres favorecedores del fotoenvejecimiento y el desarrollo de neoplasias cutáneas.

Al margen de la importancia de mantener un estado nutricional adecuado de vitamina C, la aplicación tópica de esta vitamina o productos que la contengan puede permitir la presencia de concentraciones en la piel que serían imposibles de conseguir mediante su ingesta.

Por otro lado, el llamado complejo bioflavonoide del limón (CBL), se extrae de la corteza de los frutos del limón, y entre sus constituyentes bioactivos fundamentales destacan los flavonoides, los polisacáridos, los aceites esenciales y sustancias como la eriocitrina, la hesperidina y la naringenina, que permiten lograr una acción despigmentante, hidratación y frescura de la piel, una acción antioxidante y neutralizante de radicales libre y, todo ello, nutriendo y tonificando la piel. Actualmente existen en el mercado máscaras a base de bioflavonoides de limón.

Arrugas

Las arrugas son una manifestación del envejecimiento cutáneo. Se acaba de señalar el importante papel que tiene la vitamina C en la prevención de este proceso. Se ha publicado que la exposición intensa al sol multiplica por 3 el riesgo de desarrollar arrugas precoces, el tabaco por 5 (recuérdese la mayor utilización de vitamina C por parte de los fumadores) y ambos factores asociados, por 12.

Truco: loción antiarrugas

- Hervir 15 pétalos de amapola en una taza de agua durante 1 minuto, dejar reposar 5 minutos y colar.
- A continuación, agregar 1 cucharada de zumo de limón recién exprimido.
- Empapar una gasa con este líquido y aplicar en forma de compresa sobre las arrugas durante 10 minutos 2 veces al día, por la mañana y antes de acostarse.

Para la eliminación de las arrugas también podemos realizar una preparación a base de limón y perejil. Para ello, dejamos reposar una rodaja de limón y una rama de perejil en un vaso de agua durante la noche. A la mañana siguiente, mojamos la cara con esta mezcla hasta que se seque sola.

Otra preparación interesante es mezclar unas gotas de limón con una cucharada de miel caliente y otra de yogur. Se remueve bien y se aplica en forma de crema sobre el rostro durante 45 minutos. Luego se lava bien la cara.

Pieles grasas

- *Loción.* Empapar un algodón con zumo de limón y hacer suaves fricciones sobre la piel del rostro. Dejar que se seque.
- *Mascarilla.* Hay mascarillas que pueden utilizarse para eliminar la grasa. Es el caso, por ejemplo, de la realizada con harina de avena, o harina de almendras o almidón de maíz mezclados con zumo de limón, extendiéndose posteriormente la preparación sobre el rostro. La mascarilla se retira con agua tibia y una toalla suave o algodón.
- *Mascarilla astringente.* Triturar bien cantidades iguales de zumo de tomate y pulpa de limón. Aplicar la mezcla sobre la cara y retirar posteriormente con agua tibia.

Pecas

Se recomienda aplicar zumo de limón puro en la zona afectada.

Grietas en las manos
Untarlas antes de acostarse con una mezcla a base de zumo de limón y aceite de oliva.

Acondicionador del cabello
Generalmente, se utilizan a tal efecto sustancias ácidas. El zumo de todos los cítricos puede ser de utilidad como enjuague tras la aplicación del champú, si bien el de limón es el más utilizado. Se añade una cucharada de zumo de limón al agua del último aclarado para eliminar el champú y dejar que el cabello muestre su brillo natural.

Desodorante
El fresco aroma del limón permite utilizarlo como desodorante, aplicando directamente el zumo en las axilas. También es útil para neutralizar el mal olor de pies y para eliminar el olor a pescado y cebolla de las manos.

Para blanquear las manos
Preparar una mezcla a partes iguales de glicerina y zumo de limón y aplicarla sobre las manos, dando friegas.

Además, para tener las manos siempre suaves, es conveniente frotarlas a menudo con medio limón.

Exposición solar
La piel es la capa externa de protección del organismo y por ello está expuesta a los productos químicos y contaminantes ambientales que afectan a su salud. Su superficie es especialmente vulnerable a la acción de los radicales libres, implicados no solo en el proceso de envejecimiento cutáneo, sino también en el daño sobre las células epidérmicas generado por radiación ionizante e inducido por radiación ultravioleta (UV). La radiación UV genera efectos graves como eritema solar, supresión de la función inmunológica y, en última instancia, cáncer de piel. Parece que los antioxidantes se muestran eficaces en la protección de la piel contra estos efectos dañinos. Distintos estudios han venido demostrando el efecto protector de las vitaminas C, E, y betacaroteno contra el daño de la piel inducido por UV, tanto en animales de experimentación como en seres humanos. Parece que la acción combinada

de antioxidantes (vitamina C, E, glutatión y cisteína) reduce el grado de estrés oxidativo producido en la epidermis y dermis, inducido por la radiación UV. Tomar el sol siguiendo los consejos de los dermatólogos y garantizar una ingesta diaria adecuada de vitamina C, a lo que puede contribuir el limón, son dos buenos consejos para conseguir una piel morena sin riesgos.

Manchas seniles

Con los años, es habitual la aparición de manchas en la piel de color marrón oscuro. Se trata de cúmulos de un pigmento, la lipofucsina, que es un subproducto de la degradación de las células de la piel provocada por la acción de los radicales libres. Su aparición se ha relacionado con desequilibrios nutricionales, un consumo inadecuado de grasas, un exceso de exposición solar y un mal funcionamiento del hígado. En la actualidad no se conoce un tratamiento que resulte realmente efectivo para hacer frente a este tipo de manchas, pero podemos probar de reducir su color con aplicaciones de zumo de limón, ya sea puro o reducido con un poco de agua.

Esencia de limón

La esencia de limón, según la definición de la *British Pharmacopoeia*, es exprimida de la parte externa del pericarpio fresco del fruto maduro o casi maduro del limón.

La esencia del limón contiene terpenos (aproximadamente el 94 %, principalmente limoneno), aldehídos como el citral (alrededor de 3,4-3,6 %) y ésteres (alrededor del 1 % de acetato de geranilo).

El citral es un monoterpeno, mezcla de los aldehídos geranial y neral. Está catalogado como antiséptico y viral. El citral es el principal contribuyente del aroma y sabor del limón, aunque otros aldehídos y ésteres, como el acetato de linalilo y el acetato de geranilo modifican la nota primaria del citral. Desde el punto de vista comercial, la calidad del aceite esencial del limón se juzga primariamente por el contenido de citral.

Se han identificado 23 componentes mayoritarios y minoritarios en los aceites de limón. La utilización de las esencias puede tener distintos fines. En el caso del limón, se utiliza principalmente como aromatizante (por ejemplo, en la cocina para aromatizar salsas, pasteles, helados y sorbetes) y en perfumería. No obstante, muchos autores le confieren propiedades terapéuticas. Así, se ha publicado que el aceite esencial de limón es activo en las afecciones hepáticas, arteriosclerosis, cefaleas y celulitis.

Creemos que, como sustancias altamente concentradas que son, deberían ser prescritas por profesionales especializados que conozcan bien sus indicaciones y sean capaces de individualizar y de adaptar las cantidades exactas que se deben tomar. En uso interno, deben tomarse mezcladas con miel o sobre un terrón de azúcar o disueltas en algún líquido.

En uso externo pueden aplicarse en fricciones, inhalaciones, baños, pomadas, compresas. La esencia de limón parece eficaz en las llagas, cortes, forúnculos y enfermedades de la piel (aplicándola siempre diluida en aceite de almendras dulces o aceite de germen de trigo).

La esencia de limón se utiliza también en la confección de bebidas refrescantes.

Truco: receta de agua de colonia

Con los siguientes aceites esenciales se puede preparar una colonia muy agradable y refrescante:

- 020 gotas de neroli
- 080 gotas de bergamota
- 030 gotas de limón
- 040 gotas de naranja
- 010 gotas de romero
- 200 ml de agua destilada o agua mineral

Agitar la mezcla antes de usar.

Uso y abuso del limón. Cómo tomar zumo de limón

La mejor forma de tomar limón es ingerir su zumo, que debe tomarse siempre diluido en agua, como mínimo al 50 %. Además es aconsejable tomarlo con una cañita para evitar el contacto con el esmalte dental, ya que lo puede destruir. Podemos hacernos una idea del efecto corrosivo que el ácido cítrico puede ejercer sobre los dientes sabiendo que fue el primer ácido que se utilizó para desgastar el esmalte dental antes de aplicar material adhesivo. Pero también se han descrito casos en los que la vitamina C por sí sola, en contacto con los dientes, puede, con el tiempo, erosionar el esmalte (el pH de las tabletas puede ser cercano a 2). De hecho, no debe pensarse en el limón como en un «antiesmalte» especial: todo aquello que nos coloquemos en la boca que contenga un pH inferior a 5,5 (la mayoría de las frutas, algunos refrescos, el vinagre) puede causar erosión dental, siempre que el contacto con el esmalte dental sea prolongado.

Otra cuestión de máxima importancia es el tiempo que transcurre entre la preparación del zumo de limón y su aplicación (oral o tópica) y el tratamiento que le damos; todas las vitaminas son más o menos sensibles a diferentes agentes físicos y químicos: luz, oxígeno, temperatura, pH, metales, etc. Ahora bien, la vitamina C está considerada como la más sensible de las vitaminas. Ello implica que cualquier retraso o condición adversa en la utilización del zumo de limón puede disminuir sensiblemente su contenido en vitamina C.

Cuándo tomar zumo de limón

Por regla general, cabe decir que la noche no es la mejor hora para tomar zumo de limón y que deben preferirse las primeras horas de la mañana.

Una cuestión que suele suscitar algunas polémicas es qué y cuánto podemos beber en la mesa. Lo cierto es que habitualmente acompañamos nuestras comidas principales con la ingesta de algún líquido. Agua, vino, gaseosa, refrescos, zumos de fruta, cerveza, sidra, mosto... suelen estar presentes en nuestras mesas a la hora de comer. Pero ¿es una costumbre saludable y recomendable? La respuesta depende de qué, cómo y cuánto sea lo que bebamos.

De entrada, hay que dejar claro que la única bebida realmente necesaria es el agua y, aunque no sea estrictamente necesario, beber 1 o 2 vasos durante la comida del mediodía y la cena puede ayudarnos a satisfacer las necesidades diarias de la misma. Tomar mayores cantidades en cada comida no es aconsejable, puesto que puede ocasionar problemas digestivos, así como también ocupar un espacio en el estómago que debe pertenecer a los alimentos. Si no hay contraindicación, se puede añadir a esta agua zumo de limón y, si se quiere, un poco de azúcar o miel, lo que aproximará esta bebida al sabor de una limonada muy agradable. Fuera de las comidas, el zumo de limón diluido puede tomarse a cualquier hora, bien con el estómago vacío a media mañana o en la merienda, si bien en todos los casos habrá que tener en cuenta las preferencias y tolerancias personales.

Por otro lado, y en otro plano de la dimensión temporal, a veces olvidamos que los consumos alimentarios también están sometidos a ritmos estacionales y que consumir alimentos de temporada es beneficioso tanto para nuestra salud como para nuestro bolsillo, pues siempre presentan una mejor relación calidad/precio. Y es que la disponibilidad de alimentos varía, ¡por suerte todavía!, en función de la época del año, algo que afecta, en particular, a las hortalizas y las frutas. En los meses fríos, la generosidad de nuestros huertos en la producción de estos dos grupos de alimentos básicos queda limitada y con ello el aporte de sus valiosos nutrientes, entre los que se encuentra la vitamina C. En este marco, la disponibilidad de las frutas cítricas como naranjas y limones adquiere un valor especial. Ellas, en efecto, se convierten en toda una garantía para la obtención de las cantidades necesarias de esta vitamina y el mantenimiento de su equilibrio nutricional.

Con qué tomar zumo de limón

Otra cuestión que se ha planteado al hablar del consumo del limón era su incompatibilidad con los almidones. La incompatibilidad de los distintos alimentos es algo que en la mayoría de las ocasiones requiere más interés teórico que práctico. Por ejemplo: una de las incompatibilidades en que más se ha insistido es la del ácido con el almidón. Pero atención, pues entonces, ¡el pan con tomate sería incompatible! Efectivamente, el tomate es un fruto ácido, y el pan, un alimento con alto contenido en almidón. La argumentación teórica de esta incompatibilidad reside en el hecho de que la digestión del almidón empieza en la boca, gracias a la presencia de una amilasa en la saliva (la tialina) y que se inhibe en un medio ácido (el que provocaría localmente el alimento ácido en cuestión). Ahora bien, es necesario advertir de entrada que, con diferencia, el protagonismo de la digestión del almidón dietético recae en la amilasa pancreática que segrega esta glándula endocrina y exocrina al intestino delgado. Pero también podemos preguntamos: ¿cuánta gente mantiene sus bocados el suficiente tiempo en la boca para que esta enzima pueda tener una acción significativa? Y ello con más razón cuando una de las características de nuestra forma de comer actual es masticar poco y ensalivar menos.

Además, el limón no suele combinar bien con algunos de los principales alimentos ricos en almidón de nuestra dieta, como, por ejemplo, el pan y las patatas. Es más utilizado con determinados alimentos proteicos, como el pescado y las hortalizas. Sin dejar de tenerlas presentes siempre que se pueda esperar de ellas un beneficio neto, lo cierto es que cuando se habla de compatibilidades debe prestarse más atención a los aportes nutricionales que a posibles mezclas inconvenientes.

Contraindicaciones

Haciendo un buen uso de él, el limón presenta pocas contraindicaciones. El límite en su consumo deben fijarlo la tolerancia personal y la situación particular. Queda claro que el factor principal de la limitación del uso del limón como alimento es su acidez, más en cuanto al contacto que a las repercusiones metabólicas.

Lactantes y niños

La introducción del limón en la vida del niño no debe ser muy temprana. Así, mientras la mayoría de frutas pueden introducirse a partir del cuarto mes, las más ácidas, y especialmente el limón, es mejor dejarlas para etapas posteriores. Introducirlo en la dieta del lactante con la idea de aportarle vitamina C es tan nefasto como inútil. La leche humana, a diferencia de la de vaca, contiene una cantidad considerable de vitamina C: alrededor de 60 mg/l.

Personas con tendencia a la descalcificación

Deben tomarlo con mucha prudencia aquellas personas con tendencia a la descalcificación, sobre todo dental.

En casos de úlcera gastroduodenal

Las frutas y zumos ácidos están desaconsejados por ser irritantes químicos, si bien algunos autores afirman que neutralizan la acidez gástrica.

En contacto con los dientes

Ya hemos comentado los efectos negativos de la exposición del esmalte dental al limón. Por ello creemos que no es conveniente utilizarlo, por ejemplo, para enjuagues o cualquier otra aplicación tópica en la boca.

En contacto con las mucosas y los ojos

Se aconseja que las aplicaciones cosméticas que utilizan el zumo de limón eviten el contacto de las mucosas (labios, por ejemplo) a las que pueden dañar y también debe tenerse cuidado con los ojos. Aunque algunos autores lo recomiendan diluido para algunas afecciones de los ojos (e incluso gotas de zumo de limón directamente sin diluir) creemos que existen otras aplicaciones tópicas muy bien contrastadas.

Alimentación y enuresis nocturna

Muchas personas piensan que el hecho de orinarse en la cama está más relacionado con lo que se bebe que con lo que se come. Sin intentar reducir el problema a una única causa (no hay que olvidar también las posibles causas psicológicas), la realidad es que existen numerosos estudios científicos que relacionan la enuresis nocturna con una alergia de origen alimentario. Más allá de las reacciones típicas asociadas a las alergias alimentarias (como erupciones cutáneas, crisis de asma, etc.), existe un gran número de ellas que se presentan de manera «escondida», ocasionando efectos como irritabilidad o ligeras alteraciones de las mucosas internas que no resultan de fácil diagnóstico.

En la actualidad se supone que en España más de medio millón de niños se orinan en la cama a causa de una alergia de tipo alimentario, y en la lista de los principales alimentos alergénicos figuran las frutas cítricas como el limón, la naranja y el pomelo, junto a otros alimentos como la leche de vaca, los huevos, el chocolate, los cereales, el pescado azul y la carne de cerdo. Si se puede demostrar la asociación entre alguno de estos alimentos y la aparición del problema será conveniente eliminarlo de la dieta.

13
El limón en la cocina y en casa

La compra

Las características básicas a las que deberemos prestar atención para comprar buenos limones son: que tengan color homogéneo, que sean brillantes, firmes y pesados.

La conservación de los limones

Es indispensable conservar la fruta en casa en buenas condiciones para mantener su calidad higiénica, organoléptica y nutricional.

Los cítricos son las frutas que admiten mayor tiempo de conservación: unos 10 días si la fruta está madura. Su particular corteza los hace más resistentes a los golpes que otras frutas y los aísla más del exterior, así como su bajo pH puede ejercer un efecto protector. De hecho, el limón es una de las frutas que puede conservarse durante más tiempo. Como todas las frutas, cuando se parte debe consumirse cuanto antes.

Cuidado con los recipientes que se utilizan

La intoxicación por metales pesados, como el plomo, el mercurio y el cadmio, es muy importante y de nefastas consecuencias para la salud humana.

Los alimentos pueden ser, en muchas ocasiones, vehículo de entrada de estos tóxicos, sea porque los han adquirido durante el proceso de su producción (contaminación atmosférica, de las aguas), sea por reacciones que pueden ocasionarse posteriormente. Una de las vías de entrada del plomo en el organismo es la oral y el riesgo toxicológico está en función de su solubilidad; el plomo se solubiliza fácilmente en ácidos orgánicos habituales en muchos alimentos, como el acético, el cítrico, el málico y el tartárico. En consecuencia, debería evitarse el contacto de los alimentos con un mayor contenido en estos ácidos, tales como frutas y vinagre, con cerámicas con vidriados a base de sales de plomo, cacerolas con esmaltes que contienen plomo y envases de hojalata con soldaduras a base de soldadura blanda (aleación de plomo y estaño). La Environmental Protection Agency de Estados Unidos ha estimado que las conservas aportan en la actualidad el 15 % del plomo transmitido por los alimentos que recibe el consumidor medio de aquel país.

Recientemente, se sospecha que los niños pueden ser especialmente sensibles al plomo al nivel del sistema nervioso central y se ha aventurado la hipótesis de que ello podría repercutir sobre su comportamiento: retraso escolar, niños distraídos y agresivos.

Sin duda, recibiremos respuestas más concretas en los próximos años, habida cuenta de que, lejos de disminuir, aumenta el riesgo de contacto del individuo con este metal pesado. En la actualidad, son muchos los países industrializados (Estados Unidos, Canadá, Alemania, Bélgica, Suecia, Francia, etc.) que están evaluando cuál es el consumo diario de plomo de sus habitantes. Entretanto, evitemos poner el limón en contacto con recipientes que contengan plomo.

Elaboración del zumo

Como se ha comentado, el limón rara vez se consume «comido», sino en forma de zumo. La manera más habitual de preparación es mediante exprimido manual o mecánico.

Existen distintos exprimidores fabricados con diferentes materiales, pero lo cierto es que más que metálico o de plástico sería conveniente utilizar un exprimidor de cristal.

Para sacarle el máximo partido a la hora de exprimirlo, es conveniente pasarlo antes bajo un chorro de agua tibia o moderadamente caliente, y luego, a continuación, presionarlo suavemente con la mano con movimientos circulares sobre una superficie dura. Es frecuente que con las maniobras propias del exprimido pasen al zumo pequeñas partículas de la pulpa. A algunas personas les molesta encontrar estos pequeños trozos de pulpa en el zumo y prefieren colarlo, lo cual se puede hacer mediante un colador fino o a través de un paño de fibras naturales como algodón o lino. Desde una perspectiva nutricional, este filtrado no es necesario, incluso es mejor consumir el zumo sin colar. Lo que debe evitarse es la presencia de pepitas que, en ocasiones, pueden provocar atragantamientos. En invierno, el agua con la cual diluiremos el zumo se puede entibiar, pero no calentar en exceso, para acomodar la temperatura. En ausencia de exprimidor, también podemos obtener zumo exprimiendo el limón con las manos, en especial si los frutos están muy maduros, pero el rendimiento en cantidad de zumo es siempre inferior.

Como ocurre con otras muchas frutas, el limón también se puede licuar. Para ello será necesario pelarlo previamente y, si es posible, eliminar las pepitas. Con este método obtendremos un zumo con mayor cantidad de pulpa y una textura ligeramente cremosa. Con todo, como se mantiene su elevado grado de acidez, es necesario rebajarlo con agua o con el zumo de otras frutas que licuemos. Tanto si lo exprimimos como si lo licuamos, el zumo debe prepararse inmediatamente antes de su consumo, para evitar las pérdidas de sus nutrientes. También en ambos casos es conveniente limpiar de inmediato los instrumentos con los que hayamos elaborado el zumo para evitar que la acidez dañe los materiales.

El limón y el mármol de la cocina

La acidez del zumo de limón «se come» el mármol y, por ello, deberá evitarse su contacto.

Usos culinarios del limón

- *Como aromatizante.* Tanto el zumo de limón como su piel (así como su esencia) son utilizados en la confección de muchos de nuestros platos tradicionales y forma parte de nuestra cultura gastronómica. Sobre todo interviene en la confección de salsas y en la elaboración de postres.
- *En la elaboración del requesón.* Cuando hacemos requesón en casa podemos cortar la leche previamente calentada con el zumo de uno o dos limones. Advertimos, no obstante, que su uso dejará un ligero sabor a esta fruta, más cuanto más limón utilicemos. Al contrario, en aquellas preparaciones en que quiera evitarse la coagulación y que contengan leche y/o huevos y deba añadírseles un alimento ácido como el limón, se deberá agregar en pequeñas cantidades y a temperatura no demasiado elevada.
- *Con zumo de frutas.* Añadir zumo de limón al zumo de otras frutas puede ayudar a realzar su sabor, además de enriquecer su contenido en vitamina C.

- *Con caldo vegetal.* La adición del zumo de limón al caldo vegetal ayuda a mejorar el sabor y aumenta su contenido vitamínico (vitamina C).
- *Con el pescado y el marisco.* Este es uno de los usos culinarios clásicos del zumo de limón y la única ocasión en la que muchas personas lo utilizan.
- *En aderezos.* El zumo de limón, junto con plantas aromáticas, puede ser utilizado en maceraciones, principalmente de carne de aves y de conejo.
- *En la elaboración de la mayonesa.* En la elaboración de la mayonesa puede utilizarse zumo de limón en lugar de vinagre. Si se añade el zumo de limón al huevo antes que el aceite, la cantidad de esta que se puede incorporar al principio aumenta. Cuando se añade vinagre en el curso del batido se reúnen partículas de aceite ya emulsionadas, haciendo la mayonesa más fluida. No obstante, es habitual preparar la mayonesa con vinagre e incorporar solo unas gotas de zumo de limón para darle un punto de sabor.
- *En la cocción de hortalizas.* Siempre que la preparación lo permita, la adición de unas gotas de zumo de limón, o en su defecto vinagre, a mitad de la cocción reducirá su pH, haciéndolo más ácido y con ello protegiendo mejor las vitaminas hidrosolubles contenidas en estos alimentos.
- *Como conservante.* El zumo de limón, debido a su bajo pH, es un buen sustituto del vinagre para conservar los alimentos.
- *En preparaciones varias.* El zumo de limón potencia el sabor de las plantas aromáticas y las frutas, por ejemplo, en compotas.
- *Limonada veraniega.* Verter el zumo de dos o tres limones en 1 litro de agua, añadir miel o azúcar al gusto (20 o 30 g/l), añadir cubitos de hielo y dos o tres hojas de menta fresca. Servir bien fría.
- *En refrescos a base de zumos de fruta.* Aunque no se trate de preparaciones caseras, son bebidas habituales en nuestros hogares. Se elaboran a partir de zumos, mezclas de zumos o concentrados de estos con la adición de sacarosa, agua y, en muchos casos, anhídrido carbónico y/u otros aditivos. Tienen gran importancia en el mercado, especialmente los que provienen de los cítricos; contienen una proporción mínima de fruta del 6 %.
- *Cortezas.* Se denominan así los productos elaborados con el epicarpio (flavedo) y mesocarpio (albedo) de los frutos cítricos. Esta corte-

za puede presentarse al natural (conservada en estado fresco por medio de anhídrido sulfuroso o cloruro sódico), deshidratada (su contenido en agua se ha reducido menos del 10 %) y edulcorada (a la que se han añadido azúcar, glucosa, fructosa o miel); dentro de estas últimas se distinguen las confitadas, en almíbar o escarchadas.

El muesli del doctor Bircher-Benner. El nombre de este doctor suizo ha pasado a la historia de la medicina natural gracias a este preparado tan simple como saludable:

Ingredientes

- zumo de 1 limón
- zumo de 1 naranja
- 2 cucharadas soperas de copos de cereales
- 1 manzana
- 1 o 2 yogures desnatados
- 1 cucharada de fruta seca (pasas, dátiles, etc.)
- 1 cucharada de frutos oleaginosos (almendras, avellanas, etc.)
- 1 cucharadita de miel (opcional)
- La ralladura de 1 limón biológico (opcional)

Preparación

Se exprime el zumo del limón y de la naranja, dejando remojar en él las 2 cucharadas soperas de copos. Mientras tanto, se ralla la manzana, se añade el yogur desnatado y se mezcla con los copos y el zumo. A continuación, se añaden la fruta seca y los frutos oleaginosos.

Si se quiere endulzar y darle un toque aromático se pueden añadir la miel y la piel rallada del limón.

Se trata de un preparado que resulta altamente energético, nutritivo y sabroso. Su base está constituida por los tres grupos de alimentos básicos que deben figurar en un desayuno ideal: frutas, cereales y lácteos. Por ello es una excelente opción para la primera ingesta del día. Pero también puede tomarse en otros momentos de la jornada, por ejemplo, durante la merienda. Encuentra gran aceptación entre los pequeños y jóvenes, constituye un excelente alimento para todos los grupos de edad, y también tiene cabida en muchas dietas terapéuticas.

El té con limón

El té es, junto con el café, una de las bebidas más consumidas en el mundo. Desde una perspectiva estrictamente nutricional, no se puede esperar mucho de él, con la excepción de su contenido en flúor que, para algunos autores, llega a ser suficiente para contribuir con su consumo a prevenir las caries. Últimamente, el interés que ha despertado el consumo de té va más allá de los nutrientes y está relacionado con su poder antioxidante debido a su contenido en polifenoles. Así, por ejemplo, diferentes estudios han indicado que existe una relación directa entre el consumo de té y las enfermedades cardiovasculares, considerando que los efectos antioxidantes de los flavonoides del té se encuentran entre los mecanismos potenciales que pueden estar detrás de este efecto protector. Recientes investigaciones han indicado que, absorbidos en gran cantidad, el té verde y el negro disminuyen el índice de colesterol en la sangre y la Sociedad Española de Arteriosclerosis lo coloca entre las bebidas que pueden tomarse a diario, hasta 3 tazas diarias. También es cierto que el té contiene cantidades importantes de taninos y se comporta como un potente inhibidor de la absorción intestinal del hierro contenido en los alimentos de origen vegetal y de parte del hierro contenido en alimentos de origen animal. Por ello se recomienda no tomarlo después de las comidas. No es ninguna casualidad que la hora del té sea a las cinco de la tarde, es decir, fuera de las comidas principales y en un momento en el que algunas personas parecen agradecer un pequeño «toque» estimulador, que puede deberse a su contenido en cafeína (una taza de té aporta unos 50 mg de esta sustancia).

Puede que tampoco sea causalidad que tradicionalmente se tome el té con limón. Quizás el limón podría disminuir en parte este efecto negativo sobre la absorción del hierro, al tiempo que le sumaría su propia capacidad antioxidante.

Usos prácticos en el hogar

- *Aromatizante.* El popurrí es una mezcla homogénea de flores y hojas aromáticas secadas a las que se añaden especias aromáticas y agentes estabilizantes o fijadores del aroma que suelen ser la sal común y la raíz de lirio, la clave de su larga duración. Entre los muchos ingredientes que pueden añadir es posible utilizar el limón, que contribuirá con su aroma refrescante (la piel de limón en polvo o bien el limón partido por la mitad en el que hundiremos clavo de especia aromático). La piel molida del limón puede utilizarse también en la confección de almohadones y cojines aromáticos de hierbas.

- *Eliminar los malos olores de los utensilios de cocina.* Los utensilios que conservan olores penetrantes, como, por ejemplo, olor a pescado o cebolla, se desodorizan frotándolos con limón.
- *Limpiar objetos.* Para limpiar objetos de plomo y cobre se frotan bien con un limón partido por la mitad. Después se secan con un paño limpio y seco.
- *Quitar manchas.* Para eliminar manchas de óxido sobre tela se cubren estas con una mezcla de sal y zumo de limón y se lava el tejido al cabo de 30 minutos.
- *Ahuyentar las polillas.* Se confeccionan bolsitas con pericarpio seco de limón y se colocan en los armarios.

14
La miel

La aparición del azúcar en el siglo pasado modificó nuestros hábitos dietéticos y arrinconó la miel y las frutas maduras, anteriores responsables de la dulzura. No existe ninguna razón dietética o de salud que justifique la supremacía del azúcar en la sociedad actual. Los siropes, como, por ejemplo, el concentrado de manzana o el jarabe de arce y muchas de las llamadas «melazas», y sobre todo cualquier producto procedente de las colmenas (la miel, el polen o el propóleo) son infinitamente mejores; en especial la miel de abeja, muy apreciada a lo largo de la historia, porque ejerce innumerables beneficios sobre la salud. En el capítulo 18, «Propiedades de la miel», se pretende reivindicar sus propiedades energéticas y terapéuticas y ponerlas al alcance del lector.

La miel ha sido el edulcorante por excelencia de todas las épocas y culturas de la humanidad. Empíricamente se conocían sus propiedades nutritivas y medicinales, y con estos fines se utilizaba. Con el advenimiento de la industria azucarera se sustituyó su consumo por el del azúcar refinado, hasta que se aportaron pruebas científicas de su valor.

Vamos a volver la mirada sobre el pasado histórico del cultivo de la miel y su uso tradicional e invitaremos al lector a que recupere y aprecie un producto natural cuyo conocimiento y uso se remontan a los inicios de la historia humana. En este capítulo conoceremos su composición, sus variedades, sus aspectos nutritivos, sus virtudes medicinales y sus múltiples aplicaciones, y aprenderemos a seleccionar la de mejor calidad entre las mieles envasadas y comercializadas. La curiosidad de quienes desean crear su propia colmena para satisfacer sus necesidades de miel pura se verá satisfecha en el apartado dedicado a la apicultura natural.

La miel en la historia

La producción de miel es muy anterior a la especie humana. Así lo demuestran los numerosos restos de abejas petrificadas procedentes de períodos geológicos muy anteriores a los más antiguos restos fósiles humanos.

Anterior a los seres humanos, pero no separada del hombre, existen clarísimos indicios del empleo de la miel como alimento durante la prehistoria. En la península Ibérica se han descubierto pinturas rupestres, datadas en el séptimo milenio antes de Cristo, que representan claramente la recolección de miel silvestre por parte de individuos que emplean largas ramas de árbol.

Una de las más representativas muestras de esta modalidad de arte rupestre en el Levante español es la Cueva de la Araña, cerca de la localidad de Bicorp, en la provincia de Valencia, en la que se muestra a dos individuos que se sirven de unas sogas o cuerdas para trepar hasta un agujero en la roca donde se encuentra una colmena silvestre. Esta bella muestra de arte rupestre es conocida como *Los ladrones de miel*, y en ella uno de los hombres, que ha llegado a lo alto de la roca, extiende la mano para coger la miel de la colmena mientras las abejas zumban a su alrededor.

El consumo de miel fue importante en la Edad del Bronce. Sobradas evidencias indican que en esta época se empleó cera de abeja para la fundición de metales y, también, para la preparación de productos medicinales. En consecuencia, el uso de los productos de la colmena se extendió considerablemente durante este período y la cantidad de miel y cera producida por las abejas silvestres se volvió insuficiente. Comenzaron a darse entonces los primeros pasos hacia la domesticación de las abejas.

De los cientos de miles de especies de insectos clasificadas por los zoólogos, la abeja de miel es el único domesticado. Este largo proceso tuvo lugar durante la transición de las sociedades humanas de un estadio en el que procuraban su sustento mediante la caza y la recolección a otro en el cual obtenían su alimento trabajando la tierra, es decir, mediante la agricultura.

Convertidos en agricultores, los hombres atrajeron enjambres de abejas hacia sus primeros poblados, y buscaron reproducir las colmenas silvestres. Lo hicieron construyendo primitivas colmenas hechas de barro, con paja y barro o bien con troncos huecos de árboles. Las abejas encontraron habitables estas colmenas y fue entonces cuando comenzó su instalación en las poblaciones humanas.

En el antiguo Egipto, en jeroglíficos con 6.000 años de antigüedad, aparecen representaciones de abejas. Diversas pinturas muestran la recolección de miel en colmenas de arcilla de forma muy similar a las actuales. Como en tantos otros campos, la técnica de los antiguos egipcios era muy avanzada. Por ejemplo, conocían que nada que esté envuelto en miel pura se estropea y por ello la utilizaban para embalsamar a sus muertos. Además, era considerada digna de los dioses y empleada como ofrenda en las ceremonias religiosas.

La Biblia hace diversas referencias a la miel. En los Proverbios (XXIV, 13), el rey Salomón, sabio hijo de David, aconseja: «Come la miel, hijo mío, que es cosa buena». En el Cantar de los Cantares (IV, 11), su autor se expresa, en un arrebato de adoración, en los siguientes términos: «Son tus labios, ¡oh, esposa mía!, un panal que destila miel; miel y leche tienes debajo de la lengua».

En Grecia, ya en el siglo V a. C., el médico Hipócrates la recomendaba a sus pacientes como alimento para alcanzar la longevidad. Muchos griegos de la antigüedad creían que la dieta jugaba un papel importante tanto en el refinamiento del alma como en el perfeccionamiento del cuerpo. Los atletas griegos tomaban miel como alimento energético, y la mezclaban con agua para reducir la fatiga, tal como hacen los deportistas de nuestros días.

Por su parte, los romanos de la época imperial pensaban que la miel debía formar parte de la dieta diaria para mantener una buena salud y vivir muchos años. Un agudo observador de su sociedad, Plinio el Viejo, señaló en su *Historia natural* que había conocido a personas de avanzada edad y excelente salud entre los apicultores romanos: había tenido contacto con más de cien personas que superaban los cien años de edad y tomaban miel a diario.

Durante el Imperio Romano, la miel era muy popular y se servía con vino en casas y tabernas. En las ruinas de Pompeya se hallaron restos de miel en el fondo de las copas de vino encontradas en las excavaciones. Debido a su enorme popularidad, la miel se consumía en grandes cantidades y la producción resultaba escasa. Por este motivo, las clases populares se vieron en la necesidad de encontrar un alimento equivalente que la sustituyera. Fue la miel de dátiles, que elaboraban machacando dátiles que luego eran ligeramente fermentados en agua.

En Europa, durante la Edad Media, los visigodos dejaron una notable compilación de leyes sobre la colmenería. En el período carolingio, Carlomagno, que tenía la miel en alto aprecio, exigió en su capitular titulado *De Villis* cuidados particulares para este producto de las abejas. Era práctica frecuente entre los señores feudales percibir vasallaje pagado en miel y cera; conviene recordar que el azúcar era entonces una exótica sustancia procedente de Arabia.

La civilización islámica no fue indiferente a las bondades de la miel. Uno de los libros del Corán está dedicado a la abeja: en él se explica cómo Dios enseña al insecto a elaborar miel. «La miel es un remedio para todas las enfermedades», dejó dicho el profeta Mahoma.

Volviendo a España, durante los revueltos tiempos que siguieron a la Reconquista existían numerosos grupos de bandoleros que saqueaban y arrasaban las colmenas. Por este motivo, los colmeneros se organizaron en hermandades para defender sus bienes, y algunas de estas organizaciones alcanzaron gran importancia, como las de Talavera y Toledo, protegidas expresamente por leyes firmadas por Fernando III de Castilla.

Los primeros colonizadores europeos del Nuevo Mundo llevaron consigo colmenas repletas de abejas para instalarlas en las nuevas colonias. En América del Norte, al aclimatarse las abejas en esas tierras, los indios las consideraron como el animal característico del hombre blanco, del mismo modo que el búfalo lo era de ellos. Un jefe indio lo resumió en una frase que ha llegado hasta nuestros días: «Cuando la mosca del hombre blanco avanza, el búfalo y el indio tienen que retroceder».

Por su parte, Rusia es uno de los países que desde siempre ha dedicado una gran atención a la apicultura. Ya en los siglos XVI y XVII, las exportaciones de miel constituían una importante fuente de divisas para la economía nacional. También en Rusia se realizaron importantes avances en el campo de la apicultura. En 1814, el apicultor P. Prokopovitch inventó la colmena de cuadros móviles, lo que motivó que numerosos apicultores de todo el mundo visitaran su explotación, considerada como un modelo tanto por el número de colonias de abejas como por su disposición. Fue precisamente allí donde, en 1828, se abrió la primera escuela apícola rusa, primera de este tipo creada en el mundo.

En la actualidad, los principales países exportadores de miel son China, México y Argentina. Desde los años setenta, España es un país importador de miel. La explotación de colmenas se ha perfeccionado mucho durante los últimos años y la producción de miel y otros productos es complementaria en muchas explotaciones agrícolas. Se estima que existen unas trescientas mil colmenas en el País Valenciano y un millón en el conjunto del Estado.

15
La vida social de las abejas

La naturaleza ofrece múltiples facetas en las que podemos fijar nuestra capacidad de observación. Es realmente apasionante penetrar dentro del mundo de los seres que comparten el planeta con nosotros, pero aún lo es más si descubrimos que algunos de estos seres, a los que consideramos inferiores, son capaces de vivir en sociedad, con toda la serie de complicaciones y especializaciones que este tipo de vida trae consigo.

Una de las más fascinantes formas de vida en sociedad del reino animal es, sin duda, la de las abejas, esos insectos de los que el ser humano se beneficia desde la antigüedad, aprovechando la miel y la cera, productos ambos de su tenaz y arduo trabajo, o bien sirviéndonos de ellas como vehículos en la fecundación de las plantas.

En la actualidad, existen unas veinte mil variedades de abejas difundidas por todo el mundo y, de manera particular, en las zonas soleadas y en las que abundan flores productoras de néctar, pues el néctar es la base de su alimentación.

En estado salvaje fundan sus colonias en los huecos de los árboles, o entre las rocas. Las que están domesticadas, es decir, las que el hombre utiliza para su explotación, lo hacen en colmenas.

No todos los habitantes de una colonia son iguales, aunque a simple vista así lo parezca. En realidad, la colonia de abejas consta de una jerarquización interna formada por 3 castas bien diferenciadas: la reina o madre, las obreras, y los zánganos o machos.

Los zánganos se distinguen porque carecen de aguijón y tienen la misión de fecundar a la reina. El acoplamiento de la reina con un macho se produce durante el vuelo nupcial una sola vez, pero los espermatozoides, o células sexuales masculinas, son tantos y de tal constitución, que permiten a la reina conservar durante años sus propiedades fecundadoras.

Realizado el acto sexual, los machos deben abandonar la colonia o de lo contrario las obreras los exterminan con sus aguijones. Por tanto, las sociedades de abejas son de tipo matriarcal, donde viven exclusivamente hembras: una sola fecundada, la reina, y millares de estériles, las obreras.

La reina o madre es el personaje más importante de la colonia: representa todo un símbolo y es la máxima exaltación de la sexualidad, fecundidad y maternidad dentro de la colmena; ocupa la celda de mayor tamaño, o celda real, preparada expresamente para ella, y su misión es la de poner huevos de forma inagotable día y noche a lo largo de su vida.

Es asombroso ver la veneración que toda la colonia guarda por su reina. Sienten un apego tan profundo que rebasa lo concebible por los hombres. Son muchos los ejemplos que demuestran esta actitud.

En todas las catástrofes que pueden ocurrir, como la caída de la colmena, el frío, el hambre o la enfermedad, si todas perecen en masa, la reina casi siempre se salva y se la encuentra viva bajo los cadáveres de sus hijas. En esos momentos de peligro, todas la rodean, protegen y defienden con su cuerpo, le reservan la comida más sana y las últimas gotas de miel.

El desánimo no se apodera de ellas, pues diezmadas y hambrientas, reorganizan los reglamentos de la colonia, se dividen el trabajo según la necesidad del momento y lo reanudan de inmediato, con un ardor, tenacidad e inteligencia que no siempre se encuentran en tan alto grado en la naturaleza.

Pero todo esto se torna negativo si muere la reina y no hay posibilidad de reemplazarla. Entonces el trabajo cesa de inmediato en toda la colmena y todas las abejas se abandonan y desmoralizan de tal manera que no tardan en morir de tristeza y miseria, aunque todas las flores de la primavera se abran ante ellas.

A pesar del especial trato que recibe, la reina no puede hacer y deshacer según su instinto, sino que está limitada a realizar lo que la colectividad ordena. Ni siquiera puede comer a su antojo, pues las obreras regulan su ración y esta depende del estado general de la colmena.

Cuando las condiciones son buenas, se le aumenta la ración y ella también aumenta la puesta de huevos; si son desfavorables a causa del frío, o excesivo calor, o bien por la falta de alimento, la ración disminuye y de este modo también disminuye la puesta de huevos.

Todos los seres, en algún período de su existencia, pasan por etapas en las que son incapaces de valerse por sí mismos y entonces la alimentación depende de los cuidados de los padres o de la familia o de otros servicios de la comunidad. Así ocurre también con las abejas.

La larva que sale del huevo puesto por la madre es una larva indefensa, incapaz de valerse por sí misma, que moriría si no recibiese la atención y los alimentos necesarios para su normal desarrollo, pues debe pasar una serie de estados larvarios, o metamorfosis, antes de convertirse en una verdadera abeja.

Las obreras ponen todo su celo y esfuerzo en la alimentación de las crías, y toda su actividad está encaminada y seleccionada en favor de la mayor eficacia en la reproducción y rápido aumento de la población. Por este motivo, se encargan del cuidado de las larvas hasta el estado adulto.

La alimentación que reciben las larvas es fundamental, pues de ellas dependerá su destino. Durante los 3 primeros días, todas las larvas son alimentadas con jalea real, sustancia rica en vitamina B que elaboran las propias cuidadoras: es como la leche de las abejas. Al cabo del tercer día, los machos y las destinadas a ser obreras serán alimentadas con polen y miel, mientras que las destinadas para el reinado recibirán polen, miel y jalea real.

En el mundo de las abejas existen jerarquías o diferenciación de castas. Además, entre la población hay una perfecta división del trabajo, que depende de la necesidad del momento. Es precisamente esta flexibilidad lo que garantiza la armonía social. Pero todo este comportamiento no sería posible si no existiera comunicación entre los miembros de la colonia; para ello, la naturaleza ha dotado a las abejas de órganos sensoriales que les permiten relacionarse con el mundo que las rodea.

La entrada de la colonia está custodiada por abejas cuya función consiste en impedir la entrada a abejas de otras colmenas, o de las avispas, que son hábiles ladronas de miel. Las guardianas pueden reconocerse por su posición, montando guardia con el cuerpo erguido y atentas a cualquier anormalidad.

Lamen, atrapan y arrojan a todo extraño que se les acerque, que, si se ha equivocado, se rinde pasivamente; pero si no lo hace, se entabla una verdadera lucha, en la que las abejas guardianas intentan clavar por todos los medios su aguijón en el cuerpo de su enemigo, a pesar de que ella también morirá desangrada en el combate.

Las abejas forrajeras salen en busca del néctar dulce de las flores que luego transforman en el buche en la exquisita miel. Devuelven la miel a los panales de la colmena y la guardan para la alimentación de las crías larvarias y como reserva para el invierno. La miel así producida pasa de boca a boca por todos los habitantes de la colmena y es precisamente esta comida en común lo que confiere a las abejas de una colonia su olor característico.

Este mismo sistema es el que emplea la reina y también se emplea para distribuir determinadas sustancias a través de toda la colonia. La presencia de una reina activa se manifiesta por su producción y, además, porque segrega una hormona que se distribuye una a una a todos los miembros de la colonia. Esta hormona inhibe el desarrollo de los órganos reproductores de las obreras, que así permanecen estériles. Pero cuando la reina disminuye la producción, también baja la cantidad de esta sustancia en las obreras, y estas empiezan la construcción de celdas reales en las que se crían las larvas de las futuras reinas de la colonia.

Cuando aparece la nueva reina, el enjambre se divide en 2: una de sus partes permanece con la reina antigua en la colmena donde todas han nacido y la otra parte emigra con la nueva reina. Si ninguna de las dos se decide a emigrar, combaten entre sí hasta que una de ellas sucumbe en la lucha a muerte que han entablado. La nueva reina, cuando es reconocida por sus obreras y aclamada por todas las demás, va en busca de las que podrían ser sus rivales y las mata sin piedad, una tras otra, con su aguijón.

De este modo se inicia una nueva colmena y el trabajo vuelve a comenzar. El vibrante zumbido de la colmena se dejará oír como canto evocador de la exhaustiva labor de estos seres minuciosos, pequeños gigantes constructores de una sociedad en la que todo parece estar previsto, en la que cada movimiento y cada acción son ejecutados con una misteriosa precisión y perfección. Algunos de estos misterios son abordados en las siguientes líneas.

Ciclo de reproducción de la colmena

Los paleontólogos sostienen que, antaño, bajo climas tropicales, cálidos y húmedos, en los que abundaban las flores, no existía en las colmenas la actual jerarquía entre abejas reinas y obreras. Según este punto de vista, en el pasado, todas las abejas cumplían libremente su destino.

Pero, al hacerse más severas las condiciones climatológicas, las colmenas tuvieron que «socializarse» a fin de que la especie pudiera sobrevivir. Este proceso condujo a que el conjunto de los habitantes de la colmena se sacrificaran en beneficio de un único ejemplar: la reina.

Esta opinión se fundamenta en que no existe diferencia orgánica alguna entre el huevo que dará vida a la futura reina y aquellos de los que nacerán las abejas obreras y los zánganos. Lo que determina el destino de cada abeja es la capacidad del alveolo donde es puesto el huevo y la alimentación que se suministra a las larvas.

En el nido de las abejas existen 3 clases de celdas: las más numerosas y de menor tamaño, de aproximadamente 5 mm de diámetro, que son las cunas de las obreras; las celdas medianas, con unos 6 mm de diámetro, que son las que darán origen a los zánganos; y aproximadamente una docena de celdas más importantes, de 8 mm de diámetro y de forma alargada más que hexagonal, con paredes más gruesas y que requieren cien veces más de cera que las celdas de las obreras, destinadas a las futuras reinas.

Esta diferencia de formas es necesaria no solo por la talla de las que deben ocuparlas, sino también por la proporción de las raciones de alimento distribuidas a las larvas.

La reina madre, fecundada una vez por todas en el momento de su vuelo nupcial, pone entre 1.000 y 2.500 huevos al día, lo que en el transcurso de sus 5 años de vida viene a representar unos dos millones de huevos. Cada huevo, depositado en una celda, resulta fecundado o no según el grado de contracción genital de la reina madre. Las obreras y las reinas provienen de huevos fecundados; los zánganos de huevos no fecundados. Nada distingue en el momento de ponerlos a los huevos de las reinas y los de las obreras, salvo haber sido depositados en celdas diferentes.

Al cabo de 3 o 4 días, los huevos dan nacimiento a minúsculas larvas blanquecinas, semejantes entre sí. Estas larvas, al salir del huevo, tienen un peso insignificante, que es de una décima y media de miligramo, es decir, una diezmilésima y media de gramo (0,00015 g).

El alimento común de todas las larvas, desde que nacen hasta su tercer día de vida, es la jalea real, sustancia que es elaborada únicamente por las abejas jóvenes, entre el quinto y el decimocuarto día de su vida.

Solo durante este corto período funcionan las glándulas faríngeas que, situadas en su cabeza, sirven a la abeja para elaborar jalea real. A partir del decimoquinto día, se agotan y quedan atrofiadas.

Estas jóvenes abejas distribuyen la jalea real a las larvas al ritmo desenfrenado de unas diez mil raciones diarias. Al cabo de 2 días de sumisión a este régimen, las larvas han aumentado cerca de mil veces su peso original. No obstante, a partir del tercer día y hasta el momento de la operculación, las cosas cambian.

La larva de obrera será alimentada ahora mediante la regurgitación de sus nodrizas de una provisión de pan de abeja, mezcla de miel transparente y de polen, sustancia tan perfectamente asimilable que no da lugar a excremento alguno. Al cabo de 5 días es operculada en su celda, de la que 21 o 22 días después saldrá la abeja completamente formada, pero sin sexo. La duración de su vida no pasará de algunos meses.

La larva del zángano, alimentada al descubierto durante 6 días y medio con una sustancia apropiada y operculada después, saldrá aproximadamente 24 días después.

La larva de la reina, alimentada durante 5 días al descubierto, encuentra provista su celda de un amplio suministro de esa sustancia pura, blanca y nacarada, de composición singular, que es la jalea real, con la que ha venido siendo alimentada desde su nacimiento.

De este modo, a partir del tercer día las larvas de las futuras obreras son sometidas a un régimen de miel, agua y polen, en tanto que las futuras reinas continúan siendo alimentadas con jalea real, el único alimento que recibirán durante toda su vida.

Al cabo de 5 días, llegado el momento de la operculación de la celda, la larva real, que es un grueso gusano de una blancura nacarada, pesa ya cerca de 300 mg, o sea, 2.000 veces su peso inicial y es 2 veces más larga que sus hermanas obreras.

Todas las abejas nacen cubiertas de pelo, lo que les concede una apariencia rechoncha, pero la reina, que vive 40 veces más que sus súbditas, tiene sobrado tiempo para perderlo, por lo que parece más delgada a pesar de ser más gruesa.

La supresión de la jalea real en la alimentación de las obreras equivale a una verdadera castración. Al no recibir dicho alimento, sus glándulas sexuales no se desarrollan y su vida solo dura entre 40 y 50 días.

En cambio, para que se desarrolle la reina, la alimentación con jalea real es permanente y gracias a esta nutrición especial su desarrollo se efectúa en 16 días en lugar de 21, doblando cada día el peso del día anterior.

Mientras que las obreras son seres asexuados, la reina alcanza la madurez sexual, lo que le permitirá llevar a cabo su extraordinaria puesta permanente de huevos, que es la que perpetúa la vida de la colonia.

Otro hecho que demuestra que no hay diferencia entre los huevos de obrera y los de la reina es que una colmena está formada por una reina, entre 10.000 y 70.000 obreras y de 500 a 1.000 zánganos o machos. La producción de nuevas celdas reales, en las condiciones de vida normales de una colonia de abejas, solo tiene lugar cuando, por ser demasiado numerosa la población de la colmena, esta se divide y el nuevo enjambre resultante parte en busca de alojamiento y forma una nueva colonia.

Pero si lo que ocurre es que la reina desaparece, sea por causa natural o por accidente, las obreras fabrican en seguida nuevos nidos reales. Tan pronto como las abejas se dan cuenta de que la colmena se encuentra acéfala, sin reina, se produce un verdadero enloquecimiento colectivo, como si las abejas presintieran el grave riesgo de la próxima aniquilación de la colonia. Entonces, algunas obreras toman la iniciativa de ensanchar algunas celdas donde existan larvas de menos de 36 horas, es decir, que todavía no hayan sido desprovistas de su ración de jalea real, y continúan alimentándolas con esta sustancia. Mediante el ensanchamiento de la celda y gracias a la abundante nutrición con jalea real, estas larvas alimentadas normalmente en su estrecho alveolo se habrían transformado al cabo de 21 días en abejas obreras, se ven transformadas en solo 16 días en una perfecta reina, una hembra que asegurará de nuevo la continuidad de la colmena.

Este y otros aspectos ponen de relieve el poder nutritivo de la jalea real. Sobre todo si nos fijamos en que, por ejemplo, mientras las obreras viven por término medio 45 días, la vida de las reinas alcanza los 5 años. Se podría pensar que la corta vida de las obreras se debe al extenuado trabajo que llevan a cabo. En parte es así, como lo demuestran algunas experiencias en las que no se ha permitido que las abejas obreras realizaran trabajo alguno, con lo que se ha logrado que vivieran hasta 6 meses. No obstante, esto dista mucho de la longevidad alcanzada por las abejas reina.

Este hecho ha dejado su impronta en la mitología de la antigua Grecia. En ella se refiere que la ambrosía (la palabra griega *ambrotos* significa «inmortal») era una bebida servida a los dioses del Olimpo por la diosa Melisa, nombre que, en griego, significa «abeja». Otros autores consideran esta «ambrosía» como una mezcla de granos de polen con algo de miel líquida.

Por otra parte, hoy se ha recuperado la fórmula de una bebida no menos mítica, el hidromiel, que se obtiene mediante la fermentación de miel y agua. Se considera que fue desarrollada por los pueblos celtas, sajones, vikingos y otras culturas del norte, y más tarde también por griegos y romanos.

Clasificación de las abejas

Las abejas mielíferas se clasifican en 3 castas: las obreras, la reina y los zánganos. En la siguiente tabla se enumeran las diferencias que las caracterizan.

Obrera	**Reina**	**Zángano**
El huevo es fecundado	El huevo es fecundado	El huevo no es fecundado
Depositada en celdas de obreras	Depositada en celda de reina	Depositada en celdas de zánganos
La larva se alimenta primero con jalea real y luego con pan de abeja, mezcla de miel y polen	La larva se alimenta con jalea real	La larva se alimenta con jalea de zángano
Tiempo de desarrollo (huevo-larva-pupa) 3 días + 6 días + 12 días = 21 días	Tiempo de desarrollo (huevo-larva-pupa) 3 días + 5 días + 8 días = 16 días	Tiempo de desarrollo (huevo-larva-pupa) 3 días + 8 días + 15 días = 24 días
Peso al pasar de pupa a adulta: 100 mg	Peso al pasar de pupa a adulta: 200 m	Peso al pasar de pupa a adulta: 200 mg
Longitud corporal: 12-15 mm	Longitud corporal: 18-22 mm	Longitud corporal: 15-17 mm

Obrera	Reina	Zángano
No copulan	Copulación con hasta 30 zánganos	Copulación con una reina
Cantidad de población: 5.000-55.000	Cantidad de población: normalmente 1	Cantidad de población: 0-1.000

Fisiología de una abeja mielera

Anatomía de una abeja

Como en la mayoría de los insectos, el cuerpo está formado por 3 cortes anatómicos:

- La *cabeza* con la boca y los órganos de los sentidos, como las antenas y los ojos.
- El *tórax*, un centro del movimiento, que está repleto de músculos que mueven las alas y las patas articuladas.
- El *abdomen*, que es más grande que las otras partes y que contiene los órganos para las distintas funciones, entre ellas la digestión, la circulación sanguínea y el picar.

La articulación de la boca de las abejas engloba 2 funciones importantes: masticar y sorber. La potente mandíbula superior se utiliza para formar cera, masticar polen, recolectar néctar de las plantas, cortar flores para alcanzar el néctar e incluso para sujetar a enemigas de modo que pueda utilizar el aguijón.

La succión de los líquidos se lleva a cabo con la trompa, un órgano plegable que forma un tubo alrededor de la lengua. En este tubo fluyen líquidos debido al movimiento de la lengua y también por la succión. La trompa sirve para recolectar el néctar, aunque la abeja también la utiliza para recoger agua, para el intercambio de alimentación con las obreras almacenadoras que están dentro de la colmena, para lamer las feromonas y sustancias similares de otras abejas y para repartir el néctar y el agua para que esta se evapore rápidamente en la colmena. Cuando no se precisa, la trompa se queda oculta en un surco que está en la parte inferior de la cabeza. La comida sólida, especialmente el polen, no puede ser tomada con la trompa, sino que primero es troceada con las mandíbulas y luego es pasada a la boca.

Las patas de una abeja no solo sirven para la locomoción, sino también para la recolección de la comida, ya que disponen de unas estructuras especiales en forma de cesta para transportar el polen de las flores, que es un material más bien seco y parecido al polvo. El polen se humedece con el néctar, después se deposita en la cestita y se mantienen en el lugar gracias a los pelos. Las abejas recolectoras son fácilmente reconocibles gracias a los pequeños pegotes amarillos de polen visibles en sus patas traseras (se dice que llevan pantalones). Las cestitas también se utilizan para transportar propóleo o própolis, que es recolectado de los árboles y que se utiliza como material de construcción e higiene dentro de la colmena.

El «aparato picador» queda oculto en una cámara del último segmento del abdomen. El aguijón está compuesto de 2 cerdas de picar dotadas de garfios y un canalón. Las 2 cerdas están unidas para crear una cánula de veneno en el interior del aguijón defensivo. El veneno de las abejas se crea en una glándula que se ensancha hasta formar una ampolla en la cual queda recogido el veneno. Cuando la abeja pica, el veneno se transporta a la cánula del aguijón y las afiladas cerdas de picar son clavadas en la piel del animal atacado. Cuando la abeja intenta sacar su aguijón o el enemigo picado intenta espantar a la abeja, los garfios consiguen que el aparato picador quede anclado: como consecuencia de ello, la abeja perece.

La abeja es un ser admirable, capaz de desenvolverse sorprendentemente bien en su entorno. Para ello cuenta con una colección de sentidos.

Vista

Con sus 3 ojillos simples en forma de punto en su cráneo, se diría que las abejas solo son capaces de distinguir la claridad de la oscuridad y de este modo saber el momento en el que deben realizar su excursión matinal y cuándo deben regresar a la colmena al atardecer. Sin embargo, lo cierto es que los ojos facetados de la abeja tienen una sorprendente capacidad. Incluso pueden ver colores, aunque son distintos a los que aprecia el ojo humano. Las abejas no ven el color rojo, pero son capaces de ver el campo ultravioleta. Ven las amapolas negras, y algunas flores que para nosotros son blancas para las abejas son verde-azuladas.

También ven las formas de otra manera. No pueden ver figuras fácilmente distinguibles por nosotros como el triángulo, el círculo o el rectángulo, pero son capaces de distinguir entre estructuras muy compuestas y muy poco compuestas. Su campo visual no es apropiado para diferenciar figuras finamente estructuradas. Sin embargo, pueden ver 250 imágenes por segundo, mientras que el ser humano solo puede apreciar 40 imágenes.

El ojo de la abeja también tiene la propiedad de ver la luz polarizada (luz cuyas fluctuaciones están en un plano). La luz polarizada está presente en la luz solar reflejada. La capacidad de las abejas de reconocer esta luz juega un papel importante en su orientación en el paisaje.

Sentidos del tacto y del olfato

La abeja pasa la mayor parte del tiempo en la oscuridad de la colmena. En ese entorno, los ojos sirven de poco, aparte de mostrarle la salida de la colmena hacia la luz del sol. Todo lo demás lo tienen que conseguir a través de las antenas. A través del olfato y el tacto debe poder diferenciar los huevos, las larvas más jóvenes, las maduras, el polen, la miel madura y la que no lo está, la cera, el própolis, las celdas de las trabajadoras, las de los zánganos de la reina, enemigos naturales como las polillas de la cera, los productos de desecho que deben ser expulsados de la colmena y muchas más cosas. En toda la vida interior de la colmena, las antenas son el órgano sensorial primordial.

En el exterior juega un papel importante el sentido del olfato: al abandonar la colmena, la abeja se lleva consigo una especie de recuerdo olfativo de su hogar. Todas las comunidades de abejas tienen un olor característico, compuesto de los muchos olores de las maderas de diversa procedencia y edad, de celdas más jóvenes y otras más viejas, de las despensas de miel y polen, del tipo y cantidad de propóleo utilizado, de la edad de la reina...

La abeja lleva este olor consigo y de ahí que si intenta entrar en una colmena que no es la suya es reconocida como una enemiga. También lo lleva grabado en la memoria y lo reconoce a su vuelta a la colmena.

El poder olfativo de las abejas también es de gran importancia fuera, en el mundo de las flores, para poder desarrollar su tarea recolectora. Tienen una capacidad especialmente desarrollada para los olores florales y los olores de importancia biológica. Lo que la lleva de flor en flor de la misma especie botánica es más el olor que el color de las flores. La abeja también es capaz de oler el agua y de apreciar la presencia de dióxido de carbono.

La abeja también puede crear olores con sus glándulas olorosas. Químicamente se trata de una mezcla de varias sustancias fragantes como geraniol, farnesol, citral, nerol, ácido gerónico y ácido nerólico. Es apreciable que la cercanía de abejas desprende un aroma semejante a la melisa. Las abejas utilizan ese olor para atraer a compañeras de especie, cosa importante si, por ejemplo, han hallado un lugar especialmente rico en especies florales. Es de imaginar que crean una especie de carreteras de olor hacia sus lugares predilectos.

El olor que emite la abeja también ayuda a que el enjambre se mantenga unido durante el vuelo y que sepa reconocer el sitio concreto en el que se ha aposentado la abeja reina. Este olor también ayuda a las jóvenes recolectoras en su primera salida y hace que sigan a las abejas expertas para regresar a la colmena. Y cuando una joven reina sale de la colmena para realizar la cópula, el olor le indica el camino de regreso.

Otros olores juegan un papel importante en la protección de la colmena: los guardianes apostados en la entrada de las colmenas emiten durante una amenaza de intrusos un olor característico procedente de unas glándulas situadas en su mandíbula. Es un olor a la vez de alarma y disuasorio. Junto a las abejas espantadas se puede apreciar un olor aplatanado que informa a las demás de que están sufriendo un ataque o de que es necesario huir.

Sentido para el calor y la humedad

En las antenas también se halla el sentido para el calor y la humedad. La abeja no lo tiene fácil para regular su temperatura corporal. No es un animal ni de sangre fría ni de sangre caliente; se encuentra en un estadio intermedio. Al ser un animal proporcionalmente pequeño pero con gran superficie, emite mucho calor a su entorno. En la parte trasera del cuerpo, la temperatura es algo más baja que en el pecho. Antes de volar, la abeja pone su temperatura a 36 °C.

Como comunidad, las abejas son auténticas artistas del aire acondicionado. Regulan el calor de forma muy precisa: en las celdas donde depositan las larvas la temperatura siempre está a 35 °C y la humedad al 40 %, independientemente de la temperatura que haya en el exterior.

Calientan el ambiente con movimientos intensos y refrigeran gracias al movimiento de las alas. Si con eso no consiguen bajar la temperatura en un momento dado, traen agua del exterior y la reparten entre las celdas de incubación de tal manera que la evaporación la enfríe. Por otro lado, esta estrategia las obliga a evacuar vapor de agua a través del aleteo para mantener constante la humedad.

En invierno, cuando no es época de incubación, las abejas viven con una temperatura mucho menor que en verano. Se curvan formando una especie de bola y se mantienen calientes las unas a las otras. Eso sí, se ocupan de que la temperatura no descienda por debajo de los 10 °C. Durante la época invernal las abejas pueden soportar temperaturas exteriores de hasta -40 °C sin sufrir daños.

Sentido del gusto

La abeja puede saborear con la boca, con las antenas y con las patas delanteras. La abeja aprecia los sabores de forma diferente al ser humano. La quinina, por ejemplo, y otras sustancias extremadamente amargas para el hombre apenas molestan a las abejas. Son menos sensibles al azúcar. Para nosotros una disolución de azúcar al 2 % aún es dulce, para las abejas lo es a partir del 4 %. Cuando la naturaleza ofrece en el néctar y la miel un 20 % de contenido en azúcar lo hace porque concentraciones menores de azúcar podrían enmohecerse o fermentarían.

Sentido de peso y sentido magnético

Estas dos capacidades de las abejas son de gran importancia para su orientación. Los órganos que entran en juego no solo están en la zona de la cabeza. Necesitan el sentido del peso para mantenerse en pie, andar y volar. Con su ayuda son capaces de mantener un determinado ángulo perpendicular en las celdas en la colmena oscura. Con este ángulo y determinados movimientos (la danza de las abejas) enseña la distancia a la que ha volado en busca de comida y la dirección en relación con la posición del sol.

La capacidad de sentir el campo magnético de la Tierra es conocida en el caso de las aves, pero también juega un papel importante en la orientación de la abejas, que relacionan las fluctuaciones diarias del campo magnético con su memoria temporal y de esta manera son capaces de reconocer las horas del día, aun cuando todos los estímulos exteriores fallan. Las líneas de fuerza en los campos magnéticos también son responsables de que las abejas puedan construir sus colmenas de forma completamente paralela. Para apreciar las líneas del campo magnético terrestre tienen cristales diminutos de magnetita, ricos en hierro, que se encuentran en la parte anterior del abdomen o cuerpo trasero de la abeja.

Para el establecimiento de la colmena, las abejas buscan lo que en geobiología se denominan zonas perturbadas o geopatógenas y cruces de la red Hartmann. No es inusual que el emplazamiento de los enjambres salvajes se produzca en lugares donde tienen lugar cruces telúricos, puntos de encuentro de paredes vibratorias que se elevan del suelo hacia la biosfera.

Estos emplazamientos sobre zonas de fuerte intensidad telúrica –red de Hartmann, venas de agua subterránea, fallas geológicas– excitan a las abejas, haciéndolas trabajar intensamente. Ello explica que las colmenas en tales ubicaciones produzcan hasta el doble que las situadas en zona neutra. Estas colonias muestran mayor resistencia en los inviernos rigurosos y consumen menos reservas, lo que lleva a pensar que las abejas son capaces de transformar la energía emitida por la Tierra en energía vital.

Sentido de vibración y oído

Las abejas son capaces de captar las más leves fluctuaciones del suelo sobre el que están. A través del análisis de los bailes de las abejas se ha descubierto que estos animales pueden percibir sonidos a una distancia de varios milímetros y en una frecuencia de entre 100 a 800 hercios. No perciben la presión del sonido como los seres humanos sino la velocidad, la fluctuación de partículas de aire en una determinada dirección. Para este sentido parecen desempeñar un papel importante los pelos sensitivos, las antenas y otros órganos.

Estos sensores permiten a las abejas orientarse en ausencia de luz, pero existe algo indispensable para no equivocarse de colmena: lo que se podría denominar frecuencia vibratoria. Un receptor de radio, por ejemplo, capta a través de su antena todas las señales radiofónicas emitidas cuya frecuencia llegue a ella, pero a través del altavoz solo podemos oír una de las emisiones: la que hayamos seleccionado con el dial formando sintonía con una de las frecuencias emitidas. Cada emisora transmite a una frecuencia específica que impide que se interfieran o mezclen las diferentes emisiones. Basta girar la clavija de nuestro receptor para elegir la emisión.

Del mismo modo, cada colmena posee y emite una frecuencia característica y cada abeja reacciona en sintonía con su colmena. Esto ocurre con independencia de la luz o la oscuridad, dado que sus ojos no distinguen con nitidez los objetos pese a que cada color posee una vibración particular. Así las abejas logran orientarse perfectamente a lo largo de grandes distancias.

En una emisión radiofónica, la distancia de recepción se encuentra en función de la potencia en vatios del emisor. Algo similar ocurre con las abejas, ya que cuanto mayor sea el «potencial» disponible por la colmena –que siempre es superior si se encuentra sobre un cruce de Hartmann–, más podrán alejarse las abejas para ir en busca del néctar floral y, en consecuencia, encontrar más alimento. El radio de vuelo alrededor de la colmena es de unos 3 km de promedio y de un máximo de 5 km.

Con respecto a la fuente de energía que hace posible la transmisión, en las emisoras de radio es la energía eléctrica que se transforma en ondas hertzianas mediante complejos sistemas eléctricos. Si, como se piensa, en las abejas tal energía procede de la comida ingerida, la energía proveniente del campo electrónico o telúrico les permitiría un ahorro energético considerable, que hace posible un incremento en su radio de trabajo.

Esta perspectiva permite responder a algunas incógnitas acerca de por qué en un colmenar que ha sido igualado al comienzo de la campaña, algunas colmenas llegan a desarrollarse excepcionalmente, mientras que otras solo consumen sus propias reservas e incluso sucumben; y por qué ocurre la migración de las abejas (el proceso que conduce a que paulatinamente la colonia de una colmena se instala en una colmena vecina): cada colmena irradia una vibración cuya intensidad varía según la energía disponible, y parte de esta energía vibratoria puede ser captada por otra colmena que la reenvía con su frecuencia particular. Otro factor es el de las perturbaciones o parásitos, como las interferencias que en ciertos momentos del día se producen en algunos aparatos de radio e impiden oír la programación con nitidez. En las abejas esto produciría una desorientación impidiéndoles hallar su propia frecuencia de sintonía con la colmena. Las colmenas con menos interferencias serían las que pueden mantener e incluso aumentar su colonia, mientras que las que se ven afectadas por interferencias sufrirían un proceso inverso.

Sentido del tiempo

Cuando el apicultor alimenta a sus abejas en otoño para que resistan el invierno y les da durante algunos días una disolución de azúcar siempre a la misma hora, antes de ese momento puede percibirse cierta inquietud en la entrada de la colmena. Esto demuestra que las abejas se acuerdan de la hora en la que se les daba la comida. En un experimento llevado a cabo con abejas a las que se les daba comida a una determinada hora en París y que fueron trasladadas a Nueva York, quedó demostrado que el reloj interior de las abejas se rige por un ritmo de 24 horas, que no depende de la posición del sol sino que es interno. Las abejas llevadas a Nueva York seguían guiándose por la hora de París.

Comunicación entre abejas

Las abejas no solo son sorprendentes en su capacidad de descubrir fuentes alimenticias y saber regresar a ellas, sino también por su capacidad de dar a conocer ese determinado lugar a sus congéneres en la colmena. Para hallar comida, un pequeño grupo de abejas llamadas «abejas de huella» se dirigen a la búsqueda. La que encuentra algo destacable vuela hacia la colmena y da cuenta de su descubrimiento a las demás abejas. Esta transmisión se lleva a cabo a través de bailes encima de las celdas. Con estos bailes les explican cosas como la dirección del objetivo en el cielo, la distancia y la cantidad de comida hallada.

La danza de la abeja se desarrolla de la siguiente manera: si el lugar hallado está cercano a la colmena, hasta aproximadamente 50 metros de distancia, entonces la abeja lleva a cabo un baile circular; en cambio, si camina y realiza un pequeño círculo, se da la vuelta y desanda el círculo andado, significa: «buscad en las cercanías»; las demás abejas seguirán a la abeja en su danza y además recogerán también el olor que ha quedado impregnado en su vestido piloso.

Si la fuente hallada está a 100 metros o más de distancia, la danzarina da el parte de la dirección y la distancia describiendo al andar una figura en forma de ocho. En el centro de los 2 círculos mueve la parte trasera de su cuerpo, esto da a las abejas información sobre la dirección en el cielo. Si en ese centro de los círculos la abeja levanta la cabeza significa:

«buscad en la dirección del sol», si baja la cabeza: «buscad en la dirección opuesta al sol». Si inclina la cabeza hacia la derecha 60°, significará: «buscad a 60° en dirección al sol».

Existe una perfecta comunión entre las abejas, el Sol y la Tierra. La abeja sigue una ruta de recolección según un ángulo determinado y siempre opuesto al sol. Dado que el sol avanza a lo largo del día, en función del tiempo transcurrido desde su regreso y el momento actual, indica al resto de recolectoras, con su danza algo modificada, la posición exacta de las flores ricas en néctar o polen.

Cuanto más rica sea la fuente hallada, más enloquecido será el baile tanto de la abeja que lo descubrió como el de las demás a su alrededor. Entonces lo más probable es que en pocos minutos haya cientos de abejas en las inmediaciones de la colmena, disparadas hacia la búsqueda.

16
Algo más que miel

Muchos son los productos que nos ofrecen las abejas. Desde antiguo, forman parte de la fórmula de ungüentos, bálsamos y perfumes, y se aconsejaba administrarlos desde el nacimiento como alimento de iniciación a la muerte, como bálsamo o como ofrenda.

El polen

El polen es el nombre colectivo de las microsporas (granos de polen) de las plantas con semilla (espermatófitos). El grano de polen tiene una cubierta resistente que facilita su viabilidad mientras es transportado de la planta que lo ha originado a otra (proceso de polinización).

Son muy pocos los animales que pueden alimentarse del polen, y las abejas melíferas están entre ellos. Esto es posible debido a que generan enzimas capaces de digerir el mismo mientras está almacenado en los panales de cera. No es un proceso inmediato, sino que la abeja almacena el polen en los panales, agrega sus enzimas, tapa este polen con una capa de miel a fin de que sea un proceso anaerobio, y después de unas semanas el polen se transforma en lo que los apicultores denominan «pan de la abeja». En esas condiciones el polen resulta digerible, obteniéndose de él todas las proteínas (con los aminoácidos esenciales necesarios), grasas, minerales, oligoelementos, etc. El polen es el alimento proteínico de las abejas.

Entre los muchos productos que nos brindan las abejas, el polen es uno de los más completos y energizantes. Gracias a su alto porcentaje en hidratos de carbono, es un complemento alimenticio ideal en períodos de escasa energía. Contiene un 20 % de proteínas, indispensables para la regeneración de los tejidos o para la función inmunitaria, y un gran número de minerales y oligoelementos que ayudan a la función celular, muscular y esquelética. Su aporte en vitamina A lo hace un aliado en fases de crecimiento y la vitamina B equilibra el sistema nervioso.

Desde hace siglos, la medicina empírica ha atribuido al polen múltiples virtudes, igual que los agricultores, que conocen muy a fondo la importancia del polen en la vida de la colmena. Pero incluso ante tales constataciones, la idea de que el polen pudiera ser de interés en dietética es relativamente reciente. Su estudio y análisis sistemático se remonta a pocas decenas de años a partir de trabajos como los de los doctores Loureaux, Lenormand y Laurizio.

Sus virtudes nutritivas, enérgicas y metabólicas ya no se ponen en duda. Destacan especialmente el aumento de las tasas de hemoglobina en sangre en las anemias, sobre todo en las infantiles; la rápida recuperación de peso en las personas muy delgadas, y un aumento en la vitalidad en general.

El sabor del polen no tiene por qué gustar a todo el mundo. Pero para ello existen muchas alternativas para poder disfrutarlo: hay quien lo mastica tranquilamente hasta deshacerlo por completo en la boca; hay quien se ayuda a tragarlo con un sorbo de agua. Pero si ninguna de estas formas vuelven sencilla la tarea de tomarse una cucharada de polen, se puede disolver en jugo de naranja o en leche y añadirle un poco de miel; es una excelente manera de conseguirlo. Y quien prefiera masticarlo puede hacerlo mezclando el polen con yogur, miel o mermelada.

Composición del polen

En cada 100 g, el polen presenta en promedio los siguientes elementos:

Proteínas: 15,0 a 30,0%
Aminoácidos libres: 10,0 a 13,0%
Lípidos: 1,0 a 5,0%
Carbohidratos: 20,0 a 40,0%
Azúcares red.: 24,0 a 26,0%
Azúcares no red.: 2,0 a 4,0%
Fibras: 3,0 a 5,0%
pH: 4,7 a 5,2
Sales minerales: 2,5 a 3,5%

Vitaminas

Tiamina, riboflavina, nicotinamida, ácido pantoténico, piridoxina, meso-inositol, biotina, ácido fólico, cianocobalina, ácido ascórbico, vitamina D, tocoferol, carotina.

Aminoácidos

Ácido aspártico, ácido glutámico, alanina, arginina, cistina, glicina, histidina, isoleucina, leucina, lisina, metionina, fenilalanina, prolina, serina, treonina, triptófano, tirosina y valina.

Sales minerales

Calcio, cloro, magnesio, fósforo, silicio, azufre, hierro y potasio.

La jalea real

La jalea real es una sustancia viscosa de un suave color amarillo y sabor ácido, segregada por las glándulas hipofaríngeas de la cabeza de abejas obreras jóvenes, de entre 5 y 15 días, que mezclan con secreciones estomacales y que sirve de alimento a todas las larvas durante los primeros 3 días. Solo la abeja reina y las larvas de celdas reales que darán origen una nueva reina son alimentadas con jalea real.

Todas las larvas consumen esta jalea. Sin embargo, aquellas que serán las futuras reinas reciben una jalea pura, sin polen, mientras que las que serán obreras la reciben con algunos granos de polen. Al tercer día, las obreras dejan de recibir jalea y pasan a consumir un concentrado de miel, agua y polen, mientras que las futuras reinas continúan consumiendo la jalea real toda su vida. Esto asegura la supervivencia de las abejas reinas, su mayor tamaño y gran vitalidad para la reproducción.

En su composición podemos encontrar casi un 60 % de agua, azúcares, proteínas, lípidos y ceniza. Contiene vitaminas B_1, B_2, B_6, B_5 (en gran cantidad), B_8, E y PP, y ácido fólico. Tiene, además, antibióticos, gammaglobulina, albúminas, y aminoácidos (arginina, valina, lisina, metionina, prolina, serina, glicina, etc.). Además posee minerales como hierro, oro, calcio, cobalto, silicio, magnesio, manganeso, níquel, plata, azufre, cromo y cinc.

Entre sus propiedades más reconocidas destacan su poder energético y estimulante del sistema nervioso, su efecto sobre la oxigenación cerebral, la regulación de los trastornos digestivos, el aumento de la resistencia al frío y la fatiga, y el incremento del contenido de hemoglobina, leucocitos y glóbulos rojos en la sangre.

Debido a que se deteriora rápidamente, debe ser conservada a temperaturas de entre 0 y -2 °C y en recipientes opacos que impidan el paso de la luz.

Se puede adquirir jalea real pura en potes de 10 g o más. Algunas marcas comerciales la venden mezclada con miel, otras pura. También se ha preparado en forma de tabletas masticables semejantes a un chicle.

La dosis recomendada es de 100 mg de producto seco al día durante un período de 2 meses, alternando con un período similar de descanso.

El propóleo

Es uno de los productos más sorprendentes y menos conocidos de la colmena. Su elaboración nos introduce en los aspectos más desconocidos del complejo mundo de las abejas. En efecto, las abejas recogen de unas sustancias que recubren en una fina película protectora los brotes de las plantas en el momento de su eclosión, hallándose en mayor cantidad en árboles como las encinas y los pinos. Las abejas mezclan estas sustancias con resinas, aceites vegetales y cera. Con la cera pegan los panales, tapan todas las fisuras de la colmena y llegan a barnizarla por dentro, acumulando ciertas cantidades al lado de la entrada para abrirla o cerrarla, donde el aire es purificado gracias a sus compuestos insecticidas, fungicidas y antibióticos.

De este modo, la colmena se mantiene exenta de parásitos y enfermedades, cosa realmente esencial por el constante alto grado de humedad, y la temperatura interna de la colmena, que permanece estable en torno a los 35 °C, que constituye un auténtico caldo de cultivo para hongos y bacterias. Esto ha proporcionado una destacable salud a las colmenas hasta hace poco tiempo. En épocas recientes han aparecido plagas y enfermedades devastadoras –varroasis, loke– resultado del egoísmo humano y de los imperativos del mercado, que han llevado a muchos agricultores a alimentar las colmenas con azúcar refinado, conduciéndolas a un progresivo debilitamiento.

Estafilococos y estreptococos presentan la misma sensibilidad al propóleo que a los principales antibióticos. Pero, al contrario que estos, el propóleo no provoca efectos secundarios, sino que es eliminado de forma natural por el organismo humano, sin alterar el hígado ni la flora intestinal. Es más, este producto ejerce un efecto de limpieza celular y es regenerador de las glándulas internas, pues se ha observado su acción benéfica sobre la tiroides.

En el II Congreso Alemán de Apiterapia (marzo de 2003), el doctor Ortwin Faff, de Alemania, presentó una investigación realizada en su país en la que se comprobó la inhibición de la replicación del virus del sida con propóleo, lo que le convierte en un elemento a tener en cuenta en la lucha contra esta enfermedad en países con pocos recursos económicos.

El maravilloso propóleo nos ha servido para introducirnos en el poco accesible mundo de las abejas. En efecto, sus aspectos más ocultos solo llegan a percibirse con claridad tras muchos años de contacto permanente con ellas. Acercarse y acceder a su misterio es admirar su maestría y su pasión desinteresada por la vida en comunidad.

La cera

Se ha empleado desde hace siglos en la iluminación, la protección de la madera y como base en la elaboración de cremas, en particular para el cuidado de la piel o las quemaduras. Otra aplicación cosmética es como depilatorio, ya que el vello se adhiere a ella y es más fácil de retirar, aunque doloroso.

Son muchos los pintores que utilizaron mezclas de cera y miel en sus óleos, desde la antigüedad hasta la edad moderna. También fueron utilizadas tablillas de cera para escribir sobre ellas o para recubrir escritos.

En apiterapia se puede usar en esta forma de pomada por sus propiedades cicatrizantes y antiinflamatorias y como «goma de mascar», directamente del panal, por su contenido en miel, polen y propóleo.

El veneno de abeja

Lo que pareciera más negativo de la abeja, su picadura, no lo es. El veneno de la abeja, o apitoxina, también tiene utilidad para las personas.

El veneno es secretado por las obreras, que lo emplean como medio de defensa contra predadores y para el combate entre abejas. No es una sustancia simple, sino una mezcla relativamente compleja. Aunque los efectos suelen atribuirse a la acidez del compuesto, en realidad, el ácido fórmico apenas está presente, y solo procede de una de las dos glándulas implicadas en la secreción del veneno. Una de estas secreciones es ácida. No obstante, la más activa de ellas aparece como un líquido fuertemente alcalino formado por una mezcla de proteínas, principalmente el polipéptido citotóxico melitina.

En estado puro, la apitoxina es un líquido incoloro, amargo y ácido (pH 4,5 a 5,5). La apitoxina se emplea a veces medicinalmente –en la llamada apiterapia o apitoxoterapia–, como tratamiento complementario o alternativo, para el alivio sintomático del reumatismo y otras afecciones articulares, por las pretendidas propiedades antiinflamatorias de la melitina.

La secreción proviene de varias glándulas ubicadas junto a la base del aguijón; estas están compuestas de células dotadas de canalículos, y morfológicamente recuerdan a dos sacos unidos a tubos cilíndricos, que conducen la secreción hasta el extremo del aguijón. Además de los tejidos secretores ubicados en la sección tubular, las abejas poseen un segundo grupo secretor, llamado glándulas sinuosas, que en algunas especies aparece morfológicamente integrado.

Las glándulas principales secretan un líquido fuertemente alcalino, compuesto en un 52 % por melitina; además de esta, contiene apamina (una neurotoxina), adolapina (un analgésico), fosfolipasa (una enzima que destruye la membrana celular atacando los fosfolípidos que la componen, inactiva la tromboquinasa e inhibe la fosforilación oxidativa), hialuronidasa (un vasodilatador y hemolítico, que ayuda en la dispersión del veneno), histamina, dopamina y noradrenalina.

El veneno destruye las membranas celulares e induce a los receptores de dolor a percibir un daño mayor del que realmente se ha infligido. Sin embargo, las pequeñas concentraciones de histamina pueden verse amplificadas por la secreción de la misma en las células afectadas del individuo atacado. Esto puede desencadenar un shock anafiláctico, sea instantáneamente o hasta 24 horas después de la picadura; los síntomas incluyen ahogo, asma, taquicardia, cianosis y pérdida de conciencia. En individuos particularmente sensibles o afectados por numerosas picaduras, puede provocar la muerte. Alrededor de un 2 % de la población es sensible a la apitoxina, pero solo un 0,05 % se estima que sufre sensibilidad extrema.

En la mayoría de los casos, la dosis inyectada por la picadura no requiere tratamiento específico. Es conveniente la remoción del aguijón, pero hay que hacerlo con cuidado. Su estructura barbada hace que quede clavado a la piel junto con el sistema glandular que secreta la toxina y la actividad refleja de su estructura muscular continúa inoculando el veneno. El aguijón debe quitarse sin hacer presión sobre las glándulas adheridas, para evitar vaciar por completo las mismas en la zona afectada.

El tratamiento en casos agudos requiere la aplicación de un antihistamínico, como la dexametasona, y de hasta medio centímetro cúbico de epinefrina. Este tratamiento, sin embargo, solo debe llevarse a cabo por un profesional médico, que puede recetar también un agente simpaticomimético como el metaraminol o corticoesteroides.

La inmunización es el único remedio de largo plazo; se efectúa mediante la aplicación reiterada de dosis pequeñas de veneno. Aunque no es posible lograr la inmunidad completa, es posible, sin embargo, reducir de manera muy acentuada la sensibilidad.

La apitoxina ejerce acción analgésica y antiinflamatoria. Esto impulsó el uso de este veneno como terapia alternativa en casos de reumatismo. Además, ha mostrado algunas propiedades inmunoactivantes, lo que favoreció su experimentación como coadyuvante en la esclerosis múltiple.

Nociones básicas de apicultura natural

Evolución del cultivo de la miel

Hasta mediados del siglo XIX, el único cuidado que recibía la abeja era el cobijo de sus enjambres, y cuando el hombre quería su miel y su cera, los destruía quemando azufre, que era la típica desinfección vinícola de la época. Este tipo de colmenas se denominan fijistas, llamadas de este modo por permanecer los panales fijos en ellas y no poderse inspeccionar. De estas colmenas solo se puede saber su contenido por lo que pesan y por el sonido que emiten cuando se las golpea. La miel se extrae prensando los panales.

Con la llegada de las colmenas modernas, llamadas movilistas porque es posible extraer los panales para inspeccionarlos, surgió una nueva clase de apicultores-experimentadores, agrupaciones y publicaciones especializadas. La apicultura tomó entonces mucha fuerza, pero se desarrollaron más los aspectos relacionados con la explotación económica que con el estudio puro de la abeja.

Las interpretaciones mecanicistas del comportamiento de estos animales, propias de la era industrial, suscitaron grandes polémicas. Los campesinos hacían poco caso de estos métodos hasta que, mediante la propaganda, los nuevos «expertos» y las organizaciones campesinas les hicieron cambiar de idea. Se modificaron entonces los procedimientos y algunas colonias –las más cargadas de miel– fueron trasladadas a colmenas vacías.

Durante el invierno se las alimentaba con melaza y cerveza; con jarabe de azúcar blanco de caña, con higos secos abiertos, higos chumbos, vino... Pero muchas abejas morían y el método resultaba demasiado caro. Otro método que ha llegado hasta nuestros días consiste en levantar la tapa y cortar los panales con miel hasta la zona de polen, para que ellos mismos se regeneren luego.

Nació así la visión económica de la cría. Las innumerables manipulaciones –entre ellas, el alimentarlas con azúcar en primavera– acarrearon enfermedades que hasta bien avanzado el siglo XIX eran prácticamente inexistentes. Las epidemias casi hicieron desaparecer las razas autóctonas y hubo que importar otras nuevas; la mayoría de las hoy predominantes son razas italianas mansas.

En nuestros días, las enfermedades van en aumento y por ello se recomienda la quema de las colmenas fijistas, pues se dice que son un foco de infección. Al haber sido abandonadas, otras abejas entran en ellas, husmean entre los residuos y se contaminan con la enfermedad. Hoy se colocan antibióticos y sulfamidas en los jarabes primaverales a título preventivo.

Ante estos hechos se plantea la gran pregunta: ¿es posible una apicultura «natural»? Lo es, pero hay que actuar con inteligencia y tener bien claro que si el único motivo que nos mueve a tener abejas es beneficiarnos de la miel, lo más probable es que no tengamos éxito.

La apicultura natural

En el plano práctico, el primer tema a considerar es dónde colocar la colmena. Evidentemente, donde las abejas tengan próximo el polen y el néctar de las flores, dentro de un radio no superior a 1,5 km, y también agua fresca para beber al alcance. Las colmenas deben orientarse al sur-sureste, y conviene que dispongan de un espacio abierto en el frente para una buena aproximación y aterrizaje, manteniendo la entrada bien despejada de hierbas a fin de que el aire (mediante el cual controlan la humedad y la temperatura interior) pueda circular sin interferencias.

El tránsito humano debe interferir lo mínimo con el apícola, para lo cual basta colocar un seto junto al camino más cercano y así las abejas se elevarán para sobrevolarlo. También es posible tenerlas en plena ciudad, aunque, eso sí, siempre en las cercanías de un buen parque o jardín botánico. La colmena debe estar elevada del suelo con piedras o de otra forma que le garantice un ambiente seco y ausente de sabandijas.

Existen distintos tipos de colmenas a los que podemos recurrir.

- *Colmenas rústicas*. En la península Ibérica todavía se sigue empleando este tipo de colmenas debido a su sencillez y bajo coste, sus únicas ventajas apreciables. Según la ecología de cada región, se usan colmenas de corcho, de troncos huecos de árboles, de cestas en forma de campana o cilíndricas, fabricadas con mimbre o lianas de clemátides, con paja de cereal, juncos o esparto trenzados y revestidos de barro. En estos modelos, la forma interior de los panales trata de asemejarse a la de las colmenas silvestres: van desde el techo hasta casi tocar el fondo y están soldados a las paredes. Pero cuando se cortan los que llevan más cantidad de miel para recogerla, se arranca con ellos parte importante de cría (huevos, larvas y celdas operculadas o capullos) de manera que la colonia queda gravemente dañada y pasa por apuros para recuperarse de semejante desastre. Por este motivo, muchas de estas colmenas mueren en invierno o, al quedar tan debilitadas, son atacadas por diferentes tipos de parásitos. Es conveniente tener en cuenta que para fabricar 1 kg de cera, las abejas necesitan de 6 a 7 kg de miel. Otra desventaja es no poder controlar los panales de cría y, con ello, el estado sanitario y la evolución de la colmena. Además, las abejas son propensas a enjambrar (emigrar una parte del enjambre, con su reina) por falta de espacio. A fin de corregir estos inconvenientes, en 1789 François Huber inventó los cuadros de madera, adaptables a una colmena de cajón, que hasta la actualidad se han empleado en numerosas variantes.

- *Colmena Layens.* Se trata de la colmena más usada por los profesionales de la trashumancia de todo el país, debido a su ligereza, robustez, fácil manejo y bajo coste. Este tipo de colmenas suele fabricarse con capacidad para 10 o 14 cuadros, más altos que anchos (de 33 × 40 cm), lo que les confiere un gran volumen interior. Precisamente por ello, la colonia de abejas, debido a sus necesidades de temperatura, no empieza a realizar una buena puesta de huevos hasta que los días empiezan a calentar y queda de esta manera retrasada para el pecoreo (recolección del néctar floral) de las primeras floraciones. También son inconvenientes para obtener mieles monoflorales o hacer una limpieza interior de la colmena, debido a que están construidas de una pieza. Ahora bien, la mayor desventaja de este tipo de colmenas es tener que mirar los cuadros uno por uno a la hora de extraer la miel para separar los que tienen más néctar y menos cría. Siempre van a parar al extractor cuadros con huevos o larvas, que salen despedidos junto con la miel, lo que afecta mucho a la colonia. En suma, se trata de un tipo de colmena cuyo bajo rendimiento ha quedado demostrado cuando se lo compara con los tipos de «alzas», que consideramos a continuación.
- *Colmena de alzas.* En nuestro país, este tipo de colmena se emplea solamente en apiarios inmóviles, pero es muy posible que en un futuro cercano se utilice en la trashumancia, como ocurre actualmente en otros países. Constan de una base con 4 patas que forma el posadero de entrada de las abejas, y sobre estas llevan la piquera y el cuerpo o cajón, donde van colocados los cuadros de cera que servirán de cámara de cría para la colonia. Encima del cuerpo –también fijo por gravedad– va el alza, que será el futuro almacén de miel. Después, viene una tapa y sobre esta se encuentra el techo impermeable. Entre el cuerpo y el alza se puede colocar el excluidor de reinas, que es una

tapa hecha de una rejilla calibrada para que puedan subir al alza las abejas pero no la reina a poner huevos, quedando así el alza reservada para la miel. Debido a que el excluidor frena mucho a las abejas en su trabajo, solo se pone cuando se prevé extraer la miel, con la antelación necesaria para que nazcan las crías que pudiera tener y quede libre de estas en el momento de la recogida de alzas. También se puede colocar, de la misma forma que el excluidor de reinas, un escape de abejas: un tablero con un embudo de redecilla metálica que permite a las abejas ir del alza al cuerpo, pero no subir. Colocándolo un día antes de la recogida de alzas, estas se verán libres de abejas y con ello se ahorra el cepillado de todos los cuadros.

Los modelos de colmena con alzas que más se utilizan y encuentran en el mercado son el Langstroth y el Dadant, que cuentan con un cuerpo con 10 cuadros y un alza con 9. Esto proporciona entre cuadro y cuadro del alza una mayor separación que entre los del cuerpo; al parecer, tal separación es ideal para el almacenamiento de la miel. El inconveniente de la colmena Langstroth es que, al tener el cuerpo de cría pequeño, las reservas de miel en torno a él pueden resultar insuficientes si las colmenas se emplazan sin alza en una zona con inviernos largos y fríos. También puede quedarse pequeño en plena época de cría, por lo que la reina subirá al alza a poner huevos y, en su momento, será necesario colocar el excluidor de reinas, que no deja de constituir un freno. La colmena Langstroth es ideal para zonas con inviernos cortos y floraciones tempranas, pues dispone para la cría antes que los otros modelos, además de ser de más sencillo manejo para los que se quieren iniciar en apicultura.

El diseño del modelo de colmena Dadant-Blatt buscó corregir el pequeño cuerpo de la Langstroth. Con este cambio, la colonia tiene un espacio suficiente en el cuerpo para desarrollar el núcleo de cría sin que la reina se vea impulsada a subir el alza y tengamos que colocar el excluidor de reinas. Asimismo, el almacenamiento de miel en el cuerpo será más grande, por lo que el «racimo» o «pifia» de abejas podrá aguantar invernadas de larga duración. Uno de los inconvenientes de este modelo es no permitir el intercambio de cuadros entre el alza y el cuerpo. No obstante, la colmena Dadant-Blatt da menos trabajo y es la más apropiada para lugares con inviernos largos y floraciones muy abundantes y prolongadas durante todo el verano.

También es ideal para la apicultura biológica ya que al tener suficientes reservas de comida en el cuerpo, no es necesario alimentarla en invierno.

Hacerse con un enjambre no es complicado. Algún apicultor amigo que haya separado dos enjambres en una colmena nos lo puede facilitar gratuitamente. También existen apicultores que se dedican especialmente a la cría de reinas, y los pueden vender en cajas o pequeñas colmenas.

Otra posibilidad consiste en capturar un enjambre que haya abandonado la colmena y se encuentre colgando de un árbol. Estos enjambres suelen pesar 1,5 kg y se encuentran en los alrededores de las colmenas próximas a los campos en flor o en los lugares de paso a estos. Estas abejas no pican, pues tienen el buche lleno a rebosar. Basta pulverizarles agua para que se aglomeren y caigan dentro de un bidón de detergente colocado debajo y percutido con la mano. Se mantendrá la percusión un rato hasta que estén dentro todas sin faltar la reina; se colocarán entonces en un sitio fresco para que se tranquilicen y se las dejará pasar así una noche.

Ahora bien, si hemos recogido el enjambre cuando llevaba 6 o 7 horas en el árbol, es muy probable que las abejas exploradoras ya hayan salido en busca de aposento y, cuando vuelvan después de haber marcado el lugar elegido, el enjambre se marche con la última de ellas que regrese.

El enjambre capturado se vierte sobre los cuadros de la colmena, algunos de los cuales tendrán la cera ya colocada para incitarlo a quedarse. Estas láminas de cera virgen, es decir, procedente de los opérculos (o tapaderas) de las celdillas en que ocurre la maduración de la miel, tienen la forma del fondo del panal futuro y se fijan al cuadro al derretirse ligeramente sobre los alambres que cruzan y recruzan el panal. Los alambres se calientan como una resistencia eléctrica al ser conectados a la batería de un automóvil durante unos momentos. Conviene también derretir cera sobre los bordes del cuadro.

El año apícola comienza en otoño, con la preparación de la colonia para pasar el invierno y desarrollar la actividad primaveral. Sea cual sea la temperatura exterior, el enjambre, mucho más unido que en otras épocas del año, mantiene su temperatura constante y no hiberna. Hay que prepararles el abrigo: estrechar la piquera o cerrar los respiraderos (en las colmenas tipo Layens) con papel higiénico, nunca con plásticos pues el polen se enmohece; reducir el espacio interior con tableros separadores, protegerla con cañizos, trasladarla, etc.

El calendario apícola depende de la altitud, latitud, proximidad a la costa, clima del año... y nuestras buenas acciones. En general, cabe esperar una cosecha de miel con las flores de primavera y otra con las del otoño. Trasladándolas de lugar, yendo en pos de las floraciones que progresivamente van alcanzando los lugares más fríos, es posible conseguir 5 cosechas al año.

Hacia abril hay que renovar las reinas y partir las colmenas (enjambrarlas) si es el caso, lo cual también se realiza en mayo y junio. Las sucesivas crías van acumulando cera en las celdillas, y los panales también acaban rompiéndose. Es necesario renovarlos cada 2 años, lo que se hace de febrero en adelante.

PRODUCCIÓN DE MIEL

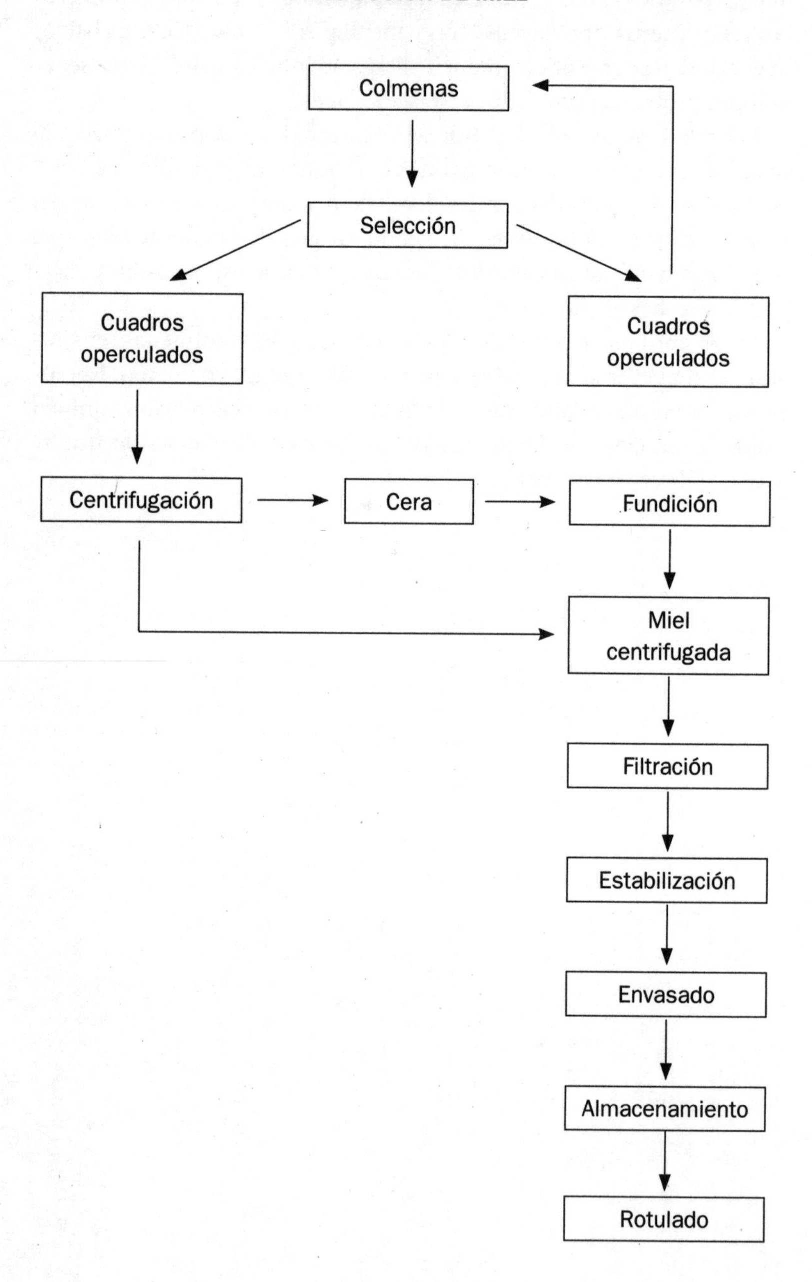

17
Composición de la miel

Composición bioquímica

Durante mucho tiempo, los médicos de orientación naturista han estado convencidos del gran valor terapéutico de la miel que, si bien no ha podido ser demostrado científicamente hasta los últimos decenios del siglo XX, existía en los conocimientos prácticos, transmitidos y enriquecidos a lo largo de la historia.

Las extraordinarias propiedades nutritivas y curativas de la miel pueden comprenderse mejor a partir del conocimiento de su composición bioquímica, que se trata a continuación.

Monosacáridos

Constituyen del 60 al 80 % de la miel, y sus principales componentes son la glucosa y la fructosa a partes iguales.

Existen también en su composición pequeños restos de maltosa, melibiosa, etc., de los que por el momento se desconoce si poseen propiedades medicinales.

Exceptuando mínimas cantidades de sacarosa, el resto de los azúcares que contiene la miel son monosacáridos, por lo que su absorción por el tubo digestivo es demasiado rápida, con lo que se evitan procesos fermentativos en el mismo (al igual que la fructosa). En la miel constituyen el suministrador fisiológico de energía de nuestro organismo.

En cuanto a la fructosa, en estudios experimentales y clínicos se ha mostrado como un monosacárido especialmente activo en cuanto al hígado, estimulando su metabolismo y favoreciendo los procesos de desintoxicación que tienen lugar en este órgano. El hígado, como es bien sabido, es el principal órgano del cuerpo humano encargado de desactivar la mayor parte de las sustancias tóxicas presentes en el organismo.

Por lo tanto, si esta función se estimula o se hace más activa, como ocurre al suministrar fructosa (miel), se favorecen los procesos curativos (desintoxicantes) de la enfermedad. Asimismo, en casos de existencia de un hígado enfermizo cargado de grasa, esta es desalmacenada en parte y transformada en glucógeno por acción de la fructosa. Curiosamente, la fructosa pura posee un desagradable sabor dulzón, mientras que por todos es apreciado el excelente sabor de la miel.

Por otra parte, si ingerimos grandes cantidades de fructosa pura, aparecen trastornos de tipo cólico en la parte media y superior del vientre. Este es un tipo de trastorno que no se observa al tomar miel habitualmente.

Agua

El agua constituye entre un 15 y un 20 % de la miel: es la principal responsable de su consistencia. Es preferible que la cantidad de agua en la miel sea la mínima natural posible.

Minerales

Estos se hallan en las siguientes combinaciones: KO, PO, NaO, CaO, MgO, SiO2, SO, SI, Fe y Cu, en una proporción global de un 0,15 a un 0,5 % en la miel. Entre todos estos componentes hay que destacar que un 70 % de los mismos está formado por potasio (K), especialmente en la oscura miel de bosque. Asimismo, existe fósforo en forma de ácido fosfórico (20 %), siendo este también un importante factor biológico.

También están presentes otros importantes oligoelementos, además de los ya citados. El potasio y el fósforo, que se hallan en elevada proporción en la miel, tienen un papel muy destacado en el metabolismo de los hidratos de carbono.

Sustancias nitrogenadas

Entre ellas cabe destacar determinadas proteínas y aminoácidos (se han encontrado en la miel hasta 17 aminoácidos diferentes) encontrándose en la proporción de 0,4 a un 1,4 %. Dejando aparte las aminas biógenas, la acción del resto de las sustancias nitrogenadas presentes en la miel es por el momento desconocida.

Debido a su escasa cuantía, se supone que los aminoácidos y proteínas presentes no determinan ninguna acción en particular. No así en cuanto a los péptidos, que, según los nuevos conocimientos fisiológicos y farmacológicos, podrían ser los responsables de algunas de las hasta ahora poco aclaradas propiedades medicinales de la miel.

Ácidos orgánicos

Los ácidos fórmico, cítrico, láctico, acético, succínico, málico y tartárico se hallan presentes en la miel en la proporción de un 0,3 a un 0,9 % y son los responsables de la acidez de la misma, con un pH entre 3,6 y 4,2. Esta acidez es importante ya que gracias a ella se impide que la acetilcolina y otros colinésteres presentes en la miel se inactiven (saponifiquen).

Aminas biógenas

La acción colinérgica de la miel fue establecida en 1948 gracias a los análisis y estudios experimentales desarrollados por Baumgarten y Koch, y confirmada años más tarde por Goldschmidt y otros investigadores.

Al mismo tiempo fue constatada la presencia de la acetilcolina, responsable de la mencionada acción colinérgica (también denominada parasimpaticomimética o vagotónica).

Esta es la responsable de que, tras la administración de miel, aumente la cantidad y calidad del jugo gástrico segregado por el estómago, así como por sus movimientos peristálticos, con lo que se explicaría, por otra parte, la acción laxante que posee la miel. Se ha demostrado también la presencia de colina en la miel, la cual constituye un importante factor lipotrópico y por lo tanto actúa beneficiosamente sobre el hígado enfermo o cargado de grasa.

Enzimas

La presencia de enzimas tales como las diastasas, invertasas, maltasas, hidrogenasas, etc., ha sido confirmada en la miel. El número y la cantidad de los mismos varía mucho según el origen de la miel, su tratamiento (calentamiento), conservación, transporte y vejez.

Desde el punto de vista medicinal, los fermentos más importantes son las distasas y las invertasas, las cuales favorecen o aumentan la digestión de los alimentos, sobre todo en aquellos pacientes con trastornos digestivos debidos a una falta de fermentos o de secreción de jugo gástrico (hipo o aclorhidria).

Vitaminas y hormonas

La miel contiene ácido ascórbico y otras sustancias con acción vitamínica C, así como vitaminas A y B. También se ha descrito cierta acción estrogénica, pero tanto esta como la presencia de vitaminas es tan escasa (numerosos alimentos son mucho más ricos en vitaminas que la miel) que puede considerárselas de importancia insignificante. El valor y propiedades medicinales de la miel hay que buscarlos en el resto de los factores citados.

Inhibinas

Se trata de sustancias que han podido ser incluso aisladas de la miel de las que se ha demostrado experimentalmente que poseen una acción antibiótica (impiden el crecimiento y desarrollo de bacterias). En uso externo, la miel es un buen cicatrizante. Las inhibinas, los monosacáridos y el factor colinérgico (acetilcolina) son los responsables de la acción curativa de la miel sobre las heridas.

Los monosacáridos y las inhibinas actuarían e impedirían el desarrollo bacteriano, mientras que la acetilcolina favorecería el riego sanguíneo y los procesos curativos de los tejidos dañados.

Por otra parte, es sabido en medicina que una de las funciones del jugo gástrico es impedir el desarrollo y el paso de bacterias nocivas por el tubo digestivo. Cuando este falta o es segregado en cantidades insuficientes aparece entonces el peligro de que, aparte de no digerir suficientemente los alimentos (dispepsia gástrica), se desarrollen bacterias nocivas en el tubo digestivo.

Contra esto actúa muy favorablemente la miel, ya que, por una parte, produce un aumento en la secreción de jugo gástrico y, por otra, mediante la acción de las inhibinas impide el desarrollo bacteriano. Las inhibinas son sustancias muy termo y fotolábiles, es decir, que se destruyen y desaparecen rápidamente por la acción del calor (40 °C) y de la luz, condiciones que es necesario tener en cuenta en el momento de obtener y conservar la miel.

FAVORECIMIENTO DE LA UTILIZACIÓN DE LOS MONOSACÁRIDOS

En estudios experimentales realizados con perros, ratas y ranas, Baumgarten, Koch y Kramer han demostrado que suministrando miel (una vez desprovista de sus macromoléculas) por vía endovenosa a estos animales, aumentaba el aprovechamiento de los azúcares (monosacáridos) por parte de su organismo, lo que se llamó acción insulínica, porque al igual que esta (que suele faltar en determinados tipos de diabéticos) favorece el paso y utilización de la glucosa al interior de las células del organismo.

Esta acción vigorizante, sobre todo para el corazón y los músculos del cuerpo, es particularmente notable cuando estos se hallan debilitados. Estudiada igualmente en laboratorio, dicha acción no apareció en cambio cuando en los mismos estudios experimentales se empleó azúcar en lugar de miel.

Estos resultados dejaron perfectamente claro que la miel es mucho más que azúcar o que un alimento dulce.

COMPOSICIÓN DE LA MIEL (en gramos por 100 gramos)			
Principios inmediatos			
Agua	18,7	Hidratos de carbono	
Proteínas	0,7	Fructosa	40,4
Grasas	–	Glucosa	34,9
		Dextrina	3,4
		Sacarosa	1,7
Minerales			
Potasio	0,010	Azufre	0,003
Sodio	0,005	Cloro	0,024
Calcio	0,006	Manganeso	0,0002
Magnesio	0,006	Yodo	0,00001
Hierro	0,0009	Cobre	0,00007
Fósforo	0,016		
Vitaminas			
Vitamina C	0,004	Vitamina B_6	0,00020
Vitamina B	10,00001	Vitamina PP	0,00020
Vitamina B_2	0,00004	Ácido pantoténico	0,00060
pH = 5,2			

Tipos de miel

Las abejas liban el néctar de las flores y lo convierten en miel depositándola en panales naturales o construidos por el hombre. Se estima que, para obtener 1 kg de miel, las abejas visitan, por ejemplo, unos seis millones de flores de trébol o un millón y medio de flores de acacia.

En la transformación del néctar de las flores a miel influyen una serie de circunstancias: la miel será diferente según el número de flores para libar de que dispongan las abejas. Si las flores son escasas, el proceso estará más enriquecido de sustancias segregadas por las abejas: son las que poseen más poder medicinal. Si disponen de muchas flores, el proceso de transformación se realiza más rápidamente y, por tanto, las abejas habrán tenido menos tiempo para segregar sustancias activas: se obtendrá más miel, pero de menor calidad medicinal.

Existen muchísimos tipos de mieles, tantos como flores libadas. Llega a decirse que «no hay dos mieles iguales»: es la industria quien las uniformiza. La miel puede provenir mayoritariamente de una sola clase –tiene que contener un mínimo del 51 % del néctar de una flor particular para que pueda considerarse de este modo– o bien de varias especies de flores. En este último caso, se designan según el lugar de recolección: mieles de prado, de bosque, de huerta, de montaña... También se clasifican según las regiones: miel de la Alcarria, miel de El Burgo (Soria)... Y una tercera clasificación es según el modo de preparación: miel de panal (que se comercializa con su envoltura de origen y perfectamente pura) o miel de extracción (obtenida mediante extracción centrífuga).

La amplia variedad de aspectos, que van desde el líquido al sólido y del color blanco o amarillo hasta el color verde oscuro, depende también de la planta de origen, la composición de azúcares, el grado hagiométrico y la temperatura de la atmósfera ambiente.

Las mieles oscuras suelen ser más ricas en cenizas (sobre todo de manganeso, hierro y cobre), en coloides, en acidez total, en azúcares superiores y en maltosa; y más pobres en sacarosa, glucosa y levulosa. Como apenas contienen dextrinas, no suelen cristalizar mucho. A continuación, consideramos algunos de los principales tipos de mieles comercializadas en nuestro país.

Miel de alforfón
Es una miel de color rojizo muy oscuro y de sabor fuerte. Se presenta espesa pero se vuelve más líquida cuando se la agita. Es de uso frecuente en repostería y muy rica en minerales. Como casi todos los tipos de miel, es beneficiosa en casos de anemia, convalecencia y problemas circulatorios.

Miel de algarrobo
Es una miel de color dorado y consistencia líquida. Produce un efecto relajante del sistema nervioso y es un gran energizante del organismo.

Miel de azahar
Es la conocida miel de tonalidad amarillenta, cuyo aroma recuerda el perfume de los naranjos. Posee un sabor muy fino. Al igual que la planta, tiene un efecto sedante, por lo que es especialmente adecuada para personas nerviosas o que sufren períodos de insomnio, ansiedad y estrés.

Miel de brezo
Es una miel oscura y de sabor fuerte. En la actualidad, es una de las mieles más apreciadas de la región septentrional de la península Ibérica. Posee propiedades desinfectantes, diuréticas y antirreumáticas. Está especialmente indicada como desinfectante de las vías urinarias, por lo que es muy aconsejable en caso de cistitis. Además, contribuye a la resolución de los cálculos urinarios y tiene excelentes efectos sobre la próstata.

Miel de castaño
La miel de castaño es muy espesa, de color ámbar oscuro y de sabor muy fuerte. Es muy nutritiva y apreciada por su contenido en hierro. Estimula la circulación de la sangre y actúa contra la disentería.

Miel de encina
Se trata de una miel recia de sabor fuerte. Es una de las mejores mieles para estimular la cicatrización de las heridas. Es un tipo de miel que se produce bastante en la región de Extremadura.

Miel de espliego
Esta variedad de miel se presenta con un color ligeramente ambarino,

posee una consistencia bastante fluida, y es muy pura. Es rica en hierro y está indicada como complemento en el tratamiento de las enfermedades de los bronquios o del sistema respiratorio. Actúa como calmante de la tos y de las molestias en la garganta.

Miel de eucalipto

Este tipo de miel es de color pardo oscuro, posee un sabor muy fuerte y un aroma refrescante. Proviene normalmente del norte de África y de las regiones tropicales. Como la planta de la que procede, posee propiedades pectorales y es beneficiosa para el sistema respiratorio. Es desinfectante de las vías urinarias y favorece la expulsión de cálculos renales.

Miel de majuelo

De consistencia y apariencia medias, la miel de majuelo actúa como calmante y tónico del corazón. Es antiespasmódica, disminuye la excitabilidad del sistema nervioso y los fenómenos debidos a nerviosismo cardiaco. Además, es buena para los arterioscleróticos, dispépticos y trastornos de la menopausia.

Miel de pino

Esta variedad de miel suele ser muy oscura. Es particularmente recomendable en los casos de bronquitis y de tuberculosis pulmonar. Ejerce una acción general positiva sobre el sistema respiratorio.

Miel de romero

La mejor suele ser la más blanca. Se trata de una miel de consistencia sólida y está entre las más apreciadas por los consumidores. Su aroma es dulce aunque bastante neutro. Al igual que el romero, se recomienda a personas que padezcan del hígado: está indicada en las ascitis con inflamación hepática, así como en la cirrosis, ictericia, infartos, etc. Es emenagoga (es decir, favorece la menstruación), antiespasmódica y estimulante. También tiene un efecto calmante sobre la tos. Además, la miel de romero se puede utilizar como tonificante general y en casos de desmayo por bajada de la presión arterial. Se la utiliza contra el asma y la tos ferina. Es un tónico poderoso para los convalecientes y un restaurador estomacal.

Miel de salvia

Este tipo de miel es de color ámbar claro. Permanece mucho tiempo líquida tras la recolección. Se la emplea como tónico y estimulante; es eficaz en caso de amenorrea (ausencia de menstruación).

Miel de tilo

Esta miel puede presentarse en una gama de colores que van del verde al negro, y posee un perfume y sabor muy típicos. No granula. Es diurética y estimulante del proceso digestivo. Es calmante y eficaz contra la dismenorrea. Además, actúa como calmante en casos de jaquecas, espasmos y dolores gástricos. Es inductora del sueño. Fluidifica la sangre de los arterioscleróticos y previene la estasis y la plétora que son frecuentes en ellos.

Miel de tomillo

Esta variedad de miel es de color amarillo oscuro y posee un sabor fuerte pero muy agradable. A las propiedades antisépticas de la miel se añaden las del tomillo. Estimula las funciones digestivas y ayuda a combatir el agotamiento físico y mental. Contribuye a regular la menstruación. Ejerce una acción bienhechora sobre los bronquios y es recomendable en los casos de bronquitis y resfriados.

Miel de zarza

Es una variedad de miel que presenta un color verde oscuro, y cristaliza con gruesos cristales blancos, de sabor dulce. Es excelente para el tratamiento de las afecciones de garganta.

Características físicas de la miel

Dado que la miel es un producto resultante de la transformación de los néctares presentes en las flores de las más diversas especies, no puede dejar de presentar características físicas, composición y propiedades nutritivas o terapéuticas que varían según proceda de una u otra región.

El consumidor, ignorando las causas de estas divergencias, muchas veces rechaza mieles de gran pureza y alto valor nutritivo debido a que su aspecto desagrada a la vista, prefiriendo mieles sospechosas o incluso adulteradas, pero de buena apariencia, por lo que les atribuye un origen que, en realidad, es posible que no tengan.

Este tipo de prejuicios deben ser abandonados tanto por los consumidores como por los productores.

Cuando la miel se extrae del panal es una solución acuosa concentrada, más o menos fluida, pero este estado líquido es transitorio. Pasado un período de mayor o menor duración, la miel suele transformarse en una masa pastosa, granulada y opaca.

Este fenómeno natural ocurre cuando la glucosa, uno de los tres principales azúcares de la miel, precipita espontáneamente la solución supersaturada (mucho azúcar –más del 70 %–en poca agua –a menudo, menos del 20 %). La glucosa pierde el agua (convirtiéndose en monohidrato de glucosa) y toma la forma de cristal, es decir, de cuerpo sólido con una estructura ordenada.

Los cristales forman un entramado que inmoviliza otros componentes de la miel que adquiere una textura semisólida. El agua que formaba parte de la glucosa puede acumularse en la superficie del recipiente, donde puede favorecer la fermentación.

La miel cristalizada, ya sea de manera uniforme o bien formando copos irregulares, es tan buena o mejor que la miel líquida. De hecho, la cristalización, muy al contrario de lo que se piensa, es una garantía de pureza para el comprador que no tiene cuando adquiere miel líquida.

Cuando a los productores se les exige exclusivamente miel líquida, se les está obligando a adulterar involuntariamente el producto. La miel puede conservarse líquida calentándola al baño María, pero las elevadas temperaturas alteran los azúcares y destruyen los fermentos y las vitaminas existentes en la miel y, en consecuencia, la privan de las propiedades que el consumidor espera hallar en ella.

Por esta razón, conviene elegir miel granulada y, una vez en casa, si se prefiere líquida, se calienta ligeramente al baño María (nunca directamente) en las cantidades necesarias cada vez, procurando que la temperatura no sobrepase los 50 °C.

No obstante, la cristalización puede ser provocada por el fabricante para crear un producto atractivo como es la miel cremosa o miel espesa, que de hecho es la miel más consumida en el mundo. Se nota que esta cristalización ha sido inducida porque el resultado es mucho más uniforme y estético que la cristalización natural.

Existen muchos factores que influyen sobre el fenómeno de la cristalización. Algunos tipos de miel no cristalizan nunca. Otras lo hacen unos pocos días o semanas después de la extracción. La tendencia a cristalizar depende de la proporción de glucosa y del nivel de humedad.

El resto de azúcares, minerales, ácidos, proteínas y demás componentes de la miel también pueden tener alguna influencia en el proceso. Incluso la presencia de partículas de polvo, polen, cera, própolis o de partículas de aire puede precipitar la cristalización. Todo depende del tipo de miel y de las manipulaciones que realicen los apicultores y procesadores. La temperatura y la humedad en el lugar del almacenamiento, e incluso el tipo de recipiente, tienen también efecto sobre la cristalización.

Coloración

Las diversas clases de miel pueden presentar tonalidades que van desde las casi incoloras al castaño oscuro, pero el color predominante es el castaño claro o ambarino.

El color oscuro no significa que la miel sea de calidad inferior. Por el contrario, se sabe que cuanto más oscura es la miel más rica es en fosfato de calcio y en hierro, y, en consecuencia, más indicada para satisfacer las necesidades de los organismos en crecimiento, de los individuos anémicos y de los intelectuales sometidos a esfuerzos mentales.

La miel de color claro es más abundante en vitamina A.

Las mieles oscuras son más ricas en vitamina B1 y C. Estas mieles, de color ambarino o castaño claro, pueden reservarse como alimento o golosina para personas adultas que disfrutan de buena salud. Las mieles oscuras, más que las restantes, poseen una capacidad reconstituyente, siendo las preferidas para los niños y los deportistas, por sus efectos tónicos sobre los músculos.

La industria productora de miel utiliza la escala Pfund para medir el color de la miel. Para obtener la valoración, un técnico compara el color que ofrece la muestra de miel contenida en una cajita de vidrio de un grosor determinado con celda de vidrio, de grosor fijado, con un juego de cristales coloreados con diferentes tonos estandarizados de ámbar. Existen otros métodos de medición del color más recientes como el CIE-1976.

La exposición al calor o el tiempo de almacenamiento pueden afectar al color de la miel. Si se granula aparece más clara, y si se almacena a temperaturas ambientales demasiado altas, puede oscurecerse.

Hay una relación entre el color y el sabor. Las más claras son más suaves, y las oscuras, más robustas, aunque existen algunas excepciones. Por ejemplo, la de tilo americano es de color claro pero tiene un fuerte aroma, y la miel de tulipanero es oscura pero de sabor suave.

Las mieles oscuras pueden utilizarse para enriquecer y dar un color más atractivo a panes, salsas, bebidas frutales, postres helados o recetas de repostería.

Sabor

El sabor de las mieles de color claro es más suave que el de las mieles oscuras. Con independencia de su color, la miel puede ser más o menos dulce; a veces, picante; y, en ocasiones, extremadamente amarga, hasta el extremo de resultar imposible su ingestión.

El poder edulcorante de la miel se estima aproximadamente en la mitad del que tiene el azúcar de caña, peso por peso.

Conservación de la miel

La miel es un producto que absorbe mucho la humedad, dato que no conviene olvidar a fin de conservarla en un lugar seco y fresco. De lo contrario, puede sufrir una fermentación alcohólica que la inutilizaría como alimento.

El calor y sobre todo las operaciones de purificación y esterilización de la miel destruyen sus diastasas, o fermentos, siendo por tanto operaciones condenables, al contrario de lo que se cree.

La miel debe guardarse en tarros que no dejen pasar la luz, ya que esta destruye las vitaminas. Esto deberá tenerse en cuenta al comprarla en el comercio: debemos desechar aquellas mieles que vayan en frascos de vidrio claro y traslúcido, y especialmente las que hayan estado expuestas largo tiempo en los escaparates o estantes del establecimiento.

Cómo reconocer una miel de calidad

Las abejas recogen el néctar y las secreciones azucaradas de las flores de diversas plantas y las hacen pasar varias veces por su estómago. Durante este proceso se incorporan una serie de enzimas que facilitan la digestibilidad de los azúcares, entre otros efectos.

La temperatura ambiental en el interior de la colmena permanece estable, alrededor de los 35 °C, con independencia de las condiciones meteorológicas en el exterior. Esta temperatura estable permite que la solución concentrada de azúcares se mantenga en estado líquido, ya que si ella descendiera, la solución se sobresaturaría y tendría lugar la cristalización.

La cristalización es el estado natural de la miel a una temperatura inferior a los 25 °C, salvo excepciones, como los casos de la miel de acacia y de encina. La miel cristalizada puede licuarse de nuevo aumentando su temperatura hasta la que tenía en su origen. Para licuar la miel sin que se produzca un deterioro de sus propiedades, es necesario calentarla lentamente con poco calor.

Durante su primera cristalización, las moléculas de la miel establecen unos enlaces fuertes que hacen difícil su manipulación para el envasado y el consumo. Esta primera cristalización tiene lugar de manera espontánea en el almacén del apicultor a los pocos días o semanas, según el tipo de miel y la época del año durante la cual ha sido recolectada.

Para su manipulación y envasado es imprescindible romper esta estructura, sea batiéndola en frío o calentándola a una temperatura baja para facilitar la disgregación de los cristales, sin que estos lleguen a fundirse. La temperatura y el tiempo de calentamiento pueden incrementarse hasta conseguir su fusión y el aspecto transparente de la miel líquida.

Cualquiera que sea el procedimiento por el cual se consiga, este aspecto de la miel se puede mantener más o menos tiempo en función de su origen, de las condiciones de almacenaje, del tipo e intensidad de la luz, de la temperatura ambiental, de la agresividad del tratamiento térmico recibido y de la adición de sustancias.

La miel industrial común que habitualmente se encuentra a la venta en los comercios y presenta este aspecto ha sido sometida a un proceso de pasteurización similar al empleado en el tratamiento de la leche, a temperaturas próximas a los 80 °C. Pero al elevar la temperatura se destruyen la mayoría de enzimas, vitaminas, aromas y demás elementos que la miel contiene por su condición de producto vivo, y los azúcares se transforman y dan una sensación muy empalagosa.

En el proceso de extracción de la miel, efectuado normalmente mediante el centrifugado de los cuadros o celdillas que la contienen, se produce la aparición de pequeñas burbujas de aire que durante la decantación suben hasta formar una capa de espuma superficial. No obstante, según la temperatura ambiental y el grado de viscosidad de la miel, una parte de esas burbujas de aire no llega a la superficie, quedando atrapadas en la masa y formando agrupaciones longitudinales de espuma que reciben el nombre de *marmolizaciones*.

Una miel cristalizada que en el vidrio del envase presente marmolizaciones irregulares indica que ha sido manipulada sin llegar a fundir los cristales de su solidificación primaria y, por tanto, sin dejar que estas microburbujas se eleven hasta alcanzar la superficie. Por el contrario, una miel líquida con espuma visible en la superficie delata una elevación de temperatura suficiente para liberar estas burbujas, una desidia del envasador por no eliminar la espuma resultante.

Otro detalle que indica una manipulación deficiente es la precipitación de cristales sólidos en el fondo de una miel líquida, que se presentan en forma de ramificaciones. Ello se debe a la mezcla de diferentes tipos de miel, una pasteurización insuficiente, o bien un tiempo de almacenaje excesivamente prolongado.

En ocasiones puede producirse la separación de fases o estratos bien definidos, resultado de que la densidad de la miel no es lo bastante alta como para mantener en suspensión los diferentes azúcares que la componen. Su origen puede encontrarse en que la miel es verde, es decir, que no estaba terminada en el momento de la recolección, y que tiene una proporción de agua superior a la aconsejable.

Cuando nos encontremos con la eufemística denominación de miel de diversos países, debemos entender por ella que se trata de miel de importación. Las grandes empresas que elaboran o comercializan la miel encuentran más cómodo y rentable adquirir en el mercado internacional grandes partidas de una calidad más o menos homogénea, que recoger bidones de miel de los apicultores autóctonos y negociar individualmente las condiciones de cada compra.

A finales de la década de los setenta, como consecuencia de una exitosa campaña publicitaria que disparó el consumo de este producto, el Estado español pasó de exportador de miel a consumidor deficitario. En términos comerciales, este cambio en la tendencia del consumo no se tradujo en un incremento de los precios para los apicultores. Por el contrario, las grandes empresas de comercialización comenzaron a adquirir partidas en el extranjero y regatearon los precios a los apicultores autóctonos, reduciéndolos a la mitad.

Los apicultores españoles intentaron almacenar su cosecha en espera de mejores precios, pero solo consiguieron que las grandes empresas ampliaran el volumen de sus compras en el exterior, y terminaron endeudándose. Finalmente, el paso del tiempo los obligó a vender al precio fijado y en las condiciones impuestas por esas empresas. Por las razones antes apuntadas, el consumidor habitual de miel debe tener en cuenta algunos aspectos a la hora de adquirir este producto.

Análisis

Otro aspecto que se debe tener en cuenta al valorar la calidad de la miel es su origen floral. En la mayoría de las ocasiones, nos tenemos que fiar de lo que dice el comercializador al respecto. ¿Pero cómo se puede saber dónde libaron realmente las abejas? Es un asunto importante si se quiere informar bien al consumidor que muestra una preferencia por un determinado tipo de miel. Los investigadores han desarrollado varios métodos para determinar el origen y la proporción de los pólenes presentes en una miel. Estos métodos producen lo que se ha llamado «coeficiente de polen».

También se mide la capacidad de conducir la electricidad porque indica si el contenido en minerales es más o menos alto, así como la presencia o la ausencia de determinadas enzimas que aumentan o disminuyen bajo los influjos de calor y luz. Por tanto, son óptimas como indicadores de calentamiento excesivo y de almacenamiento.

Así, por ejemplo, un estudio de mieles realizado hace varios años en España demostró que la enzima glucosidasa había desaparecido en las mieles del tipo industria-milflores, de marcas reconocidas, debido al proceso de pasteurización al que era sometido el producto (calentarla hasta una temperatura de 78 °C durante un minuto y medio), con el fin de estandarizar la producción y manejar grandes cantidades. Por el contrario, las mieles artesanas-monoflorales de castaño, romero de bosque o brezo contenían la enzima por no haber sido sometidas a calentamiento alguno.

La diastasa (también llamada amilasa) es otra enzima de gran importancia para determinar el envejecimiento del producto o, lo que es lo mismo, la frescura de la miel. Esta enzima se degrada fácilmente con el calor y con el paso del tiempo, por lo que puede llegar a desaparecer la mitad de su contenido en 17 meses a temperatura ambiente. Siguiendo criterios científicos, la ley española ha establecido como mínimo el 8 en la escala de Gothe de la actividad diastásica. Las mieles con bajo contenido enzimático tendrán como mínimo el 3 en la misma escala, siempre que no presenten un valor de hidroximetilfurfural (que aparece por efecto del calor) superior a 15 mg/kg. Cuanto más bajo es este valor, mejor.

Debido a que la miel está formada por un 70 % de azúcares como mínimo, no necesita de conservantes artificiales. Es por ello que la norma de calidad establece una prohibición absoluta para hacerlo. Los aditivos alimentarios tampoco son admitidos en este tipo de producto.

Como todo esto no está en las etiquetas de las mieles que se encuentran a la venta, el consumidor no lo tiene fácil para encontrar el producto de mejor calidad. Sería bueno que la Unión Europea dedicara más atención a los criterios cualitativos y creara algún tipo de sello para la miel más valiosa. De momento, nos encontramos en las etiquetas con una serie de loanzas como «seleccionado», «centrifugado en frío», «natural», «auténtico panal», «finísima», «la mejor». Son palabras que no dicen mucho y que no han sido contrastadas por organismos independientes.

El único dato que puede decir algo sobre la miel y que ayuda a quien quiera aprovecharse de todas las valiosas propiedades enzimáticas es la calificación de «rica en fermentos». Las mieles alemanas, por ejemplo, deben cumplir con un mínimo en este sentido para gozar del sello de la asociación de apicultores. También hay mieles españolas que cumplen o incluso sobrepasan los criterios de calidad de los apicultores alemanes y, por tanto, son muy recomendables.

Seguridad de la miel

Los principales peligros asociados a la miel son de tipo microbiológico. No obstante, no debe descartarse la presencia de contaminación química relacionada con residuos de pesticidas, por un tratamiento de las plantas de donde liban las abejas, o con micotoxinas si se produce una contaminación y proliferación de mohos.

Otro de los productos que han estado en revisión es el hidroximetilfurfural. En los últimos años, debido a un estudio realizado en Estados Unidos sobre esta sustancia, pusieron en entredicho su inocuidad. Los últimos datos señalan que su toxicidad a las dosis consumidas habitualmente es nula, por lo que únicamente ha de considerarse como un indicador de alteración de la miel.

La miel, a pesar de ser un alimento muy seguro en términos sanitarios, puede sufrir alteraciones debido a manipulaciones poco higiénicas durante su extracción, procesado, envasado o conservación. La carga microbiana suele ser baja y va disminuyendo a medida que la miel envejece.

Como producto de origen animal presenta una flora bacteriana propia. La flora bacteriana y fúngica de las abejas y las posibles contaminaciones producidas durante el proceso de extracción y manipulación son las principales fuentes de microorganismos de la miel. Básicamente, presenta una flora bacteriana compuesta por microorganismos del género *Bacillus*, generalmente esporulados; aunque en mieles frescas se pueden encontrar formas vegetativas, que se comportan como gérmenes inertes, no alterantes y no toxigénicos.

Sin embargo, se han detectado en mieles importadas microorganismos patógenos como *Staphylococcus aureus*, *Bacillus cereus* e incluso *Clostridium botulinum* tipo G, identificándose a la miel como posible fuente de contaminación en casos de botulismo infantil. La legislación de este producto exige la ausencia total de gérmenes patógenos o toxinas patógenas, al igual que la ausencia de *Enterobacteriaceae*, *Escherichia coli*, salmonella y shigella.

La alteración más frecuente que presentan las mieles durante su almacenamiento es debida al crecimiento de mohos y levaduras. Los mohos más comunes pertenecen al género *Penicillium* y *Mucor*, mientras que las levaduras son fundamentalmente del género saccharomyces. La norma de calidad de la miel señala como límite máximo para la presencia de mohos el 1,10 elevado a 2 col/g.

La miel siempre tiene levaduras osmófilas que tienen preferencia por el dulce, que pueden multiplicarse teniendo en cuenta determinadas circunstancias, por ejemplo, debido a un alto contenido de agua, una alta actividad acuática de la miel y deficientes condiciones de almacenamiento. La consecuencia de esto es la fermentación de la miel. Esto hace la miel ya solamente apta para repostería. Este primer estadio de la corrupción se detecta por un sabor afrutado y más adelante por un aroma cervecero y una formación de gas (miel de aspecto espumoso).

Actualmente, la identificación de la miel estropeada se sigue haciendo de forma totalmente sensorial, ya que un estadio temprano de corrupción no es detectable con parámetros químicos. Esta valoración por parte del testador es subjetiva y puede estar sujeta a errores.

Consejos al consumidor

Las mejores mieles son las que conservan su vitalidad original y siempre las encontraremos en herboristerías de confianza. También se las podemos comprar a apicultores amigos cuando nos sea posible.

Si la adquirimos en comercios, preferiremos siempre la miel envasada y etiquetada con la marca o el nombre del productor a la que se presente en envases anónimos o a granel.

Además de los datos que nos facilite la etiqueta, a simple vista, el que una miel sea líquida o solidificada (cristalizada) no dice nada acerca de su calidad intrínseca, pues ello está en relación con su contenido de azúcares y el tiempo transcurrido desde su extracción. También depende del tipo de miel en cuestión, ya que, por ejemplo, la miel de encina no se solidifica. No obstante, el hecho de que una miel cristalice fácilmente, aunque no se trate de una miel vieja, puede considerarse como un signo de pureza.

No es recomendable comprar miel que contenga cera, pues es en ella donde más se acumulan los residuos contaminantes.

En principio, una miel de importación que provenga de países lejanos no tiene por qué ser peor que la local. De hecho, las mieles que proceden de América Central y del Sur son excelentes desde todo punto de vista. No obstante, debido al escaso control que existe en algunos países de ultramar y, en particular, a la posibilidad que tiene el importador de alterar el producto original mediante mezclas, solo es aconsejable consumir este tipo de mieles cuando contemos con la absoluta certeza de que no ha sufrido ningún tipo de manipulación que altere sus propiedades originales.

Las mieles más recomendables, en general y con pocas excepciones, son las que poseen aval ecológico oficial y/o denominación de origen. En España existen dos denominaciones de origen para la miel, la de La Alcarria, en Castilla-La Mancha, y la de Villuercas-Ibores, en Extremadura.

Finalmente, el consumidor tiene la obligación de expresar al vendedor o bien denunciar a las organizaciones que velan por la calidad de los productos que consumimos su descontento por la escasa información que suelen proporcionar las etiquetas. Este es un camino válido para que los fabricantes o los responsables de la distribución indiquen en el etiquetado tanto los contenidos y la procedencia, como los métodos de tratamiento a los que la miel ha sido sometida.

18
PROPIEDADES DE LA MIEL

MIEL Y SALUD

Como fuente de antioxidantes

Existe la hipótesis de que consumir más alimentos ricos en antioxidantes puede ayudar a proteger los tejidos de todo el cuerpo frente a la agresión de los radicales libres –agentes que se producen inevitablemente en el metabolismo de las células– y prevenir así la aparición de enfermedades crónicas y cáncer. Las investigaciones indican que la miel contiene numerosos compuestos con potencial antioxidante. La cantidad y el tipo de estas sustancias dependen en buena medida de la variedad floral de origen. En general, las mieles más oscuras, como la de brezo, tienen un contenido antioxidante más alto. El contenido antioxidante de la miel no puede rivalizar con el de algunas bayas (arándanos, moras, fresas), frutas (manzanas, ciruelas, naranjas) y hortalizas (coles y habas), pero sí puede complementar significativamente su aportación.

Investigadores de la Universidad de Illinois Champaign Urbana examinaron el contenido antioxidante –utilizando la técnica para medir la capacidad de absorción de radicales oxigenados conocida por las siglas en inglés ORAC– de 14 mieles. Los valores ORAC de las mieles fluctuaron de 3,0° mol T E/g para la miel de acacia, hasta los 17,0° mol T E/g para la miel de alforfón o trigo sarraceno.

Absorción de calcio

Una de las estrategias para reducir las probabilidades de sufrir los problemas de pérdida de masa ósea es consumir alimentos ricos en calcio. Pero el calcio de todos los alimentos no se absorbe con la misma eficacia. Una investigación realizada con animales de laboratorio en la Universidad de Purdue ha mostrado que la miel favorece la asimilación del calcio de los alimentos. Es muy probable que el efecto en seres humanos sea bastante similar.

Receta para fortalecer los huesos

La siguiente receta está pensada para servir como suplemento diario de calcio. Aporta 281 mg de calcio, es decir, el 20% de las necesidades diarias (800 mg).
Ingredientes para 2 raciones:

- 90 ml de miel
- 250 ml de leche desnatada
- 125 ml de yogur natural descremado

Se mezclan los ingredientes en una batidora hasta que ofrezcan el aspecto de crema homogénea.

Contenido nutricional por ración: kcal: 332; proteínas: 9 g; hidratos de carbono: 76 g; grasas: 2 g (saturadas: 1 g); calcio: 281 mg; potasio: 747 mg; sodio: 110 mg.

Efecto prebiótico

El tracto gastrointestinal está repleto de bacterias. Un estudio realizado en 2006 concluyó con un hallazgo asombroso: existe la misma biodiversidad en el intestino humano que en los océanos. Miles de bacterias cooperan con las células del sistema digestivo para obtener los nutrientes necesarios de los alimentos. También colaboran con las células inmunitarias en la defensa frente a virus, otras bacterias peligrosas y sustancias tóxicas. Las bacterias intestinales son, por tanto, esenciales para la vida y la salud.

Un grupo de bacterias intestinales que se ha mostrado particularmente importante para la salud y el buen funcionamiento del tracto intestinal es el de las bífidobacterias. Una manera de aumentar las poblaciones de bífidobacterias es consumir alimentos que contengan agentes prebióticos, es decir, sustancias que favorecen la multiplicación de las bacterias (porque les sirven de alimento) y estimulan su actividad. La miel contiene una variedad de sustancias que pueden funcionar como prebióticas. Una investigación realizada en la Universidad de Michigan ha demostrado que añadir miel a los productos lácteos vivos como el yogur sin pasteurizar puede reforzar el crecimiento, la actividad y la viabilidad de las bífidobacterias.

Usos terapéuticos de la miel

La miel y el corazón

Desde antiguo es conocida la acción beneficiosa de la miel sobre el corazón. Especialmente favorable es su acción sobre el corazón intoxicado, en casos de difteria, debido especialmente a su poder desintoxicante. Debido a su favorecimiento o aumento en la utilización de los monosacáridos y a la elevada concentración de glucosa posee una acción energética general, y en particular sobre el corazón.

Por otra parte, la miel, debido a que favorece la producción de fosfatos orgánicos por parte del hígado, posee una acción beneficiosa para combatir los trastornos del ritmo cardiaco. Los fosfatos orgánicos actúan regulando el ritmo del corazón, así como favoreciendo el riego coronario, es decir, de las arterias que irrigan el corazón.

Por ello, la miel es especialmente beneficiosa para las personas que sufren de insuficiencia coronaria, propensas a la angina de pecho o infarto de miocardio. Además, la miel posee una acción diurética que actúa positivamente en los casos de enfermos del corazón descompensados.

Acción favorecedora del riego sanguíneo

La acción de la miel sobre el riego sanguíneo es debida a la acción de los fosfatos orgánicos (AMP, ADP, ATP) que se liberan por el hígado por estímulo del metabolismo de este, tras la administración de miel. Nos referimos al glucógeno, sustancia fisiológica que constituye la principal reserva de hidratos de carbono en los animales y en el hombre, y que se forma y almacena principalmente en el hígado y los músculos.

La ingestión de miel aumenta el riego sanguíneo, lo que se aprecia especialmente a nivel periférico, es decir, en la parte periférica o externa del cuerpo humano. Junto a su proverbial acción reconstituyente, esta acción de la miel es muy adecuada para las personas en edad avanzada, y, en particular, en los tratamientos geriátricos.

Anemia

La acción reconstituyente de la miel debe tenerse muy en cuenta en el caso de las personas que padezcan de anemia, o que hayan sufrido una enfermedad infecciosa y se encuentren en el período de convalecencia.

En el tratamiento de la anemia, se puede sustituir el azúcar por una dosis de 50 a 100 g de miel diarios, que resultará beneficiosa por sus importantes aportaciones de sales minerales, en particular de hierro.

También se puede proceder a una cura a base de polen por espacio de un mes, a razón de 20 g al día para un adulto, dosis que se reducirá en un tercio en casos de niños menores de 3 años.

Enfermedades de las vías respiratorias y de los pulmones

La infección de las vías respiratorias es la enfermedad aguda más frecuente en todas las edades. Es la primera causa de absentismo en el trabajo y en la escuela y el motivo que llena las consultas de los médicos durante el otoño y el invierno.

El término *resfriado común* se refiere por lo general a una infección leve de la mucosa respiratoria superior causada por un virus. Provoca cansancio, congestión nasal, estornudos, tos y dolor de garganta. La gripe, también causada por un virus, presenta los mismos síntomas pero con más intensidad y a menudo obliga a guardar cama, produce dolor en las articulaciones y fiebre.

No existen medicamentos realmente eficaces ni contra el resfriado ni contra la gripe. Un estudio realizado por Schroeder y Fahey en 2002 mostró que los efectos de los antihistamínicos, los antitusígenos o los expectorantes eran comparables a los del placebo. Los preparados de farmacia que tanto éxito de ventas tienen –porque a algo hay que agarrarse– como mucho consiguen aliviar un poco los síntomas, pero no adelantan la curación ni un solo día.

La miel es el remedio natural por excelencia contra este tipo de trastornos. Su eficacia se basa en los monosacáridos que contiene porque poseen una acción secretolítica o expectorante. Es decir, producen una secreción bronquial más fluida, a la vez que el factor colinérgico posee una acción estimulante sobre las glándulas bronquiales. La miel consigue así aliviar la tos y el dolor de garganta.

Pero, sobre todo, resulta interesante tomar miel en caso de resfriado o gripe porque previene la aparición de complicaciones, como que la infección vírica se transforme en una infección bacteriana que requiera la administración de antibióticos. La ciencia médica ha comprobado que en los catarros de faringe, tráquea y bronquios los resultados son innegables.

Un remedio casero a base de miel consiste en combinarla con otro gran aliado de la salud natural, el limón. Solo hay que mezclar 200 ml de miel con 100 ml de zumo de limón recién exprimido e ir tomando el jarabe a cucharaditas a lo largo del día. Para los niños es suficiente la mitad o menos de una cucharadita.

La miel también es eficaz en gargarismos y colutorios en las afecciones de boca y laringe. Su acción sedante sobre el dolor es notable.

Enfermedades del aparato digestivo

Como consecuencia de su contenido en fermentos digestivos, y por la acción colinérgica de la acetilcolina que contiene, la miel produce un aumento de la secreción de las glándulas digestivas. Es un medio muy adecuado para tratar los trastornos digestivos de tipo dispéptico, es decir, aquellas molestias digestivas debidas a un trastorno en la secreción o en la movilidad del tubo digestivo.

Por otra parte, las inhibinas actúan impidiendo el desarrollo de las bacterias nocivas en el tubo digestivo, lo que junto a la gran velocidad de absorción que poseen los monosacáridos presentes en la miel se evitan los procesos de fermentación intestinal que se observan, por ejemplo, tras la ingestión de azúcar refinado.

La miel aporta al organismo una buena cantidad de calorías, por lo que puede sustituir a otros alimentos más peligrosos para las personas que padecen de úlcera. En efecto, la miel contribuye poderosamente a la curación de las úlceras estomacales. Para ello, el paciente tomará en ayunas una cucharada de miel, la ensalivará bien y esperará una hora antes de tomar el desayuno.

Por lo que respecta a los intestinos, la miel tiene una acción muy notable sobre la flora intestinal gracias a sus propiedades antisépticas. Este efecto es especialmente favorable en el caso de los lactantes. En ocasiones se han observado auténticas resurrecciones en casos de irritaciones o inflamaciones gastrointestinales de excepcional gravedad.

Este conjunto de factores hacen de la miel un producto recomendable en la enterocolitis y otras afecciones del sistema digestivo, y particularmente en la úlcera gástrica o duodenal. Una o dos cucharaditas de miel en vez de azúcar bastan para endulzar 200 g de alimento y evitar de paso la colitis y las erupciones. La miel añadida a la comida contribuye a regularizar la actividad de los intestinos.

En los casos de estreñimiento, este se corrige aumentando su consumo. Esto no significa que la miel sea un simple laxante, sino que lo que hace es regular las funciones intestinales.

Enfermedades del hígado y las vías biliares

Hay personas que sostienen que no pueden consumir miel debido a que esta resulta perjudicial para el hígado. Nada más alejado de la verdad. Lo que puede ocurrir en estos casos es que sufran una repulsión por las sustancias azucaradas en general y no estén habituadas a la miel. Pero esto puede solucionarse tomando la miel disuelta en agua u otros alimentos.

La absorción de la miel aumenta precisamente la cantidad de glicógeno disponible en el hígado, ejerciendo de manera decisiva una acción hepatoprotectora realmente eficaz, por lo que representa un elemento terapéutico de indiscutible utilidad en los tratamientos clínicos.

Además de sus notables beneficios sobre el hígado, la miel es susceptible de prestar notables servicios en la terapéutica contra las toxinas microbianas, en la cual el hígado desempeña un importante papel, al verter una gran cantidad de glucosa en la sangre.

No menos importante es su incidencia en los casos de alcoholismo: no es inusual que las personas que sufren este problema sean atendidos en los hospitales con una administración de miel cada media hora, lo que tiene por efecto calmar su excitación y acelerar el retorno al estado de sobriedad.

En casos de ingestión de alcohol no extremos, para eliminarlo cuanto antes después de una comida bien regada, se debe tomar 1 cucharada sopera de miel. Si la dosis resulta molesta, se puede ingerir algo menos de 100 g, lo cual será igualmente beneficioso.

Enfermedades del riñón y las vías urinarias

El notable efecto de la miel sobre los riñones y las vías urinarias es conocido desde hace siglos. Cuando se come miel en abundancia se registra un aumento de sed que incita a consumir más líquido; ello aumenta la secreción de orina y, por consiguiente, la eliminación de toxinas del organismo.

De este modo, se produce un auténtico lavado de los riñones y de las vías urinarias, efecto tanto más saludable por cuanto la miel es antiséptica y ejerce su acción curativa al pasar por los riñones. Gracias a la ingestión de importantes cantidades de miel se han obtenido notables mejoras en los casos de cistitis.

En lo que se refiere a los enfermos de los riñones, la miel resulta el más inofensivo de los alimentos gracias a estar prácticamente libre de materias nitrogenadas y de cloruro sódico.

Enfermedades del sistema nervioso

La miel es un sedante que actúa sobre el conjunto del organismo humano y, de manera especial, sobre el sistema nervioso. En los casos de nerviosismo suave, el tipo de miel más aconsejable es la miel de tilo.

La miel actúa también, y de modo especial, en los casos de insomnio. Tanto las personas que tienen dificultades para conciliar el sueño como aquellas que se despiertan en el curso de la noche, se beneficiarán del consumo de miel por encima del de cualquier clase de fármaco contra el insomnio. Para ello deberán tomar 2 cucharadas poco antes de acostarse. Esta cantidad suele ser suficiente. No obstante, si la persona sufre una gran excitación puede aumentarse la dosis sin temor alguno.

La miel actúa asimismo contra los calambres de los músculos de las piernas y garantiza noches de reposo completo y reparador.

Enfermedades ginecológicas

En relación con el aparato genital femenino, la miel tiene efectos calmantes durante la menopausia y en los casos de reglas dolorosas. En el caso de la menopausia es conveniente reemplazar el azúcar por la miel siempre que sea posible, resultando muy aconsejable la ingestión de 20 a 40 g de miel por la mañana, media hora antes del desayuno. Esta dosis de miel se debe combinar con la ingestión de unas cuantas tisanas de oxiacanta.

Para atenuar las molestias producidas por reglas dolorosas, está indicado tomar miel de tilo, en particular, como endulzante de las bebidas, varias veces al día antes del comienzo de la menstruación.

Enfermedades de los músculos y las articulaciones

La acción reconstituyente de la miel posee efectos beneficiosos sobre los dolores en los músculos y las articulaciones, producidos normalmente por la práctica intensiva de ejercicio físico. La gran energía que suministra la miel posee la ventaja de que la recuperación se alcanza sin someter al organismo a un laborioso proceso digestivo, ya que los monosacáridos (responsables de la energía suministrada) se absorben rápidamente y sin apenas gasto de trabajo digestivo y, por lo tanto, de energía corporal.

En caso de calambres musculares del pie o de la pierna, tan frecuentes en la práctica deportiva, en cada comida se tomarán 2 cucharaditas de miel junto con las bebidas o como edulcorante de algún postre.

De manera preventiva, a fin de evitar dolores musculares o articulares, quienes realicen entrenamientos deportivos normales, se beneficiarán ingiriendo unos 30 g diarios de miel entre las distintas comidas. Aquellos que gusten de jugar al fútbol con cierta frecuencia, deberían ingerir entre 30 y 60 g de miel antes de un partido, y beber una limonada con miel durante el descanso.

Los aficionados al ciclismo, tan abundantes en nuestro país, también se pueden beneficiar del consumo regular de miel. Para recorridos largos en bicicleta, se debe mezclar en un bidón el zumo de una naranja, el de un limón, 250 g de miel, una pizca de sal y otro poco de bicarbonato sódico. Si la miel se encuentra en estado sólido, se la diluirá duplicando las cantidades de zumos de frutas y añadiendo agua.

En caso de reuma, quienes padecen esta dolencia atenuarán sus molestas consecuencias ingiriendo de 2 a 3 cucharadas de miel de brezo por la mañana en ayunas.

Enfermedades de la piel

La miel posee una importante acción cicatrizante en las afecciones de la piel, en particular en las llagas ocasionadas por quemaduras o las debidas a contusiones y traumatismos, incluso cuando se encuentren más o menos infectadas. La miel actúa como antiséptico por su ácido fórmico y su inhibina, y como cicatrizante debido a las vitaminas que contiene.

Es un hecho notable que siendo la miel un complejo azucarado favorezca notablemente la cicatrización de las llagas que presentan los diabéticos. Pero es sabido que, en el medio rural, los campesinos obtienen excelentes resultados aplicando miel a las úlceras que padecen los animales domésticos y el ganado en general.

En las cortaduras se debe aplicar una capa de miel sobre las heridas, que luego se cubrirá con una gasa. La presencia de forúnculos se tratará mezclando, en proporciones iguales de peso, miel y harina, hasta obtener una preparación homogénea. Se cubrirán los forúnculos con esta mezcla y se protegerán los emplastos mediante una gasa esterilizada.

Las inflamaciones de la piel se beneficiarán de la aplicación de una mezcla de 2/3 de miel y 1/3 de aceite de oliva, que se aplicará sobre la zona que se desea calmar.

En las quemaduras solo se actuará por cuenta propia cuando sean leves y no revistan gravedad, ya que cuando son serias es imprescindible la participación de un médico. Así, en los casos de quemaduras leves, las aplicaciones de miel alivian el dolor e impiden la formación de ampollas.

Una fórmula para el tratamiento de las quemaduras consiste en poner al baño María 30 g de miel, 15 g de alcanfor y un trocito de cera de abeja pura. Se debe esperar hasta que la mezcla se vuelva a enfriar y se extiende sobre la quemadura, protegiéndola con una gasa esterilizada.

Otra fórmula es disolver al baño María 20 g de cera pura de abeja en 100 g de aceite de oliva. Una vez que la mezcla se haya enfriado, se extenderá sobre el área afectada y se cubrirá con una gasa esterilizada.

Otras aplicaciones medicinales de la miel

Aftas y afecciones de la boca

El tratamiento de estas molestias consiste en realizar varias veces al día lavados de boca con una solución de borato de sodio, en la que se habrá diluido una cucharada grande de miel. Se puede sustituir la solución de borato de sodio por una decocción de flores de aciano: de 2 a 3 g de flores en 100 g de agua fría. Una vez que haya hervido lentamente, se deja enfriar y se filtra. Luego se añade a la miel.

Asma

Una fórmula particularmente adecuada para el tratamiento del asma a base de miel consiste en añadir 1 cucharada de aceite de semilla de trigo, mezclada con varias cucharadas de miel de tomillo, a las bebidas que se tomen a lo largo del día.

Colesterol

Los ácidos grasos saturados desempeñan un papel decisivo en la alimentación humana, en el sentido de que tales ácidos generan colesterol. Estos ácidos se encuentran abundantemente en las grasas animales. Por el contrario, los ácidos grasos insaturados, que apenas producen colesterol, son aportados por los aceites y grasas de origen vegetal.

Precisamente la miel es una recopilación de sustancias vegetales, lo que la hace rica en ácidos grasos no saturados, entre los que se encuentran el araquidónico y el linoleico, combinación que algunos biólogos denominan vitamina F. El ácido araquidónico también se encuentra en el germen de trigo y en la lecitina vegetal. La ausencia de vitamina F en el organismo conduce a serias anormalidades, como cálculos biliares y arteriosclerosis, debido a que tal deficiencia implica un exceso de colesterina, sustancia incompatible con la vitamina F.

El tratamiento de reducción del colesterol a base de miel se realiza mezclando una bolita de jalea real con miel, mezcla que se tomará en ayunas durante 20 días.

Gota

Esta dolorosa afección se trata extendiendo una capa de miel sobre la parte dolorida, recubierta luego con una tela y, sobre esta, una prenda de lana, manteniéndola así durante 2 horas. Si el dolor no remite, se quitará la miel aplicada y se efectuará una nueva aplicación con miel nueva.

Como coadyuvante, la persona afectada tomará en ayunas 2 cucharadas de miel.

Gripe

La miel es un elemento particularmente indicado para el tratamiento de la gripe. Para ello se deben tomar varias veces al día tisanas con miel. Otra fórmula consiste en exprimir el zumo de un limón en una taza de agua hirviendo, a la que se añadirá 1 cucharada sopera de miel. Esta solución se deberá beber caliente 3 o 4 veces al día.

Intoxicación por setas

En las personas intoxicadas por comer setas –en particular la mortal *Amanita phalloides*– el torrente sanguíneo se muestra extremadamente pobre en glucosa y es por esta carencia que aparecen las convulsiones, sobreviniendo la muerte, a menudo en breve plazo. Para remediarlo y mientras no se disponga del tratamiento médico adecuado, conviene dar miel en abundancia al intoxicado y, asimismo, administrarle lavativas de agua y miel (150 g por cada litro de agua).

Irritación de los ojos

Para el tratamiento de esta dolencia, se calienta una cucharita vacía, se le pone un poco de miel y se sostiene sobre agua muy caliente para que, por efecto del calor, la miel se derrita, después de lo cual se filtra mediante una tela fina. Cuando esté suficientemente tibia, se echa 1 gota en la comisura del ojo.

Tuberculosis

La inmensa riqueza en vitaminas de la miel hace de ella un auxiliar precioso en la lucha contra la tuberculosis. Los médicos suelen acudir a ella como complemento del tratamiento para aprovecharla como la fuente natural más importante de esos elementos tan indispensables para la vida humana que son las vitaminas.

Aromaterapia y miel

Las mieles son alimentos que superan ampliamente a los azúcares edulcorantes. En ellas, las abejas han transformado los azúcares florales en glúcidos más simples, de rápida asimilación y sin efectos nocivos, tornándolos en carburantes notables para los músculos, en especial para el corazón y el llamado «músculo rey»: el diafragma.

Por otra parte, contribuyen a mineralizar el organismo y vehiculizan biocatalizadores de inusual valor, entre los que se incluyen las esencias sacadas de los brotes y de las corolas florales. Gracias a estos aromas naturales, auténticas hormonas vegetales, las mieles son unos de los mejores vehículos de las esencias vegetales, y nos las ofrecen en dosis mejor adaptadas a los tejidos del cuerpo humano.

La miel puede ser enriquecida con aromas vegetales que intensifican su valor. Por ello, los efectos son más enérgicos y rápidos en los casos difíciles. Los aromas vegetales la completan sin romper su armonía constitutiva y sin transformarla en un medicamento farmacéutico más o menos nocivo.

Las esencias vegetales no se eligen y emplean al azar. Como todo alimento, su cantidad diaria está limitada, al igual que su concentración. Es esencial observar escrupulosamente la suma máxima de las dosis diarias e incluso más, las disoluciones, o sea, preferir pequeñas raciones a lo largo del día antes que dosis masivas poco frecuentes.

Nunca se debe perder de vista que se trata de oligomoléculas, cuyo valor deriva de su grado de dispersión, susceptible de crear estados eléctricos favorables, lo que nos orienta hacia una especie de homeopatía.

La utilización de los aromas vegetales comprende dos partes. En primer lugar, la simple aromatización para reformar el aroma propio de la miel, o para variarlo agradablemente. Se trata del arte de satisfacer al paladar, sin perjudicar la calidad del alimento y evitar la monotonía.

En segundo término, consiste en una aromaterapia activa que hace de las mieles portadoras de la esencia, sus diluidores, para facilitar su absorción máxima.

En el primer caso, teniendo en cuenta el perfume original de la miel, se escoge más bien entre las esencias de bergamota, de limón, de espliego, de menta, de naranjo, de orégano, etc., o bien entre ciertas mezclas de estos componentes.

Al baño María, a la temperatura más moderada posible (entre 25 °C y 30 °C como máximo), se licua el producto y, poco a poco, se le añade la cantidad de aromatizante deseada, agitando sin cesar para obtener una distribución adecuada. Es necesario emplear esencias de alta calidad, que proporcionen una gran finura al aroma. Como principio, debe evitarse incorporar una dosis demasiado fuerte. Completada la fusión, se conservarán en frío, en un frasco hermético.

Resulta difícil fijar el porcentaje de aroma, ya que depende de numerosos factores y, en particular, del gusto del consumidor, o del uso que se hará del producto. Como dato orientativo, se puede decir que unas 10 gotas de esencia por cada 100 g de miel es una proporción adecuada.

Algunas personas aprecian la miel con café. Su elaboración se realiza del siguiente modo: en el fondo de un recipiente con una entrada amplia se trituran algunos granos de café torrefacto y fresco, se ponen dentro de un paño para formar un saquito suspendido y fijado por un hilo con un tapón de corcho que tapa el recipiente. El olor invade poco a poco la masa de la miel.

En ocasiones, se «siembra» la miel licuada con pétalos de rosa secos.

El mismo procedimiento se puede utilizar con menta, flor de naranjo, hojas y flores de limonero, etc. Si se quiere asegurar una larga conservación, se debe elevar durante algunos segundos la temperatura hacia los 60 °C. La miel se debe guardar en fresco y lejos de la luz, en un recipiente bien cerrado y no metálico.

En el segundo de los casos indicados, la concentración en esencias se obtiene por el procedimiento indicado anteriormente, a la temperatura más baja posible. La concentración se calcula en función de la ración diaria absorbida por cada enfermo y tiene mucho menos en cuenta el aroma.

A menos que se realice una especificación distinta, todo lo que a continuación sigue se refiere a la absorción de 30 g de miel por día, y tomado lentamente en pequeñas cucharadas bien ensalivadas, mejor repartidas entre las comidas, la última antes de acostarse.

En el tratamiento de la anemia, la ración global puede llegar a ser de 100 g a lo largo de la cura. No obstante, el número de gotas indicado queda constante. En otros términos, la cantidad de esencias propuesta interesa todo un día, sin tener en cuenta el peso de la miel o, si se prefiere, de sus diluciones, a condición de no descender de los 10 g por día.

En efecto, por muy curativos que sean los aromas, nunca hay que absorberlos demasiado concentrados y en cantidad excesiva. Es decir, solo tienen valor sin ser perjudiciales cuando no se abusa de ellos.

Una combinación bien escogida de esencias vegetales de calidad –individualmente o mezcladas– aumenta las virtudes específicas de cada tipo de miel, sin duda uno de los mejores vehículos para las esencias.

Recetas medicinales de miel con esencias

Miel con alcaravea

- Posología: de 3 a 10 gotas diarias.
- Indicaciones: aerofagia, eretismo cardiovascular, fermentaciones, inapetencia, indigestiones, insuficiencia láctea, parásitos intestinales, reglas difíciles, espasmos gástricos.

Miel con anís verde

- Posología: de 4 a 20 gotas diarias, con 30 g de miel. Tomar por lo menos 3 veces.

- Indicaciones: aerofagia, asma, falsas anginas de pecho, impotencia, insuficiencia láctea, migrañas digestivas, palpitaciones, menstruaciones dolorosas, vómitos nerviosos, tos.

Miel con canela

- Posología: de 9 a 18 gotas diarias.
- Propiedades e indicaciones: antiséptico intestinal, estimulante del apetito, astenia gripal, atonía gástrica, cólicos, diarreas, flatulencia, gripe, hemoptisis, impotencia, parásitos intestinales, leucorrea.

Miel con cilantro

- Posología: de 4 a 12 gotas diarias.
- Indicaciones: aerofagia, anorexia nerviosa, flatulencias, inapetencia, digestiones lentas, espasmos digestivos.

Miel con ciprés

- Posología: de 6 a 12 gotas de aceite esencial por día.
- Indicaciones: afonía, tos ferina, dismenorrea, gripe, hemorroides, irritabilidad, menopausia, metrorragias, reumatismos, tos, trastornos en los ovarios, varices.

Miel con enebro

- Posología: de 5 a 10 gotas diarias.
- Indicaciones: albuminuria, arteriosclerosis, artritis, blenorragia, cirrosis, diabetes, fermentaciones intestinales, gota, hidropesía, cansancio, litiasis urinaria, menstruaciones dolorosas, reumatismos, sarampión, escarlatina, tuberculosis, tifus, varicela.

Miel con esencia de flor de naranjo (azahar)

- Posología: de 5 a 15 gotas diarias.
- Indicaciones: diarreas, insomnios, palpitaciones, espasmos cardiacos.

Miel con esencia de pino

- Posología: de 10 a 30 gotas diarias.
- Indicaciones: asma, bronquitis, cistitis, infecciones, litiasis biliar, neumonía, prostatitis, pielitis, raquitismo, traqueítis, tuberculosis.

Miel con espliego

- Posología: de 5 a 15 gotas diarias de esencia.
- Indicaciones: afecciones respiratorias, asma, bronquitis, blenorragia, clorosis, tos ferina, cistitis, diarrea, digestiones lentas, enteritis, epilepsia, flatulencias, fiebres eruptivas, gripe, histeria, irritabilidad, enfermedades infecciosas, melancolía, migraña, neurastenias, oliguria, parásitos intestinales, leucorrea, reglas insuficientes, sarampión, escrófulas, restos de parásitos, espasmos, tos, tuberculosis pulmonar, lombrices, vértigos.

Miel con eucalipto

- Posología: de 3 a 10 gotas diarias de aceite esencial.
- Indicaciones: micciones de las vías respiratorias y urinarias, áscaris, astenia, asma, bronquitis, cólera, colibacilosis, diabetes, gangrena pulmonar, gripe, malaria, migrañas, oxiuro, reumatismos, sarampión, escarlatina, tuberculosis pulmonar, tifus, lombrices.

Miel con hisopo

- Posología: de 6 a 12 gotas diarias.
- Indicaciones: asma, bronquitis crónica, cólicos, dermatosis, digestiones difíciles, dispepsias, enfisema, fiebres eruptivas, gastralgias, gripe, inapetencia, leucorrea, litiasis urinaria, reglas insuficientes, reumatismos, catarro, tos, tuberculosis.

Miel con limón

- Posología: de 5 a 20 gotas diarias.
- Indicaciones: anemia, arteriosclerosis, artritismos, astenia, asma, bronquitis, dolor de cabeza, diarreas, disentería, fragilidad capilar, gota, hemofilia, hemorragias, hiperacidez estomacal, hipertensión, inapetencia, infecciones, insuficiencia hepática, leucocitosis curativa, litiasis biliar y urinaria, tuberculosis, paludismo, flebitis, plétora, prevención de epidemias, reumatismos, escorbuto, envejecimiento de los tejidos, tuberculosis ósea y pulmonar, viscosidad sanguínea demasiado elevada.

Miel con mejorana

- Posología: de 12 a 24 gotas diarias.
- Indicaciones: ansiedad, cansancio general, cansancio nervioso, flatu-

lencias, insomnios, inestabilidad física, migrañas, espasmos digestivos y respiratorios, síndromes artríticos.

Miel con menta y pimienta

- Posología: de 5 a 13 gotas diarias.
- Indicaciones: atonía digestiva, asma, bronquitis, cólicos, cansancio general, gastralgias, hepatismos, indigestiones, migrañas, palpitaciones, parálisis, parásitos intestinales, reglas insuficientes, vómitos nerviosos.

Miel con orégano

- Posología: de 12 a 20 gotas diarias.
- Indicaciones: asma, atonía gástrica, bronquitis, flatulencias, inapetencias, reglas insuficientes, reumatismos, tuberculosis pulmonar.

Miel con romero

- Posología: de 10 a 16 gotas diarias.
- Indicaciones: astenia, asma, bronquitis, clorosis, colesterol, colitosis, tos ferina, cirrosis, diarrea, digestión lenta, dismenorrea, epilepsia, gota, hepatismo, infecciones intestinales, ictericia, linfatismos, migraña, leucorrea, reumatismos, agotamiento, síncopes, trastornos cardiacos y nerviosos, vértigos.

Miel con salvia

- Posología: de 6 a 12 gotas diarias.
- Indicaciones: astenia, asma, bronquitis, convalecencia, diarrea, dispepsia, hipotensión, inapetencia, linfatismos, menopausia, nervios, neurastenia, esterilidad, sudores nocturnos, orina insuficiente.

Miel con tomillo

- Posología: de 8 a 14 gotas diarias.
- Indicaciones: micciones pulmonares, anemia, anginas, áscaris, asma, atonía digestiva, clorosis, tos ferina, digestiones lentas, fermentaciones intestinales, gripe, hipotensión, infecciones intestinales, leucorrea, enfermedades infecciosas, neurastenia, oxiuro, reuma, sueño, tenia, tos.

Miel con verbena

- Posología: de 8 a 14 gotas diarias.
- Indicaciones: colitis, digestiones lentas, enteritis, insuficiencia láctea, palpitaciones, espasmos, vértigos.

Tratamientos de belleza

No siempre se puede acudir a un spa para recibir sofisticados tratamientos de belleza. Pero pensándolo bien, quizá no sea necesario. En la propia casa se pueden realizar tratamientos tanto o más eficaces y utilizando un producto enteramente natural como es la miel.

La miel es un hidratante natural, lo que significa que puede atraer y retener el agua. La piel está capacitada para mantenerse húmeda, lo cual le resulta necesario para conservar la flexibilidad y la ternura. A medida que la piel envejece o que sufre la exposición a los agentes agresores ambientales y la contaminación química, va perdiendo su capacidad para retener el agua, se reseca y aparece agrietada. Las propiedades hidratantes naturales de la miel la convierten en ingrediente ideal en los productos hidratantes. Como es natural y no irrita la piel, la miel está especialmente indicada para las pieles sensibles.

Los estudios científicos han revelado que el efecto antioxidante de la miel también beneficia a la piel. La protege, por ejemplo, frente a la acción de los rayos solares ultravioletas, y la ayuda a regenerarse. La exposición prolongada a la radiación puede dañar la piel, causar envejecimiento prematuro e incluso cáncer de piel.

Las propiedades antimicrobianas de la miel están indicadas para eliminar el acné, a diferencia de otros tratamientos que secan la piel. La miel tiene propiedades antimicrobianas por muchas razones, incluyendo su alto contenido en azúcares que limitan la cantidad de agua disponible para el crecimiento de las bacterias. También tiene efectos antimicrobianos su baja acidez, su bajo contenido en proteínas que priva a las bacterias del nitrógeno que necesitan. La presencia en la miel de agua oxigenada y las sustancias antioxidantes también inhiben el crecimiento bacteriano.

Las industrias farmacéuticas están desarrollando procesos para crear a partir de la miel alfahidroxiácidos (AHA), que son ingredientes importantes en las cremas e hidratantes como agentes exfoliadores. La exfoliación favorece la renovación de la piel y le da un aspecto más joven y vibrante. Pero la exfoliación también irrita la piel y es aquí donde resultan interesantes las propiedades hidratantes y balsámicas de la miel.

¿Por qué comprar caros productos cosméticos cuando uno mismo puede elaborarlos fácilmente en casa, siendo el resultado de la máxima calidad y eficacia? Con ingredientes domésticos comunes como leche, frutos secos y aceite, la miel se puede convertir en un producto para la higiene personal barato y muy agradable.

Miel limpiadora

Mezcla una cucharada sopera de miel con dos de polvo fino de almendras y media cucharada de zumo de limón. Se aplica suavemente en la cara y se lava con agua caliente.

Tónico facial

En una licuadora, se echa una cucharada de miel y una manzana sin piel ni corazón. Se extiende en la cara y se deja 15 minutos. Luego se lava la cara con agua fría.

Máscara facial reafirmante

Se bate una cucharada de miel, una clara de huevo, una cucharadita de glicerina (disponible en droguerías y en tiendas de belleza) y suficiente harina para formar una pasta. Se extiende sobre la cara y el cuello y se deja 10 minutos. Se quita con agua caliente.

Baño suavizante

Se añaden simplemente 50 ml de miel al agua caliente para un baño fragrante, placentero y que deje la piel sedosa.

Acondicionador suavizante para la piel

Se mezcla una cucharadita de miel con una cucharadita de aceite de oliva y unas gotas de zumo de limón. Se extiende por las manos, los codos, los talones y en cualquier lugar en donde la piel esté seca. Se deja actuar 10 minutos y luego se retira.

Acondicionador

Se mezcla media taza de miel con 50 ml de aceite de oliva. Se utiliza una pequeña cantidad cada vez, masajeándola hasta que el cabello quede bien cubierto. Se cubre la cabeza con un gorro de ducha y se deja actuar media hora. Luego se lava la cabeza y se seca.

Calmante de piel (especial para acné no severo)
Se mezclan 150 ml de agua caliente con una pizca de sal y se aplica directamente sobre los granos utilizando un algodón. Se debe mantener la presión con el algodón húmedo sobre cada grano durante varios minutos para ablandarlo. Con una esponja de algodón se aplica la miel y se deja 10 minutos. Luego se lava y se deja secar.

Miel y ejercicio físico

Es bien sabido que el consumo de hidratos de carbono antes, durante y después de la actividad física mejora el rendimiento y acelera la recuperación de los músculos. La miel es una fuente natural de energía inmediatamente disponible. Proporciona 20 g de hidratos de carbono (80 kcal) por cucharada y puede servir como alternativa económica de las bebidas energéticas comerciales a base de glucosa.

Datos preliminares obtenidos en el Laboratorio de Ejercicio, Deporte y Nutrición de la Universidad de Memphis sugieren que la miel es tan eficaz como la glucosa para el reemplazo de hidratos de carbono durante la práctica de deportes de resistencia (carreras de fondo, ciclismo de carretera, etc.). Después de la práctica deportiva se recomienda tomar miel junto con algún alimento proteínico. Además de favorecer la recuperación muscular y sus reservas de glucógeno, las combinaciones de miel y proteína mantienen unas concentraciones óptimas de azúcar en la sangre.

Bebida deportiva hidratante y energética

- 125 ml de miel
- Media cucharadita de sal
- 500 ml de zumo de naranja recién exprimido
- 1,5 litros de agua (preferiblemente templada)

Se mezclan los ingredientes y se deja enfriar en el frigorífico.
Contenido nutricional por vaso (250 ml): calorías: 75 kcal; hidratos de carbono: 21 g; potasio: 85 mg; sodio: 77 mg; azúcar: 19 g.

19
LA MIEL COMO ALIMENTO

PROPIEDADES DIETÉTICAS DE LA MIEL

La miel es uno de los primeros alimentos del ser humano; debido a su fácil digestibilidad es bien tolerado por la mayoría de las personas. Si bien los diabéticos deben tener una evidente precaución con su uso, sí es cierto que su energía se asimila mejor que la sacarosa (azúcar común) en caso de diabetes mellitus.

Como hemos dicho anteriormente, se trata de un alimento esencialmente energético (304 kcal por cada 100 g), recomendable para aquellas personas que necesiten un aporte energético extra, como ancianos o niños, deportistas, etc. La glucosa es el alimento principal de las células que forman los tejidos musculares.

El aporte nutritivo es conveniente cuando los músculos tienen que realizar un gran esfuerzo, pero también cuando algún músculo es deficiente y necesita más energía, como en el caso del miocardio, o en la fatiga del corazón. Por su parte, la fructosa penetra en los vasos capilares y se almacena en el hígado en forma de glucógeno, reservado hasta que el organismo lo necesite.

Cuando faltan hidratos de carbono en el aporte alimenticio o cuando hay que realizar un intenso trabajo muscular, ese glucógeno almacenado se transforma en la glucosa necesaria, que se reparte entre los músculos que la precisan. Su contenido en fósforo la hace recomendable también en los casos de sobreesfuerzo intelectual.

Los azúcares de la miel se presentan usualmente en forma de azúcares invertidos.

Esto significa que existe una cantidad similar de dextrosa y de levulosa (de *dextro*, «derecho»; *levo*, «izquierdo»), aunque en la miel predomina discretamente la levulosa.

Dextro y levulosa difieren entre sí tan solo en su configuración espacial, rotación y difracción de la luz. Las mieles de calidad son levorrotatorias. Esto diferencia claramente sus azúcares del azúcar común, que al contener sacarosa es decididamente dextrorrotatorio.

Existen pocas personas que presenten una reacción adversa a la miel. Un caso podrían ser las alérgicas al polen, que también contiene la miel líquida. En otros individuos ejerce un efecto laxante, aunque por norma general suaviza las mucosas del estómago y del intestino.

Para probar el valor nutritivo de la miel, el profesor M. H. Haydak se sometió voluntariamente, en 1936, a un régimen alimenticio a base de leche de vaca y de miel (100 g de miel por 1/4 de litro de leche). Sus observaciones clínicas fueron las siguientes:

- Ningún signo de fatiga.
- Facultades mentales normales.
- Funcionamiento intestinal normal.
- Ausencia de azúcares en la orina.
- Ligera alza de la tasa de hemoglobina sanguínea.
- Algunos signos de deficiencias en vitamina C (se compensa añadiendo zumo de naranja al régimen).

Con estas conclusiones se deduce que este tipo de ayuno no presenta ningún peligro para la salud. Más bien, todo lo contrario: la miel es un complemento alimenticio de primer orden.

Además de los azúcares mencionados, la miel contiene valiosos principios azoados y sustancias minerales, entre las que figuran sales de calcio, muy favorables para los huesos. Por ejemplo, en diversos experimentos de laboratorio llevados a cabo con animales, se ha comprobado que los cachorros a los que se completaba con miel la ración alimentaria presentaban, comparativamente a testigos que no disfrutaban de tal complemento, una excelente y netamente superior calcificación ósea y dentaria.

El valor nutritivo en calorías de la miel es mayor que el de la carne en un tercio, es tres veces mayor que el del pescado y cuatro veces mayor que el de la leche, ya que 100 g de miel proporcionan al organismo cerca de 400 kcal. Por otra parte, la miel se digiere más fácilmente que las sustancias cadavéricas y, en lugar de intoxicar como estas, destruye las toxinas sin causar destrucción de los tejidos ni perjudicar los riñones y mantiene la juventud.

La miel como endulzante

Los dos componentes principales de la miel son dos azúcares, la glucosa y la fructosa. El tercer ingrediente en importancia es el agua. También contiene otros azúcares en pequeñas proporciones (sucrosa, maltosa, isomaltosa, maltulosa, turanosa, erlosa, panosa...). Es pues un alimento esencialmente dulce que puede utilizarse como sustituto del azúcar de mesa. La capacidad endulzante de la miel depende de la variedad pero, en general, su sabor dulce equivale al del azúcar (aunque si se eliminara el agua su capacidad endulzante sería 1,5 veces mayor) pero proporciona 304 kcal por cada 100 g, frente a las 400 kcal del azúcar. Una cucharada de miel pesa unos 21 g y aporta 64 kcal.

Aunque existen mieles con aromas y sabores muy diferentes su poder endulzante es muy similar. No obstante, algunas mieles muy ricas en fructosa pueden saber algo más dulce. Los pasteleros suelen utilizar miel cuando están interesados en conservar algo de humedad en el producto final.

En general, en una receta de pastelería se puede sustituir con miel del 10 al 15 % de la cantidad de azúcar indicada. Si se desea sustituir todo el azúcar es necesario eliminar de otro ingrediente la cantidad de agua que aporta la miel.

Por otra parte, conviene añadir a las recetas de pastelería media cucharadita de bicarbonato por cada 250 ml de miel utilizados y se debe reducir la temperatura del horno en 25 °C para evitar que se dore más de la cuenta.

Forma más conveniente de tomar miel

Si bien no existe inconveniente alguno en comerla sola, el dulzor de la miel resulta excesivo para algunas personas. Ciertos autores opinan que tomada sola exige una gran secreción de jugos digestivos para ser diluida.

En consecuencia, es aconsejable tomarla diluida en leche o en infusiones, o bien asociada con otros alimentos, como pan, requesón, etc.

Dado que sustituye con ventaja al azúcar, se la puede emplear para endulzar tisanas y pasteles. Puede formar parte de un desayuno energético, o como excelente postre. En la alimentación normal, se puede mezclar con mermelada o frutas frescas.

Una excelente bebida polivitamínica se prepara mezclando 10 cucharadas de miel, el zumo de 2 limones y 1/2 de litro del jugo de otras frutas. Una de las formas más saludables de comerla es mezclándola con nata o yogur y fresas. En cambio, no es recomendable mezclar la miel con mantequilla o aceite, pues parece existir una cierta incompatibilidad con estas grasas.

La miel es un elemento constructor y reparador de las células, gracias a que por haber sido predigerida por las abejas es directamente asimilable, conteniendo las radiaciones vitalógenas del sol y del aire captadas por las plantas.

Las sustancias vivas que aporta al organismo permiten una mejor asimilación de otros hidratos de carbono (almidones, féculas, harinas, sémolas, etc.). La miel ejerce una interesante acción vasodilatadora y diurética, tonifica el corazón, aumenta la irrigación del sistema coronario, mejora la circulación miocardiaca y normaliza la tensión. Es igualmente recomendable en los casos de hipertensión que de hipotensión.

Por otra parte, actúa beneficiosamente sobre el sistema simpático, corrigiendo asimismo los trastornos hepáticos y pulmonares. Descongestiona los bronquios y suaviza la garganta. Sus propiedades cicatrizantes son notables en los casos de úlceras gástricas y duodenales. Por otra parte, el ácido fórmico que la abeja añade para asegurar su conservación es un activo antiséptico y antirreumático natural, totalmente inofensivo.

Este conjunto de factores benéficos sobre el organismo se puede conseguir mediante el consumo regular de miel, sea como ingrediente de diversos platos o como componente de bebidas.

20
El aceite de oliva

El olivo es el árbol más ilustre, tradicional y entrañable de la naturaleza mediterránea. Griegos, fenicios, romanos, judíos, cartagineses, árabes e hispanos lo convirtieron en parte fundamental de su vida cotidiana y de su economía, le rindieron culto y se encargaron de difundir su cultivo y sus aplicaciones.

Los egipcios aseguraban haber recibido tan maravilloso presente del dios del comercio, y los griegos afirmaban que Atenea, la diosa de la sabiduría, lo había creado a partir de una lanza como el don más útil que podía hacer a la humanidad, «del que no solamente sus frutos serán buenos para comer sino que de ellos se obtendrá un líquido extraordinario que servirá para alimento, para aliviar las heridas y para dar fuerza al organismo».

Este líquido extraordinario es el aceite de oliva, símbolo emblemático de la vieja cultura del Mediterráneo, cuyas propiedades nutritivas y terapéuticas han sido estudiadas científicamente en el siglo XX, y se ha confirmado la creencia de los pueblos antiguos en cuanto a la gran conveniencia de su uso frecuente en la alimentación, la medicina y la cosmética.

El recorrido por el mundo del aceite de oliva se inicia conociendo el largo proceso que se extiende desde la siembra del árbol del olivo hasta la obtención del más saludable y puro de los aceites, pasando por la recolección y los procedimientos que han marcado desde siempre la vida y la geografía de los pueblos del Mediterráneo. Una vez conocidos los métodos para su obtención, el lector encontrará aquí una práctica y sencilla guía para orientarse en el vasto panorama de los aceites de oliva, guía que le permitirá escoger, entre los productos que el mercado ofrece, el más apropiado para la cocina y la salud.

A continuación, haciendo un recorrido por las almazaras olivareras, se expone la composición química, el poderoso contenido nutricional y las propiedades terapéuticas de las distintas variedades de aceite de oliva. Así se comprenderá el milagro alimenticio de lo que los extractores de aceite denominan aceites de oliva vírgenes, y se aprenderá cómo se obtienen, de qué están hechos y para qué sirven los *aceites refinados de oliva*, entre los que se encuentra el aceite de orujo de oliva, protagonista de un controvertido caso relacionado con la seguridad alimentaria.

A lo largo de la historia el «oro líquido» ha sido un ingrediente fundamental para la fabricación de todo tipo de productos cosméticos y de cuidado externo del cuerpo. Esta tradición ha sido recogida y potenciada por la moderna industria farmacéutica, pero algunos preparados para el cuidado del cuerpo pueden ser fabricados en casa mediante sencillas recetas cuyas fórmulas se detallan en estas páginas.

Finalmente, y debido a que el uso más común que solemos dar al aceite de oliva es el de complemento o ingrediente de nuestras mejores recetas, se ofrecen algunos prácticos consejos para llevar una dieta equilibrada y sana, y una variada muestra de recetas orientadas específicamente a satisfacer las necesidades de distintos tipos de regímenes saludables.

Una tradición milenaria

Cuenta la leyenda que Atenea y Poseidón sostenían una disputa por la soberanía de la ciudad de Sais. La cuestión fue llevada al tribunal de los dioses, quienes prometieron dar la ciudad al que creara la mejor obra. Poseidón, con un golpe de tridente, hizo nacer de la roca un caballo. Atenea, con un golpe de su lanza en el suelo, hizo brotar un olivo cubierto de frutos. Los dioses deliberaron en el Olimpo y Atenea obtuvo la victoria por haber creado el don más útil que podía dar a la humanidad.

El olivo fue venerado por griegos, fenicios, egipcios y cartagineses como un árbol mágico y sagrado, por ser la fuente para el hombre de ese líquido extraordinario, alimento y fuente de salud, cuyos usos se extendían a todas las actividades de la vida cotidiana: el aceite de oliva.

El aceite comparte con el olivo sus atributos simbólicos y sagrados. A medida que el hombre fue perfeccionando la técnica de obtención de aceite de oliva y se fue dando cuenta de sus extraordinarias cualidades, lo convirtió en el símbolo de la virtud suprema. Virtud significaba en la

Antigüedad la fuerza, el poder de una cosa. Los griegos concedieron al aceite la *areté*, la máxima potencialidad simbólica.

El aceite de oliva se convirtió en símbolo de eternidad, de luz, de inteligencia, de sabiduría, de bienestar, de paz. Estas asociaciones se fueron generando en el seno de la vida cotidiana de los pueblos mediterráneos que usaron el aceite para alimentarse y curarse, para impermeabilizar y lubricar sus herramientas, para ungir sus cuerpos con él y así protegerse, para encender sus lámparas, provistas de mechas de fibras aceitadas.

La evolución del hombre asentado desde la prehistoria en las orillas del mar Mediterráneo significó la gradual transformación de los pueblos recolectores en pueblos agricultores, con capacidad de cultivar alimentos y transformarlos para su uso óptimo. Las claves del placer del buen comer, y con él el del bienestar y el de la sociabilidad, fueron determinantes en el hallazgo de la identidad de estos pueblos, y dentro de este proceso fueron elementos fundamentales el olivo y su fruto, la aceituna, así como el aceite que desde épocas inmemoriales las gentes de estas tierras aprendieron a extraer.

Al abandonar la recolección de frutos silvestres, tallos y rizomas, todos los esfuerzos de los primitivos pueblos mediterráneos se dirigieron a reconocer las especies más valiosas y rentables para abordar, con el mínimo esfuerzo posible y el máximo beneficio, la nueva modalidad de siembra a gran escala. De ahí nacieron los 3 cultivos básicos de la trilogía mediterránea: el trigo, la vid y el olivo.

Los frutos de estos cultivos requerían tratamientos diversos para poder ser consumidos, es decir, había que liberar las partes comestibles de las que no lo eran, como cortezas, pepitas, pieles y huesos, subproductos que recibían a su vez el tratamiento adecuado para alimentar al ganado, para ser utilizados como abono o para fabricar otros materiales. Estos productos básicos de la alimentación mediterránea que exigían un descascarillado o molturación previa, pusieron en marcha una completa tecnología de extracción, prensado, filtrado, almacenamiento y transporte, que, junto con el comercio derivado de ellos, determinaría las características fundamentales de la cultura de la región.

Una vez instaurada definitivamente la agricultura a gran escala, la vida sedentaria y el fuego doméstico, se produjo en el Mediterráneo un aumento de la producción que tuvo como consecuencia un superávit de alimentos que hubo que almacenar, repartir y distribuir para evitar que se dañaran o fueran robados. Las aceitunas, el aceite, los granos y el vino plantearon desde un principio el problema de su conservación. Los campesinos cretenses construyeron palacios o santuarios colectivos para guardar la cosecha y sus subproductos bajo la protección de los dioses. Estos santuarios absorbían el exceso de mano de obra y de producción alimenticia, y eran el espacio en el que el hombre rendía tributo a sus dioses a través de los alimentos.

Hasta la aparición del aceite de oliva, el sebo y la manteca eran las grasas más utilizadas en la dieta de los pueblos mediterráneos. Muy poco después del desarrollo de la agricultura, el aceite de oliva empezó a cumplir la doble función de ingrediente y condimento, puesto que aportaba aroma, grasa, sabor y untuosidad a los alimentos. Además integraba carnes, legumbres, cereales y pescados, dando lugar a distintos tipos de elaboraciones culinarias como adobos, guisos, fritos y panes.

En la antigua Mesopotamia el aceite más usado era el de sésamo; el de oliva constituía una parte menor de la dieta y se consumía fundamentalmente con los cereales majados y en forma de gachas con leche y miel. El aceite de oliva, en cambio, se impuso con fuerza en las costas de Siria y Palestina, de Dalmacia, de todo el norte de África, de Grecia, Italia, España y Portugal. En Francia se habituaron a su consumo más lentamente, introducido desde Marsella y como consecuencia de la influencia romana en el siglo I a. C.

El carácter sagrado que llegó a tener el aceite de oliva en Grecia se debió no solo a su exquisitez como alimento sino también a sus múltiples utilidades en otros aspectos de la vida cotidiana. Los pueblos áticos lo utilizaban como ungüento y base de perfumes, como combustible en los candiles y lámparas de aceite y como lubricante. Además lo usaban para el cuidado de los instrumentos de trabajo y las armas, para los diversos cuidados del cuerpo en la práctica deportiva, y para el embalsamamiento de los difuntos.

De los mejores frutos de la cosecha de aceitunas se obtenía, como en la actualidad, el mejor aceite, extraído de la primera prensada; este era destinado a las ofrendas a los dioses y utilizado para unciones sagradas, en la medicina y en la magia.

El comercio del aceite de oliva fue el motor de todas las culturas del Mediterráneo, la fuente de su riqueza y su desarrollo. Chipriotas, cretenses, sirios, egipcios, fenicios y palestinos habían perfeccionado diferentes tipos de barcos para este fin, y extendieron el comercio desde las costas de Asia a las de África, cruzando el Egeo y llegando al extremo occidental de Italia y a España por el Mediterráneo. El transporte se canalizó desde un principio por vía marítima porque su costo se duplicaba cuando se hacía por vía terrestre.

Con el transcurso de los siglos, estos intercambios de alimentos entre pueblos mediterráneos fueron cada vez más numerosos por el aumento de la población y por las necesidades creadas. Grecia producía aceite y otros productos básicos como granos y vinos. Más tarde, Roma, con la expansión de su Imperio, empezó a precisar cantidades más grandes de aceite de oliva y de trigo, de los que se proveía en sus provincias de ultramar.

Ya Solón había legislado en Grecia todo lo concerniente al árbol y al comercio de sus frutos; estaba prohibida la exportación de todos los productos agrícolas menos el aceite y el vino, comercio que por el contrario se premiaba. Esta promoción del cultivo de olivos y viñas significó una modificación del paisaje, pues las tierras se tapizaron con los nuevos árboles; es por eso que Platón echaba de menos, entre nostálgicos lamentos, los bosques de antaño.

Con la legislación del Imperio Romano, el comercio del aceite de oliva, que inicialmente se había producido de este a oeste (de las tierras áticas hacia las costas mediterráneas occidentales), cambió de rumbo definitivamente y se consolidó en dirección opuesta (del Mediterráneo occidental a las colonias romanas del este). Catón, ya en el siglo II de nuestra era, apuntaba en su tratado *De Agricultura* la necesidad de una férrea organización de la producción y el comercio del aceite romano. En efecto, en Roma se sumaban a las necesidades habituales de aceite el uso desaforado que de este se hacía en la palestra, en el gimnasio y en las termas, cuando estas ya no eran un lujo y estaban socializadas. Además, durante el siglo II estaba en uso la Annona, distribución oficial de grano y aceite para paliar el hambre de la población empobrecida. La importación de aceite procedente del exterior aseguraba la paz de los territorios empobrecidos, al tiempo que estabilizaba la economía de las provincias y garantizaba su dependencia del Imperio.

Las ánforas de aceite hispánico seguían, pues, las vías fluviales del Ródano, el Saona, el Rin y el Alto Danubio, por las que llegaban a Augsburg y a la antigua Britania, pero la mayor parte del aceite de la Bética

(Andalucía) era controlado y absorbido directamente por Roma. Podemos ubicar el apogeo del comercio entre el siglo I de nuestra era –la de Augusto– y el año 250. Sin embargo, hubo, muy probablemente, una continuidad en el comercio de los productos derivados del olivo hasta bien entrado el siglo V. Los romanos distinguían distintas variedades de aceites que destinaban a usos muy específicos y que tenían, cada uno, un precio exacto y controlado.

A partir de los primeros siglos de nuestra era, pueblos nómadas y pastores del norte de Europa penetraron en los territorios del Imperio romano; burgundios y galos, visigodos, lombardos y anglos. Su dieta se basaba en la carne y los derivados del cerdo, que acompañaban de cerveza y leche mezclada con sangre. Posteriormente apareció Atila al comando de los hunos, arrasando todo lo que se ponía a su paso y haciendo que los pueblos germánicos rebasaran las fortificaciones romanas. Visigodos, suevos y vándalos penetraron Hispania hasta la Bética, llamándola Vandalusía, y continuaron, atravesando el estrecho, hasta el norte de África.

Los pueblos germánicos no pudieron habituarse al aceite y se mantuvieron fieles a las grasas animales, pero los visigodos supieron introducir la grasa vegetal en su dieta. La agricultura visigoda perpetuó la hispanorromana, y por eso en todo el Mediterráneo el aceite de oliva continuó siendo el principal componente graso de la alimentación.

Después de la llegada de los pueblos germánicos, el aceite era conocido como la grasa de la gente civilizada; los consumidores de mantequilla se asociaban a los bárbaros del norte, que habían destrozado los hábitos romanos y los de la Antigüedad pagana. En muchos centros urbanos del norte de Europa (salvo en Flandes e Irlanda, grandes partidarios de la mantequilla), el aceite de oliva era el condimento habitual que usaban las personas ricas.

Alrededor del siglo V una nueva fuerza invasora penetró en Hispania desde el sur. Se trataba de los musulmanes, contra los que los cristianos iniciaron en el año 718 una ofensiva de recuperación, la Reconquista, que habría de durar casi ochocientos años, hasta su culminación con la conquista de Granada en el siglo XV.

En la época del poder árabe en el sur de España, se hizo por fin una síntesis final de los fundamentos agrícolas de griegos, cartagineses, romanos y musulmanes, y es indudable que el aceite de oliva cautivó a los árabes, que lo convirtieron en su ingrediente privilegiado. En efecto, los musulmanes compartían con los judíos la prohibición de comer carne de cerdo y sus derivados, y entre ellos el aceite fue un importantísimo medio de cocción, junto con otras grasas animales que no fueran de cerdo.

Desde tiempos muy remotos habitaba en España y en el sur de Francia una nutrida población judía. Su presencia se documenta con anterioridad a la destrucción del templo de Jerusalén y a la Diáspora, ocurrida hacia el año 70 de la era cristiana, y se prolonga a lo largo de la historia hasta su expulsión de Castilla y Aragón por parte de los Reyes Católicos.

Las prescripciones religiosas en lo que concierne a la dieta moldearon de tal manera la historia del pueblo judío que llegaron a constituir uno de sus principales símbolos de identidad. La observancia estricta de la ley imponía la prohibición radical de mezclar productos lácteos con productos cárnicos, y de ahí la importancia que entre ellos adquirió el aceite de oliva. Los judíos compatibilizaban el comercio del aceite con la práctica de la medicina: el aceite, además de ser la grasa básica, se utilizaba como componente de numerosos preparados terapéuticos.

Los pueblos semitas españoles solían comprar la totalidad de la producción de las almazaras, dado que utilizaban el aceite para aprovisionar las lámparas de las sinagogas (la lámpara perpetua simbolizaba la Luz Eterna) y como elemento ritual, tanto en los velatorios como para evocar el alma de los antepasados.

Los cristianos, decididos a recuperar la integridad de su territorio y a mantener como un valor la limpieza de su sangre –no mezclada con la de los herejes judíos o musulmanes– empezaron a asociar el aceite con la cocina de estos y a renunciar a su consumo, por temor a que se les atribuyeran antecedentes familiares dudosos.

El consumo de aceite de oliva, que san Isidoro había alabado, que habían recomendado las órdenes monásticas y que se había utilizado con sabiduría sobre todo en los estamentos populares de la sociedad, fue prescrito en muchas regiones por culpa de los prejuicios religiosos y por miedo de los consumidores a ser identificados con los infieles. Fue así como gallegos, castellanos y montañeses dejaron de usar aceite e incorporaron la manteca de cerdo en la alimentación.

A partir del siglo XVI, sin embargo, se empezaron a decantar las costumbres provenientes de los pueblos que habían ocupado la Península en los últimos siglos, y se produjo una lenta fusión entre las costumbres alimenticias de cristianos, judíos y musulmanes.

El olivo, con su maravillosa adaptación a las tierras mediterráneas y su fuerza irrefrenable, pronto recuperó el territorio que había perdido. El extraordinario aceite de sus frutos, que durante tanto tiempo había protagonizado la historia de la España mediterránea, volvió a ser el alimento fundamental que siempre había sido. El extenso cultivo del árbol, el continuo desarrollo de las técnicas para la elaboración del aceite y su abundante consumo, se fortalecieron y se mantuvieron hasta nuestros días, en los que es impensable hablar de la alimentación española sin nombrar el aceite de oliva.

El olivo y su cultivo

El origen del olivo es anterior a la aparición del hombre: se remonta a la era terciaria y se sitúa en la zona del Asia Menor. Existen muchas hipótesis entre los expertos acerca de las especies que intervinieron en el proceso de hibridación que dio como resultado el olivo que se cultiva actualmente.

El olivo pertenece a la familia de las oleáceas. El género llamado *Olea* engloba numerosas especies, repartidas por todo el mundo. El olivo cultivado es de la especie *Olea europaea*; a esta especie pertenecen numerosas variedades, siendo la más común *Olea sativa*. El olivo silvestre o acebuche suele ser clasificado como perteneciente a la variedad *Oleaster*.

El olivo silvestre se diferencia del olivo cultivado por el menor tamaño del árbol y porque sus frutos son más pequeños y menos carnosos. Antiguamente se creía que las semillas del olivo no podían germinar, y por eso no se las usaba para la reproducción. Lo que sucede en realidad es que la sustancia oleosa que cubre el hueso impide que el aire y la humedad penetren, y eso hace que el proceso de germinación de la semilla tarde demasiado tiempo, alrededor de 2 años. Germinan mucho más deprisa aquellas semillas que han sido ingeridas y digeridas por pájaros como el tordo, pues en este proceso pierden todo rastro de aceite, lo que facilita la absorción de agua. Los pájaros son pues unos valiosos colaboradores en el proceso de multiplicación del olivo.

Se podría pensar que *Oleaster* es la forma primitiva del olivo, y que *Olea sativa* es el resultado de su lenta transformación y mejora mediante el cultivo. Sin embargo, existen particularidades que parecen negar esta secuencia. El olivo silvestre se reproduce indefinidamente y conserva siempre todas las características específicas; las simientes de los olivos cultivados, en cambio, no reproducen los caracteres de los árboles de los que se originan, y dan siempre olivos silvestres. La reproducción de *Olea sativa*, entonces, depende siempre del hombre, y debe hacerse por estaca o por medio de los retoños que produce la base del árbol.

Cuando el olivo silvestre es sometido a cultivo regular y se le proporcionan los cuidados adecuados, y aquí está la dificultad para clasificar, produce frutos más gruesos pero en todo caso menos ricos en aceite que los de *Olea sativa*. A diferencia de cualquier otra planta, una vez que el olivo silvestre ha pasado por las manos del hombre, y aunque sea después abandonado durante siglos, no regresa a su estado primitivo.

El olivo

Olea sativa es un árbol siempre verde que puede alcanzar en estado silvestre hasta 15 metros de altura, o incluso más. Cuando el tronco es muy viejo y alto, el árbol desarrolla un sistema de raíces poco profundo y con una cepa leñosa de gran tamaño en donde se acumulan reservas.

Las hojas duran alrededor de 3 años, son simples y enteras, de color verde oscuro por encima y plateado por debajo, y tienen una abundante vellosidad que limita la pérdida de agua.

El tronco, liso y gris en los ejemplares jóvenes, se hace nudoso, agrietado y rugoso con el paso de los años; su base es muy importante, porque produce los retoños que pueden regenerar la planta.

El ciclo vegetativo del olivo se manifiesta después del reposo invernal, es decir, de noviembre a febrero, y el árbol despierta de marzo a abril, cuando aparecen los primeros brotes. El crecimiento es lento. Da fruto, en condiciones favorables, cuando tiene entre 5 y 7 años; de los 7 a los 35 años el árbol continúa creciendo y su producción aumenta paulatinamente; de los 35 a los 105 años se da la etapa de plena madurez y producción. Después de los 150 años envejece y empieza a decaer su producción.

La característica más distintiva del olivo es que puede llegar a tener varios cientos de años y, cuando por fin el árbol muere y el tronco desaparece, crecen en su base nuevos retoños que también serán algún día olivos centenarios. Es este hecho el que hace que el olivo sea llamado *el árbol inmortal*.

Cultivo del olivo

El cultivo del olivo es ecológicamente útil para la conservación del suelo, y en algunas áreas marginales y de climas extremos, es a menudo la única forma posible de agricultura. Ofrece además numerosas posibilidades de trabajo, por exigir mano de obra numerosa.

El olivo es un árbol característico de toda la cuenca mediterránea porque requiere inviernos suaves, otoños y primaveras lluviosas y veranos secos, cálidos y de gran luminosidad. Los árboles que crecen en esta zona son normalmente pequeños y de raíces numerosas y muy extensas que buscan en las profundidades reservas de agua que la superficie del suelo no posee. A pesar de que puede aguantar veranos muy calientes y secos, sus frutos maduran en otoño o incluso en invierno.

La temperatura idónea para el cultivo del olivo es entre los 16 y los 22 °C, pero el árbol resiste temperaturas de hasta -7 °C. Aunque se dan casos, como el de Sierra Nevada, en donde crece a una altura de 900 metros, normalmente el árbol se da en alturas de hasta 600 metros, siempre que esté plantado en terrazas abigarradas y orientadas al sur.

Un olivo cultivado produce entre 15 y 35 kg de aceitunas cada año. De 100 kg de aceitunas se obtiene un promedio de 20 litros de aceite, pero esta cantidad varía mucho, como veremos más adelante, dependiendo de la variedad de la aceituna, el tiempo de maduración en el árbol, las fechas de recolección y las técnicas del prensado.

El cultivo del olivar suele hacerse de la siguiente manera: se realizan 1 o 2 cavas bastante profundas en primavera y en otoño, se abona la tierra en septiembre o en octubre, y durante el invierno sé hacen una poda y los tratamientos parasitarios preventivos que sean necesarios.

El período de crecimiento de las ramas va desde abril hasta finales de octubre, aunque a partir de agosto el ritmo es más lento debido al calor y a la falta de agua.

El período de reposo invernal del olivo empieza en noviembre y termina en enero, por tanto, es mucho más corto que el de otras especies. En enero el árbol comienza a transmitir las órdenes para que los brotes empiecen a crecer y a transformarse en madera, es decir, para que las ramas crezcan, o bien para que las ramas viejas produzcan las flores que después se transformarán en frutos. Por este motivo los frutos del olivo no se encuentran en las ramas recién formadas, sino en las del año anterior.

Este fenómeno, llamado *vecería*, explica en parte el hecho de que el árbol dé mucha cosecha unos años y otros muy poca. El refrán de los agricultores mediterráneos bien lo dice: «Fortuna y aceituna, a veces mucha y a veces ninguna».

Recolección de la oliva

La cosecha de la oliva tiene lugar en el período comprendido entre los meses de noviembre y febrero, cuando el fruto está maduro. El método tradicional de recolección manual es el único que garantiza que las olivas sean bien escogidas y que no se estropeen. El mejor sistema para obtener la mayor cantidad de frutos en buen estado es la utilización de varas largas que zarandean el árbol hasta que los frutos caen sobre grandes redes de fibra sintética ligera extendidas en el suelo bajo los árboles.

Variedades de olivas

Existen numerosas variedades de olivas que producen aceites de buena calidad. Cada variedad produce un tipo de aceite ligeramente distinto en su composición, sus propiedades y su sabor.

Entre las principales variedades que se cultivan en España existen 4 que representan el 60 % de la olivicultura de nuestro país: la picual o marteña, la cornicabra, la hojiblanca y la lechín.

La más importante es la picual, que produce prácticamente la mitad del aceite español. Está muy extendida en las provincias de Granada y Córdoba y ocupa aproximadamente una tercera parte de la superficie olivarera española (alrededor de 600.000 hectáreas). Su aceite se caracteriza por tener una gran estabilidad y una notable riqueza en ácido oleico. Cuando se hace un uso correcto de las técnicas de cultivo y elaboración, la picual produce aceites de muy buena calidad, afrutados y de gran personalidad, muy apreciados en el comercio.

Los cultivos de cornicabra ocupan una superficie de alrededor de 300.000 hectáreas y son los principales productores de aceite de oliva en Castilla-La Mancha, zona conocida por sus aceites de oliva vírgenes de excelente calidad. Su fruto es de tamaño entre mediano y grande y de buen rendimiento graso (22 %). El aceite de cornicabra presenta un bajo contenido en tocoferoles, aunque su alto contenido en polifenoles compensa la composición y hace que sea un aceite de gran estabilidad.

La variedad hojiblanca se cultiva principalmente en el sur de la provincia de Córdoba, y ocupa alrededor de 220.000 hectáreas. Sus olivas se emplean tanto para la producción de aceite como para ser consumidas una vez aderezadas. El rendimiento en aceite de la hojiblanca es bajo (entre el 18 y el 20 %); sin embargo, este es de excelente calidad, de colores entre verdosos y amarillos según la época de recolección, muy suaves y aptos para envasar directamente. La hojiblanca posee además un elevado contenido en vitamina E y, aunque su nivel de polifenoles no es alto, su resistencia al enranciado es superior a lo que podría indicar su estabilidad.

La lechín se cultiva en una superficie aproximada de 200.000 hectáreas, fundamentalmente en las provincias de Sevilla, Córdoba y Cádiz. También se adentra un poco en Málaga por la serranía de Ronda, aunque en la actualidad está en regresión. Al igual que ocurre con los aceites de la variedad cornicabra, su bajo nivel de tocoferoles se compensa con un alto contenido en polifenoles, por lo que proporciona un aceite muy estable. Produce aceite de gran calidad con un toque de amargor importante, pero es un aceite de fuerte personalidad, que mezclado puede mejorar los procedentes de otras variedades.

Existen otras variedades con las que se fabrica el aceite que se consume normalmente en España, como la arbequina, la empeltre, la verdial de Vélez-Málaga, la lechín de Granada, la verdial de Huevar, la farga, la morisca, la manzanilla cacereña y la blanqueta.

Algunas de las variedades más importantes de otros países mediterráneos son: la *frantoio* y la *negrinha*, originarias de Italia; la *coronoeiki*, originaria de Grecia; la *chetoui*, de todo el norte de África, y la *picholine marocaine*, de Marruecos.

21
¿Cómo se obtiene el aceite de oliva?

A lo largo de la historia han sido muchos y muy variados los sistemas utilizados para la obtención del aceite de oliva. Desde las ancestrales prensas de piedra circulares para moler aceitunas y los molinos de fricción, hasta los modernos sistemas de decantación por centrifugado, el agricultor mediterráneo ha llevado a cabo una continua búsqueda de los mejores métodos para la elaboración de aceites.

Las instalaciones en las que se extrae el aceite de oliva reciben el nombre de *almazaras*, palabra procedente del árabe *(al-mas'sara)* que significa «extraer» o «exprimir».

Los dos procedimientos utilizados en la actualidad para elaborar el aceite de oliva virgen que consumimos son los llamados *mecánico de prensado* y *centrifugado* (de 2 o de 3 fases).

Primero veremos cómo se obtiene aceite de oliva por el sistema mecánico de prensado, heredero de los sistemas mecánicos tradicionales. Cuando llega la aceituna de los árboles a la almazara, se deposita en unos grandes embudos o tolvas. De ahí los frutos pasan a las limpiadoras, en donde se extraen las hojas, la tierra y las demás impurezas, para después ser lavados cuidadosamente con agua en una máquina provista de un tanque giratorio.

Una vez que el fruto está libre de impurezas y limpio, pasa a un molino con 3 rulos cónicos, muy similar al molino tradicional que se ha venido usando desde el siglo pasado, aunque adaptado a los nuevos materiales y fuentes de energía. El molino tritura el fruto y este pasa a una batidora que homogeneíza y calienta la masa resultante a una temperatura de entre 15 y 20 °C.

Esta masa es entonces envuelta en capazos redondos de esparto, que son comprimidos por una prensa hidráulica para filtrar los líquidos y retener los sólidos. Los líquidos, es decir, el aceite y el alpechín o agua vegetal, pasan a unos recipientes de decantación, en donde se separan el aceite y el agua vegetal. El agua vegetal es más pesada que el aceite, por lo que se va al fondo junto con los residuos sólidos que puedan haber quedado. Es entonces cuando aparece en la superficie el preciado aceite virgen extra, de gran calidad por ser el resultado puro del primer prensado.

Como resultado del segundo y tercer prensado, así como del decantado de la pasta de la aceituna, se obtienen aceites de otras calidades, como veremos más adelante.

El segundo procedimiento usado para la obtención de aceite de oliva virgen es el centrifugado, que puede ser de 2 o de 3 fases. En este momento es el sistema más usado en España entre los productores de aceites en grandes cantidades, porque el proceso está totalmente mecanizado y permite extraer fácilmente distintos tipos de aceites.

Mediante el centrifugado la pasta de las olivas que proviene de la batidora se centrifuga en el interior de un decantador de eje horizontal; el aceite se separa del agua vegetal y del orujo debido solamente al movimiento centrífugo, sin añadir productos químicos ni calor. Este aceite producido por el primer centrifugado es el virgen extra. La pasta que resta es aún rica en aceite y se exprime de nuevo con agua 2 o 3 veces más (fases), obteniendo en cada etapa aceites de distintas calidades.

La acidez de un aceite de oliva viene determinada por su contenido en ácidos grasos libres y se expresa por los gramos de ácido oleico contenidos en 100 g de aceite. Esta graduación no tiene relación con la intensidad del sabor. Un bajo grado de acidez significa que se han usado frutos sanos.

El aceite de oliva virgen que tiene una acidez superior a 3,3 grados y que por su olor y sabor resulta defectuoso se conoce como *aceite lampante*; este nombre hace referencia al empleo que se le daba hasta hace pocos años: alimentar las lámparas de aceite.

El aceite que ha sido refinado sin provocar modificaciones de su estructura glicerídica inicial, se conoce como *aceite de oliva refinado*.

Los restos sólidos procedentes de la extracción del aceite de oliva, conocidos como *orujo*, y el *alpechín* son aprovechados como combustibles o como abonos orgánicos.

Del orujo se obtiene además un aceite para consumo humano de calidad distinta al puro de oliva, el aceite de orujo de oliva, del cual hablaremos con detenimiento más adelante.

Tipos de aceite

Los distintos procedimientos de obtención dan como resultado aceites de calidades muy diferentes determinadas por el grado de acidez, el color, el sabor y el olor.

Aceites de oliva virgen

Los aceites de oliva virgen, producto de los 3 primeros prensados de las aceitunas, y que no han sufrido ningún tipo de procesamiento químico, son los siguientes:

- *Aceite de oliva virgen extra.* Aceite de una acidez de 0,2 grados hasta un máximo de 1 grado, de sabor y olor absolutamente irreprochables.
- *Aceite de oliva virgen fino.* Aceite de 1 a 1,5 grados, de buen sabor y olor aceptable.
- *Aceite de oliva virgen corriente.* De 1,5 a 3,3 grados, es un aceite de buen sabor y olor aceptable.
- *Aceite de oliva virgen lampante.* Aceite no apto para el consumo humano, de acidez superior a 3,3 grados, de sabor y olor defectuosos. Está destinado a las industrias de refinado o a usos técnicos, y su nombre se debe a que antiguamente se destinaba a las lámparas de aceite.

Aceites refinados

Los aceites refinados, o rectificados, se obtienen a partir de los aceites vírgenes lampantes que no se pueden consumir por su estado avanzado de oxidación o por fermentaciones enzimáticas de la aceituna debidas al atrojado.

Estos lampantes defectuosos pueden tener índices de acidez demasiado altos, mal sabor y olor, color anómalo, o índices muy elevados de humedad y cenizas. La refinación consiste entonces en la sucesiva aplicación de los procesos necesarios para dejar el aceite libre de tales características indeseables.

Normalmente los pasos de la refinación son la neutralización de los ácidos grasos libres mediante álcali y centrifugado; la decoloración del aceite neutro con carbón activo o tierras absorbentes y filtración; y la desodorización, que se consigue sometiendo el aceite a temperaturas elevadas al vacío y rociándolo con vapor de agua.

De estos procesos se obtiene un aceite incoloro, inodoro e insípido, que es mezclado con aceites vírgenes de gran calidad, para dar como resultado el aceite conocido en el mercado como *aceite de oliva*, según la actual normativa. La proporción de la mezcla depende de cada envasador, pero por lo general este aceite tiene entre un 85 y un 90 % de aceite de oliva refinado y un 10 o 15 % de aceite de oliva virgen. La acidez varía de 0,4 a 1,5 grados en función de las características de la mezcla.

Aceite de orujo de oliva

El aceite de orujo es el aceite que se extrae con disolventes de la pasta procedente de los deshechos de la aceituna (orujo); el aceite de orujo puro no puede ser consumido por el hombre y se usa como abono o como lampante.

Sin embargo, este aceite, una vez refinado, es decir, procesado químicamente para eliminar las características que lo hacen no apto para el consumo, se mezcla con aceite de oliva virgen y se comercializa recibiendo la denominación de *aceite de orujo de oliva*. Se trata de un aceite de menor calidad que los aceites de oliva vírgenes y con características sensoriales (olor, sabor, textura, color) distintas a las de los aceites refinados puros de oliva, pero su consumo no implica ningún riesgo para la salud y ha sido aprobado por las comisiones dedicadas a los alimentos en los distintos países de la Unión Europea y en otros países consumidores de aceite.

Recientes investigaciones científicas han descubierto que un elevado contenido de benzopireno en el aceite puede causar a muy largo plazo (en períodos de veinte años o más) una acumulación nociva para la salud humana. De todos los alimentos que contienen benzopireno (entre ellos, los jamones curados, los quesos curados y los productos ahumados), el aceite de orujo de oliva es uno de los que tienen menos cantidad de esta sustancia.

A pesar de lo reducido de este contenido, a comienzos del año 2001 se produjo una polémica en los países productores y consumidores de aceite de oliva, y especialmente en España, a raíz de la detección de partidas de aceite de orujo con altos niveles de benzopireno. Finalmente se fijó el límite permitido en dos microgramos de benzopireno por kilo de aceite (dos partes por billón). En el momento de ser aplicada la norma, este mínimo era superado por la mayoría de los aceites de orujo de oliva presentes en el mercado, debido a la carencia de legislación previa al respecto y a métodos de producción que no contemplaban un control del benzopireno.

La transformación de las almazaras productoras de aceite de orujo de oliva para evitar índices de benzopireno que superaran la norma fue, afortunadamente, un proceso fácil y de bajo coste. Esto hizo que aquellos aceites que estuvieran superando los límites establecidos se adaptaran rápidamente y se acogieran a la norma, por lo que actualmente, y esto es muy importante a la hora de escoger aceites en el mercado, todos los aceites de orujo de oliva son aptos para el consumo humano, y no representan ningún peligro para la salud.

El peligro que representan aquellos aceites distribuidos antes de que fuera establecida la norma se está apenas empezando a investigar, pero lo que sí se sabe es que hay que consumir grandes cantidades de aceite de orujo durante más de veinte años para que el organismo esté más expuesto a contraer ciertas enfermedades, que no necesariamente contraerá como un efecto directo del consumo normal.

Composición y propiedades del aceite de oliva

Para su crecimiento, desarrollo y buen funcionamiento, el cuerpo humano tiene necesidad de grasas (llamadas también lípidos), bien sean de origen animal o vegetal. La ingesta diaria de lípidos debe satisfacer las necesidades del organismo y, al mismo tiempo, de los sentidos.

La cantidad de grasas en el cuerpo determina evidentemente cambios en la estructura corporal de cada individuo y marca, además, sus condiciones de vida. El cuerpo, a su vez, determina la cantidad de grasas que el individuo necesita consumir en función de una serie de condiciones externas: el clima (si es cálido o frío), el tipo de trabajo (si es pesado o ligero), etc.

Es muy difícil establecer la cantidad ideal de grasa que requiere un individuo. Existe sin embargo una fórmula simple para evaluar las necesidades de lípidos de un individuo que vive en una zona de clima templado y que lleva a cabo una actividad física media: el peso corporal expresado en kilogramos se divide por 2, y el resultado equivale a la ración de lípidos diaria expresada en gramos.

Por ejemplo, una persona que pesa 70 kg y desarrolla una actividad física mediana, deberá ingerir diariamente alrededor de 35 g de grasas, incluyendo las que se usan como condimento o para freír, las que son parte de alimentos como la carne, y las que son ingredientes de productos elaborados, como la margarina agregada a unas galletas.

En el invierno, o si se realiza un trabajo que requiera más esfuerzo, es necesario agregar una pequeña cantidad a la proporción diaria de grasas; por el contrario, si el trabajo es totalmente sedentario, hay que reducir la aportación de grasas en la cantidad que se considere razonable. Por lo general, cuando se empieza a tener un control de la propia nutrición, uno mismo se da cuenta de que el consumo de grasas poco saludables es excesivo.

En lo que respecta a la calidad, en cambio, hay que valorar si las grasas consumidas contienen ácidos grasos saturados o insaturados.

Ácidos grasos saturados e insaturados

Las grasas alimentarias están compuestas de ácidos grasos, que se pueden dividir en ácidos grasos saturados (llamados así porque sus moléculas están saturadas con átomos de hidrógeno) y ácidos grasos insaturados (en los cuales las uniones permanecen libres en las moléculas, es decir, que no están saturadas de átomos de hidrógeno y, por lo tanto, entre un átomo y otro se forman estructuras especiales llamadas *enlaces dobles*). Los ácidos grasos saturados pueden ser monoinsaturados o poliinsaturados, según tengan uno o más enlaces dobles.

Contienen abundantes ácidos grasos saturados las grasas animales y algunas grasas vegetales, como las del cacao, la palma o las nueces. Los aceites de pescado y las grasas vegetales contienen abundantes ácidos grasos insaturados.

Las grasas que contienen mayoritariamente ácidos grasos saturados presentan un estado sólido a 20 °C. En cambio, cuando predominan los insaturados, la grasa se encuentra en estado líquido a la misma temperatura.

CONTENIDO EN ÁCIDOS GRASOS (%) DE DISTINTOS TIPOS DE ACEITE			
	Oliva	**Palma**	**Girasol**
Monoinsaturados	73	38	33,3
Poliinsaturados	11,7	9	52,3
Saturados	14,7	53	13,7

Composición del aceite de oliva

Según la región en la que ha sido cultivado el olivo, el año de cosecha, la variedad de la oliva y el tipo de procedimiento, varía considerablemente la composición del aceite de oliva, por tanto, hablaremos siempre de composición media. Así, en el aceite de oliva encontramos un 3,5 % de glúcidos; un 20 % de lípidos; un 1,5 % de proteínas; vitaminas (A, B_1, B_2, C, E y K) y sales minerales tales como cloro, cobre, hierro, magnesio, calcio, fósforo, manganeso y azufre.

CONTENIDO EN SALES MINERALES DE LAS ACEITUNAS Y EL ACEITE DE OLIVA VIRGEN (en gramos por cada 100 g)			
	Aceitunas verdes	**Aceitunas negras**	**Aceite de oliva virgen**
Sodio (Na)	0,3	0,5	0,09
Potasio (K)	0,05	0,04	0,01
Calcio (Ca)	0,04	0,06	0,006
Magnesio (Mg)	0,01	0,003	0,001
Hierro (Fe)	0,001	0,004	0,00004
Fósforo (P)	0,015	0,007	0,007
Azufre (S)	0,022	0,03	0,02

En el conjunto de los lípidos, existe una proporción equilibrada de ácidos grasos saturados y ácidos grasos insaturados. Entre estos últimos, el ácido graso que es absorbido más rápidamente por el intestino y de forma más regular se denomina ácido oleico. El aceite de oliva es muy rico en este tipo de ácido. En cantidades inferiores se encuentran el ácido linoleico y el ácido linolénico, que suelen estar presentes en cantidades muy elevadas en otros aceites vegetales. Estos ácidos grasos forman parte de los llamados ácidos grasos poliinsaturados esenciales, es decir, aquellos indispensables para el organismo.

El aceite de oliva contiene un 10 % de ácido linolénico. Este regula la tasa de colesterol de la sangre, es uno de los constituyentes de la membrana celular e inicia, además, la síntesis de algunas sustancias hormonales. Por si esto fuera poco, es también un elemento indispensable para el desarrollo del sistema nervioso central durante los primeros años de vida del ser humano. El porcentaje de ácido linolénico que contiene el aceite de oliva es exactamente el mismo que el que contiene la parte grasa de la leche materna, asombrosa coincidencia que nos puede ayudar a entender la importancia del aceite de oliva en el crecimiento del niño. El ácido linolénico es también la única grasa que mantiene en buen estado la densidad ósea de las mujeres mayores.

Sin embargo, el ácido linolénico, cuando supera una cantidad determinada, puede ser perjudicial para el organismo y causar daños celulares similares a los que causan ciertas radiaciones.

El aceite de oliva virgen es mucho más eficaz que otras grasas alimentarias, bien sean de origen animal o vegetal, en la estimulación de la contracción de la vesícula biliar. Esta particularidad es de gran importancia, pues la contracción de la vesícula produce la salida de la bilis, cuyo fin es hacer las grasas más digeribles.

Otros componentes importantes del oro líquido son los tocoferoles, los polifenoles y los fosfolípidos.

Los fosfolípidos son particularmente importantes porque ayudan a la digestión de las mismas grasas y constituyen las membranas celulares.

Entre los tocoferoles es necesario destacar el alfa-tocoferol, una sustancia que ayuda al organismo a absorber la vitamina E que ella misma contiene. El aceite de oliva es el único aceite vegetal que contiene alfatocoferol.

La oxidación es un fenómeno que se produce naturalmente en el organismo: el oxígeno que respiramos permite obtener energía a partir de los nutrientes que ingerimos, pero genera unos derivados altamente cancerígenos, los peróxidos. El aceite de oliva virgen, al contener fenoles, protege las grasas insaturadas del organismo del proceso de oxidación, y previene, por lo tanto, diversos tipos de cáncer.

Por último, podemos observar otro efecto notable en el organismo derivado del consumo de aceite de oliva virgen: su gran aportación de vitaminas liposolubles (A, D, E y K), fundamentales para la resistencia a las infecciones, para el crecimiento y para el buen funcionamiento de órganos vitales como el corazón y el hígado.

EFECTO DEL REFINADO SOBRE ALGUNOS COMPONENTES DEL ACEITE DE OLIVA		
Componentes (mg/kg)	**Aceite de oliva virgen**	**Aceite de oliva refinado**
Betacaroteno	300	120
Tocoferoles	150	100
Polifenoles	350	80
Clorofila	100	–

Aceites de semillas

Las diferentes grasas de origen vegetal que se consumen normalmente (excluyendo el aceite de oliva, que procede de una fruta) son extraídas generalmente de semillas.

Para la obtención de estos aceites, la semilla es privada de la piel, molida, calentada a una temperatura de entre 180 y 190 °C y sometida a presión. El aceite que se obtiene es entonces depurado y refinado (es decir, rectificado) mediante disolventes orgánicos como la bencina, el etanol o la acetona.

La diferencia fundamental entre los aceites de semillas y el oro líquido es que ninguno de los primeros es el producto exclusivo de la sencilla presión de la fruta, como es el de oliva. Para obtener todos los aceites de semillas, en efecto, son necesarias altas temperaturas o el uso de disolventes, que además de la formación de sustancias nocivas para el organismo, destruyen los componentes nutritivos que pudiera tener la semilla original.

Como resultado de estos procesos no naturales, los aceites de semillas contienen una cantidad excesiva para el organismo de ácidos grasos poliinsaturados, que se oxidan fácilmente y forman peróxidos, que entre otras consecuencias negativas, destruyen la vitamina E presente en el cuerpo.

La publicidad nos ha hecho creer que los aceites de semillas son más ligeros y engordan menos que el de oliva. Al respecto es bueno tener claro que todos los aceites están hechos de materia grasa y que no existen aceites más o menos grasos. El aceite de oliva virgen y el de semillas tienen las mismas calorías, pero, gracias a las prodigiosas cualidades organolépticas del primero y a su gran resistencia a la fritura, es posible controlar la cantidad que se usa, que puede ser mucho menor que si se usan otros aceites.

Si se compara la facilidad con que se digieren distintos tipos de aceite y se le da al de oliva una calificación de 100 puntos, el de girasol estaría en segundo lugar con 83 puntos, seguido por el de sésamo con 57 puntos, el de maíz con 36, y el de cacahuete con solo 31 puntos. Esto solo confirma lo que ya hemos visto a lo largo de este libro: el aceite de oliva es el más saludable y natural de todos los aceites que la naturaleza nos puede brindar.

22
El aceite de oliva y la salud

Nadie pone en duda que existe una relación directa entre la salud y la cantidad y calidad de las grasas que comemos. El aceite de oliva es el que tiene propiedades más beneficiosas para el organismo humano en todas las etapas de su vida.

Durante la gestación, el aceite de oliva es el mejor regalo que una madre puede dar a su hijo, pues favorece la formación de los órganos y los huesos.

Además de ser la mejor grasa en la alimentación de los bebés, pues proporciona ácidos grasos esenciales en una proporción similar a la que se encuentra en la leche materna, tiene una notable influencia en la mineralización y el desarrollo de los huesos de los recién nacidos.

En cambio, las personas de edad avanzada suelen sufrir una disminución de la capacidad digestiva y una absorción deficiente de las sustancias nutritivas y de las sales minerales, problemas que el aceite de oliva puede equilibrar. Además, su consumo evita la pérdida de calcio y las lesiones cutáneas.

Por otro lado, aunque no haya todavía conclusiones determinantes que confirmen las propiedades del aceite de oliva contra ciertos tumores cancerígenos, es altamente recomendable una dieta preventiva rica en vitaminas antioxidantes (vitaminas A y C). Todos los estudios coinciden en afirmar también que la vitamina E, muy presente en el aceite de oliva virgen, ayuda a reducir directamente el riesgo de cáncer de mama.

El aceite de oliva también aporta al organismo antioxidantes indispensables para prevenir la obesidad y, por los múltiples efectos que tiene sobre el sistema digestivo, contribuye a paliar esta perturbación del equilibrio corporal.

El aceite de oliva y algunas dolencias comunes

El aceite de oliva es un complemento ideal para prevenir y combatir numerosas enfermedades. Ya hemos visto los efectos que su uso tiene sobre el funcionamiento del organismo y su equilibrio; a continuación haremos un breve seguimiento de la amplia gama de efectos favorables sobre enfermedades específicas que su consumo genera.

El aparato digestivo

El aceite de oliva tiene la capacidad de retener los alimentos durante cierto tiempo en el sistema y regulariza la evacuación del estómago; además, tiende a disminuir la acidez del jugo gástrico y a facilitar y regularizar la evacuación del contenido intestinal.

El oro líquido estimula la secreción biliar, y, como es ligeramente laxante, combate aquellos estreñimientos debidos a atonía muscular, compresiones viscerales y otras causas disfuncionales.

El aceite de oliva virgen es el gran amigo del hígado, pues no se comporta como un simple cuerpo graso, sino que contribuye a estimular su acción y ayuda a limpiarlo. Es además muy aconsejado para dolores hepáticos. También mejora el funcionamiento del estómago y del páncreas, estimula la acción de las enzimas digestivas, sube el nivel hepatobiliar y el nivel de producción intestinal.

El aceite de oliva virgen es muy bien tolerado por personas que tienen úlceras de estómago, al no contener colesterol, y es en general el más tolerado por el estómago. Su consumo tiene efectos benéficos para las gastritis hiperclorhídricas y para las úlceras gastroduodenales.

El aceite de oliva virgen protege contra la formación de cálculos biliares y favorece su eliminación, debido a que los ácidos grasos monoinsaturados cumplen una importante función protectora y activan el flujo biliar.

Los huesos y las articulaciones

El aceite de oliva estimula el crecimiento y favorece la absorción de calcio y la mineralización de los huesos del esqueleto humano, ralentizando la osteoporosis, y, según confirman estudios llevados a cabo recientemente en la Universidad de Atenas, previene la artritis reumatoide.

Las venas y las arterias

El ácido oleico aumenta la tasa de colesterol HDL (colesterol de alta densidad, más conocido como *colesterol bueno*) en detrimento de la de colesterol LDL (colesterol de baja densidad o malo).

Por tanto, se considera muy adecuado para controlar el nivel de colesterol en la sangre, con las consecuentes repercusiones positivas para el sistema cardiovascular. Ayuda a prevenir la arteriosclerosis y sus riesgos, disminuye el taponamiento de las arterias, mejora la circulación y combate el aumento de la tensión arterial y sus consiguientes efectos.

El corazón

La enfermedad más extendida en los países occidentales industrializados es el infarto. El consumo de tabaco, la hipertensión arterial y la hipercolesterolemia, así como la edad avanzada, pertenecer al sexo masculino, la diabetes, la gota, la tasa elevada de triglicéridos y la inactividad física, son las condiciones que favorecen su aparición.

Para evitar el infarto, la primera medida a tomar es la reducción de las grasas animales, que favorecen el aumento de la tasa de colesterol plasmática. Entre las grasas vegetales, no existe ninguna tan favorable para evitar riesgos cardiacos como el aceite de oliva virgen, rico en gasas monoinsaturadas y antioxidantes como son los alfa-tocoferoles y los polifenoles.

El principal responsable de los efectos beneficiosos sobre el corazón del aceite de oliva es el ácido oleico, que reduce la presencia de otros ácidos grasos en el organismo.

La sangre

El aceite de oliva es un alivio para una de las enfermedades más dañinas y resistentes que sufre la humanidad: la diabetes. La grasa monoinsaturada del aceite de oliva virgen disminuye los niveles de glucosa en la sangre y, por lo tanto, las dosis de insulina necesarias, mejorando el perfil lípido de los diabéticos.

La piel

El aceite de oliva virgen tiene un efecto protector y tónico de la epidermis, protege las células que la constituyen y ayuda a acumular energía de reserva para mantenerla tersa y resistente.

Previene la soriasis y la formación de estrías, evitando que las fibras de la piel se rompan y que se deterioren los tejidos.

Además, cura las llagas causadas por quemaduras, alivia el dolor y evita que se formen cicatrices.

Algunos remedios naturales

A lo largo de la historia han sido múltiples los usos que se han dado al aceite de oliva como ingrediente de ungüentos terapéuticos de todo tipo. En la actualidad, el oro líquido todavía se usa con eficacia para aliviar molestias comunes.

Aparato digestivo

- *Estreñimiento.* Para combatir el estreñimiento es muy recomendable tomar en ayunas una cucharada sopera de aceite de oliva virgen extra. Las lavativas de aceite de oliva dan también excelentes resultados para el tratamiento de los cólicos hepáticos, el dolor causado por apendicitis, los cólicos nefríticos y aquellas molestias que siguen a un largo período de estreñimiento.
- *Piedras blandas en la vesícula.* Con aceite de oliva virgen y zumo de limón recién cogido del árbol se prepara una mezcla que ayuda a expulsar las piedras blandas de la vesícula (todas las piedras que se pueden ver en una ecografía son blandas). Para ello, se toma cada 15 minutos una cucharada de dicha mezcla durante todo un día. Mientras se aplica este tratamiento, se aconseja llevar una dieta ligera a base de ensaladas, verduras y sopas, y hacer poco ejercicio. Al día siguiente, el enfermo habrá expulsado todas las piedras blandas.
- *Para la limpieza de los intestinos.* Se recomienda realizar un masaje superficial con aceite de oliva. A continuación, se rocía el área afectada con aguardiente. El intestino expulsará todas las impurezas gracias al repentino calentamiento y a la acción curativa del aceite.
- *Digestión.* Las infusiones hechas a base de hojas de olivo contribuyen a una mejor digestión y tienen un fuerte efecto antioxidante.

Huesos y articulaciones

- *Dolor y cansancio.* El aceite de oliva alivia el cansancio de la columna vertebral si se usa para friccionar los centros nerviosos de la misma. Del mismo modo alivia los dolores producidos por movimientos forzados. El cansancio de los huesos y las articulaciones de los pies se calma friccionando las zonas afectadas con una mezcla de aceite de oliva virgen extra y zumo de limón a partes iguales después de haber tomado un baño con agua caliente.

- *Artrosis.* Para la artrosis es bueno mezclar 80 g de flores de manzanilla con medio litro de aceite de oliva virgen y dejar macerar la mezcla al sol durante 15 días. Una vez que se ha mezclado bien, se filtra y se aplica en las zonas afectadas dando un masaje.
- *Reumatismo.* Para combatir el reumatismo conviene mezclar el aceite de oliva con un poco de alcanfor hasta que este se disuelva. El dolor desaparece inmediatamente tras dar un masaje en la zona afectada con esta preparación.
- *Torceduras.* En caso de torceduras, se recomienda mezclar aceite de oliva virgen extra con ajos machacados o con trementina y frotar suavemente con esta mezcla la parte afectada.

Problemas circulatorios

- *Aterosclerosis.* Una alimentación en la que abunde el aceite de oliva virgen contribuye a contrarrestar aquellos procesos físicos que se generan en el organismo y que tienen como consecuencia la aterosclerosis.
- *Hipertensión.* Para la hipertensión es bueno tomar 3 vasitos al día de una infusión preparada del siguiente modo: se hierven 40 g de hojas de olivo en un litro de agua, se filtra la infusión y se endulza.

Enfermedades epidérmicas

- *Heridas.* El aceite de oliva virgen en estado puro es un gran cicatrizante, útil para curar heridas. Con este fin también puede utilizarse el zumo de una aceituna exprimida a mano. Pero las heridas también se pueden tratar con un tradicional ungüento elaborado con flores de romero y aceite de oliva. Este se aplica externamente en cualquier parte del cuerpo, sobre heridas superficiales e incluso sobre heridas abiertas y sangrantes o úlceras varicosas, siempre que no estén infectadas.
- *Quemaduras.* Cuando se trata de quemaduras leves, el aceite de oliva virgen mezclado con clara de huevo ayuda a calmar el dolor.
- *Acné.* Para el acné se recomienda disolver 100 gotas de aceite esencial

de lavanda en un cuarto de litro de aceite de oliva y friccionar la parte afectada.

- *Granos, forúnculos y herpes.* Existe un potente ungüento a base de aceite de oliva virgen para curar estas dolencias: en un recipiente de acero inoxidable se vierte un cuarto de litro de aceite virgen y un vaso de vino tinto de buena calidad. Se agregan 150 g de cera virgen y se remueve todo durante unos cincuenta minutos hasta que se haya derretido la cera. Entonces se añaden 30 hojas de la planta conocida como lengua de gato. El resultado es una masa densa, que se envasa en tarros de cristal. Se aplica en las partes afectadas con una espátula o una gasa. Los herpes también se pueden tratar con el ungüento preparado para las heridas, teniendo en cuenta que deberán limpiarse con aceite de oliva antes de aplicar cualquier pomada.
- *Callos y verrugas.* Para callos y verrugas va bien una pomada nítrica, preparada con 8 g de ácido nítrico, 4 g de mercurio, 35 g de manteca de cerdo y 35 g de aceite de oliva virgen. Esta preparación se aplica con frecuencia sobre la zona afectada hasta que disminuya la hinchazón y se disuelva la acumulación de tejido.
- *Alergias.* Los síntomas de ciertos tipos de alergias de la piel se contrarrestan frotando la zona afectada con aceite de oliva. También es eficaz un ungüento mentosalodado hecho con 2,5 g de mentol, 5 g de ácido nítrico, 35 g de manteca de cerdo y 58 g de aceite de oliva. Se debe mantener ungida la zona afectada.
- *Eccemas.* Cuando aparecen, conviene masajear la parte afectada con aceite de oliva puro extra virgen, y si es posible, mantenerla ungida.
- *Enrojecimientos.* Debido a la frotación, el calor o las alergias, se producen enrojecimientos anormales de la piel, para los que se recomienda el siguiente aceite balsámico: se mezcla un cuarto de litro de aceite de oliva con hojas de limonero, hojas de naranjo y 5 g de pétalos de rosa. Se deja macerar durante 2 días, se filtra y se aplica suavemente sobre la zona afectada.
- *Costras lácteas.* Numerosos niños recién nacidos padecen de costras lácteas, una especie de caspa que se forma en el cuero cabelludo. Las nodrizas y las madres y abuelas de antaño las eliminaban aplicando abundante aceite de oliva en la cabeza del bebé momentos antes de acostarlo en la cuna. A la mañana siguiente, al peinarlo, se desprendía fácilmente la costra con el roce del peine.

Afecciones bucofaríngeas

- *Mal aliento.* Se puede combatir tomando una cucharadita de aceite de oliva virgen extra en ayunas. Se puede aromatizar el aceite con unas gotas de zumo de limón.
- *Dolor de muelas.* Las aceitunas contribuyen a aliviar temporalmente los dolores de muelas si se mastican 3 veces seguidas y se deja que su zumo penetre en la encía.
- *Dolor y sangrado en las encías.* Para evitarlo se recomienda masticar frecuentemente varias hojas de olivo frescas.

Afecciones de los oídos

- *Tapones de cera.* Muchas personas sufren el taponamiento de los oídos debido a la acumulación de cera. Una cura tradicional muy eficaz es la aplicación directa de unas gotas de aceite de oliva tibio, con lo cual se ablanda la cera y se facilita su extracción mediante un pañuelo.
- *Otitis.* Se recomienda verter 2 gotas de aceite de oliva virgen, procurando que no esté muy frío, en el conducto auditivo.

Afecciones de los ojos

- *Orzuelos.* La tradición recomienda mirar el interior de una botella de aceite por el cuello hasta que el orzuelo se disuelva. Aunque parezca superchería, los elementos que libera el aceite tibio son muy útiles para hacer desaparecer este tipo de inflamaciones.

Problemas en el aparato reproductor

- *Esterilidad.* El contenido de vitamina E en el aceite de oliva virgen se calcula en 51 mg por kilo. Esta característica hace que el oro líquido sea útil en la prevención de distintas afecciones causantes de la esterilidad en las mujeres. Se recomienda tomarlo preferiblemente crudo, aliñando ensaladas o platos de verduras.

Dolores musculares

- *Inflamaciones.* Para calmar los dolores musculares por exceso de ejercicio o movimientos bruscos, se deben macerar 200 g de flores de jazmín en medio litro de aceite de oliva virgen y, una vez filtrado, se debe aplicar con abundancia este ungüento sobre la zona afectada durante diez días.

- *Tendinitis.* El masaje con aceite de oliva es sumamente eficaz porque reblandece muy bien el músculo, penetrando a través de la piel, y contribuye a recuperar la normalidad de la zona afectada. Además, el aceite de oliva no tiene efectos secundarios.

Dolores de cabeza

- *Deshidratación por ingestión de alcohol y migrañas.* Se recomienda un fácil y rápido preparado a base de tomate, pepino, cebolla y aceite de oliva virgen extra. Se elabora de la siguiente manera: se licuan 2 tomates y 1 pepino con piel en la trituradora y se pasa el zumo obtenido a un vaso, se añaden 2 cucharadas de cebolla bien picada y 1 cucharada de aceite de oliva extra. Hay que tomar 1 cucharada de la mezcla por cada 20 kg de peso corporal. Pronto el dolor de cabeza y la sensación de mareo habrán desaparecido.
- *Dolor agudo.* Los dolores de cabeza muy intensos se combaten masajeando la nuca y la frente con una mezcla preparada con 50 g de flores de manzanilla y medio litro de aceite de oliva virgen, que se dejará macerar al sol durante 15 días antes de filtrarla.

Fiebre

Para hacerla bajar, conviene hervir durante 10 minutos 60 g de hojas de olivo en un litro de agua, dejar reposar la preparación durante 24 horas y luego filtrarla. Se va tomando a lo largo del día.

Usos cosméticos y para el hogar

Además de las múltiples aplicaciones terapéuticas que posee el aceite de oliva, su uso se ha extendido también a otros aspectos del cuidado del cuerpo relacionados con la cosmética y el aseo personal.

Se dice que el médico griego Claudio Galeno, natural de la ciudad de Pérgamo, en Turquía, fue el creador del primer ungüento hidratante cuando descubrió que el aceite de oliva mezclado con agua y cera de abejas formaba una refrescante crema que daba a la piel una gran elasticidad.

Heredada de griegos y romanos, la sabia tradición del cuidado del cuerpo mediante el aceite de oliva se ha ido enriqueciendo y refinando a lo largo de la historia hasta nuestros días, y ha impregnado las sencillas recetas, de elaboración casera, de que disponemos para la fabricación de lociones, cremas y jabones.

A continuación se detallan las fórmulas de algunas sencillas preparaciones que se pueden hacer en casa con ingredientes muy fáciles de conseguir, y que ayudan a conservar la belleza del cuerpo sin tener que recurrir a los poco naturales y costosos tratamientos de los grandes laboratorios.

Tratamientos corporales

- *Cremas para la piel del rostro.* Para el cuidado de la cara, recomendamos en primer lugar una crema de huevo y aceite, preparada con 1 tacita de aceite de oliva virgen, 1 huevo, 1 cucharada sopera de vinagre de sidra y 1 cucharadita de azúcar. Primero se bate el huevo, al que se añade el vinagre y el azúcar sin dejar de batir. Finalmente se agrega el aceite y se remueve todo enérgicamente hasta que emulsione y adquiera una consistencia cremosa. Es muy eficaz en caso de sequedad, arrugas o tensión de la piel debida a las quemaduras del sol.

  Otra crema de gran utilidad en el cuidado de la piel del rostro es la que se elabora con almendras. Los ingredientes necesarios para prepararla son: 1 cucharada de aceite de oliva virgen extra, 4 cucharadas de almendras trituradas, media cucharadita de boro y 1 taza de agua caliente. Se baten todos los ingredientes hasta que emulsionen y adquieran consistencia cremosa.
- *Cremas para el cuerpo.* Cuando las manos precisan una hidratación extra por estar demasiado resecas, lo más aconsejable es hacer un preparado mezclando aceite de oliva virgen, una pizca de mentol y 5 cucharadas de vaselina. Este se aplica dando un masaje antes de ir a dormir, y, si es posible, se cubren las manos con guantes de algodón. A la mañana siguiente la piel de las manos estará tersa y suave.

  La crema de aguacate, que también se puede aplicar al rostro, se usa en el Mediterráneo desde la importación de las Indias de este fruto maravilloso. Consta de los siguientes ingredientes: 1 cucharada sopera de aceite de oliva virgen extra, 1 cucharadita de cera de abeja, 1 pizca de bórax, 3 cucharadas de aceite de aguacate y 1 cucharada de agua de rosas. Para prepararla se derriten el aceite y la cera al baño María, después se disuelve el bórax en el agua de rosas y se mezcla con los aceites. Se remueve la preparación hasta que esté fría.

  Otra milenaria tradición mediterránea es la aplicación en todo el cuerpo de una crema que fusiona 2 de sus principales alimentos: el aceite de oliva virgen y el trigo. Para elaborar esta crema se requieren los siguientes ingredientes: 2 cucharadas soperas de aceite de oliva virgen extra, 1 cucharada de cera de abeja, 1 pizca de bórax, 1 cucharadita de lanolina, 2 cucharadas de agua destilada y 2 cucharadas de aceite de germen de trigo.

En primer lugar se calientan la lanolina, la cera y el aceite al baño María hasta que se derrita todo. Aparte, se disuelve el bórax en agua destilada caliente. A continuación se unen las 2 mezclas y se baten hasta que estén frías, al tiempo que se va agregando el aceite de germen de trigo.

Cuando ha estado mucho tiempo expuesta al sol, la piel sufre irritación, sequedad y tensión. Nada mejor en este caso que el aceite de sésamo, preparado con 3 cucharadas soperas de aceite de oliva virgen extra, 2 cucharadas de aceite de sésamo, 1 cucharada de vinagre y unas gotas de aceite de bergamota. Se introducen todos los ingredientes en una botella y se mezclan bien.

- *Aceites para el baño.* El tradicional aceite de lavanda para el baño es un magnífico y sencillo bálsamo que se prepara mezclando bien 3 cucharadas soperas de aceite de oliva virgen extra y 1 cucharadita de aceite de lavanda. Cuando está listo se echa en la bañera llena de agua caliente.

  El aceite de hinojo y salvia se hace mezclando tres cucharadas soperas de aceite de oliva virgen extra, media cucharadita de aceite de hinojo y media cucharadita de aceite de salvia. Se añade también al agua caliente de la bañera.
- *Aceites para masajes.* Los aceites para masajes elaborados con aceite de oliva son una tradición tan antigua como el Imperio Romano. Una sencilla receta casera, heredada de la época en que la continua actividad física de soldados y gladiadores exigía el desarrollo de la técnica de los masajes, es el ungüento de limón, preparado con 3 cucharadas soperas de aceite de oliva virgen extra mezcladas con 1 cucharadita de aceite de limón y 1 cucharadita de aceite de salvia. Ya solo hacen falta unas manos expertas para aliviar las tensiones musculares y al tiempo rejuvenecer la piel y recuperar su belleza.

Lociones para el cabello

- *Acondicionadores.* Desde la época de los fenicios, en la cuenca del Mediterráneo el aceite ha sido utilizado como un eficaz acondicionador del cabello. De esta larga tradición hemos heredado algunas fórmulas para elaborar sencillos bálsamos.

  El aceite de oliva virgen, debido a sus infinitas cualidades, se puede usar para dar masajes en la cabeza tratado de la siguiente manera: se calienta a fuego lento, se le agrega una pizca de romero y 1 vaso pequeño de trigo. Se fríe la mezcla, se deja enfriar y se aplica al cuero cabelludo dando un masaje. Media hora después se lava el cabello con champú normal.

  Entre los diversos acondicionadores, hay uno particularmente benéfico cuyo único ingrediente son 2 o 3 cucharadas de aceite de oliva virgen extra. Este se aplica masajeando el cabello después de haberlo calentado al baño María. Se deja actuar durante 15 minutos con el cabello cubierto con una toalla. A continuación, se enjuaga el pelo, se lava 2 veces con champú y se vuelve a enjuagar bien.

  El acondicionador de miel se prepara con 2 cucharadas soperas de aceite de oliva virgen extra, 1 huevo fresco y 1 cucharada sopera de miel. Se mezclan estos ingredientes, se calientan al baño María y se aplican del mismo modo que el acondicionador de aceite.

  Para conseguir que el cabello brille más, se puede usar un acondicionador de tomillo, que se aplica como los ya mencionados. Los ingredientes necesarios para prepararlo son 2 cucharadas de aceite de oliva virgen extra, 1 cucharada de aceite de ricino y 10 gotas de esencia de tomillo.
- *Tratamientos.* El aceite de oliva virgen, además de proporcionar elasticidad y brillo al cabello, fortalece sus fibras y evita su caída. Para ello, un posible tratamiento consiste en masajear el cuero cabelludo todas las noches con aceite de oliva virgen extra. Después se cubre la cabeza con un paño limpio y se deja así hasta la mañana siguiente. Entonces se lava el pelo con champú. Es necesario repetir este tratamiento muchas veces.

  Las propiedades del aceite de oliva se extienden al combate contra la caspa. El ungüento útil para este proceso se elabora con 150 g de aceite de oliva virgen extra, 20 g de aceite de ricino y 20 g de agua de colonia. Se mezcla todo y se calienta al baño María antes de aplicarlo.

A continuación se lava el cabello con champú y se enjuaga con agua abundante.

El aceite de oliva también tiene la propiedad de revitalizar el cabello. Para ello se usa el siguiente preparado: se bate 1 huevo y se le añaden poco a poco primero 2 cucharadas de aceite de oliva virgen extra y después 1 cucharada de vinagre.

El champú al aceite de oliva, usado en Grecia y en el norte de África desde tiempos inmemoriales aunque con una fórmula ligeramente distinta, es un buen complemento de estos tratamientos. Para prepararlo se deben mezclar un cuarto de litro de aceite de oliva virgen extra, 1 cucharadita de moco de bórax y medio litro de agua hirviendo. Se mezclan el aceite y el bórax, se vierte el agua hirviendo y se deja enfriar. Es bueno embotellarlo y agitarlo bien antes de aplicarlo.

Jabones

El aceite de oliva como ingrediente básico del jabón es muy conocido desde la Antigüedad. Hirviendo aceite de oliva con álcalis, potasio, soda, resinas y sal, los sumerios fabricaban jabones; para el lavado de tejidos y lana, recomendaban el jabón de cenizas de haya. Los cretenses mezclaban la tierra de batán con sosa de Egipto, asfódelo, saponaria, cenizas de otras plantas alcalinas y orina humana.

Se atribuye a los galos la invención del jabón para la higiene corporal. Los habitantes de la Galia elaboraban en el siglo I una emulsión jabonosa hirviendo aceite de oliva con el agua de lavar las cenizas. Los árabes fueron los primeros en añadir cal a las cenizas; la palabra *álcali* deriva del árabe *al-qali*, que significa «ceniza». A partir del siglo IX se empezó a fabricar en Marsella el jabón de aceite de oliva sólido, similar al que hoy usamos todos los días.

El auténtico jabón de aceite de oliva es insustituible para el cuidado corporal. Es muy sencillo fabricar en casa jabones nutritivos y cremosos, bien sean para la limpieza del cutis o para lavar.

Dos precauciones que se deben tomar en cualquier caso son usar guantes de goma que eviten el contacto de la sosa con las manos, y no usar jamás recipientes o utensilios de aluminio o de estaño, pues cuando estos se corroen desprenden vapores dañinos.

Cuando se trata de fabricar jabones para el cutis o para el baño debe emplearse siempre aceite virgen de buena calidad. En cambio, si el jabón es para la limpieza de tejidos, pueden aprovecharse los aceites que han sobrado de la cocina y que no hayan sido aún utilizados. El buen jabón se caracteriza por una saponificación perfecta, es decir, que toda la grasa se ha convertido en jabón, y por no dejar residuos en el agua ni sustancias sin disolver. Su pasta debe ser firme, untuosa al tacto y uniforme.

A continuación se ofrecen 2 formas de elaborar saludables, sencillos y útiles jabones para usar en el hogar.

- *Jabón de resina.* Se prepara mezclando 2 litros de aceite de oliva, 650 g de resina, 650 g de sosa cáustica y 5 litros de agua. Se ponen todos los ingredientes al fuego y se deja que hiervan durante 2 horas ininterrumpidamente, removiéndolos con frecuencia. Cuando la mezcla adquiere una consistencia gelatinosa, se vierte en moldes para formar las pastillas de jabón. Después de 24 horas, el jabón está duro y se puede utilizar. Es recomendable usar aceite oscuro para la ropa de color y aceite claro para la ropa blanca.
- *Jabón de aceite y avena.* Se prepara con 3 litros de aceite de oliva, medio kilo de avena integral, 3 litros de agua y medio kilo de sosa cáustica. Se mezclan bien todos los ingredientes y se dejan reposar durante 4 horas. A continuación, se hierve la preparación durante 2 horas, removiéndola a menudo. Cuando la mezcla se pone gelatinosa y espesa, se retira del fuego, se vierte en los moldes y se deja endurecer.

El aceite de oliva en la cocina

El aceite de oliva es un ingrediente básico en la dieta de todos los pueblos mediterráneos, fundamental para la salud debido a los valiosos nutrientes que aporta. Por otro lado, las ventajas del uso de este aceite para elaborar platos que requieran frituras son innumerables. Veamos a continuación algunas de ellas.

Los ácidos grasos, al entrar en contacto con el calor, se oxidan rápidamente; este fenómeno es mucho más notorio en los grasos poliinsaturados (contenidos en los aceites de semillas) que en los monoinsaturados (contenidos en gran medida en el aceite de oliva). El aceite de oliva no sufre reacciones ni modificaciones estructurales que tengan efectos tóxicos hasta que no alcanza una temperatura de 210 °C, que, en el caso de los aceites de oliva vírgenes extra de ciertas variedades, puede ser mucho más alta. La temperatura ideal de fritura es de 180 °C, por lo tanto, en este tipo de cocciones el aceite de oliva conserva todo su valor nutricional.

Todas las grasas, cuando se someten a un aumento de temperatura, sufren fenómenos nocivos como la oxidación de las dobles conexiones insaturadas, la destrucción de las vitaminas liposolubles, la ruptura de algunas largas cadenas químicas y la formación de nuevas sustancias perjudiciales para el organismo. Este tipo de procesos se producen una vez que se alcanza la «temperatura crítica», que en los aceites de semillas es similar a la temperatura de fritura, es decir, más baja que en el de oliva. El aceite de semillas calentado a la temperatura necesaria para freír alimentos ya pierde sus propiedades y resulta nocivo.

Ventajas de la dieta mediterránea

El aceite de oliva es el pilar de lo que tradicionalmente se ha llamado la *dieta mediterránea*, utilizado normalmente como elemento graso básico para la elaboración y el aderezo de las comidas. Los alimentos que tradicionalmente produce la región mediterránea (entre los que destacan la oliva y sus derivados, el trigo y sus derivados, la uva y sus productos, el pescado, las legumbres, los frutos secos y la sal) han sido siempre mezclados, fritos, aderezados y cocinados con aceite de oliva virgen.

Buena parte de las características salutíferas que distinguen el aceite de oliva virgen de otros aceites radican en el hecho de que este contiene como ácido graso mayoritario el ácido oleico, con un solo doble enlace, es decir, monoinsaturado, y dieciocho átomos de carbono.

La dieta mediterránea tiene varias características que la hacen excepcional:

- *Abundancia de vegetales.* Existen numerosos platos exclusivamente vegetales, a los que se suelen añadir pescados o pequeñas cantidades de productos cárnicos utilizados como simple guarnición.
- *Bajo contenido en calorías.* El número de calorías oscila entre las 1.800 y 2.500 kcal por persona y día.
- *Preferencia por los ácidos aromáticos.* Se utiliza vinagre, zumo de limón y de toda clase de cítricos además de ajos, cebollas y plantas aromáticas.
- *Recetas simples.* Las mezclas mediterráneas potencian los sabores pu-

ros frente a las laboriosas y excesivamente grasosas preparaciones de otras tradiciones culinarias.
- *Uso del aceite de oliva.* Se incorpora a todas las recetas, lo que comporta los numerosos beneficios para la salud ya mencionados.

Además, se puede tomar vino con moderación y se debe hacer ejercicio físico regularmente.

23
Las algas

La primera vida de nuestro planeta se formó en el seno de los océanos. Minúsculos seres unicelulares lograron utilizar directamente la luz solar para nutrirse, sintetizando materia orgánica a partir de anhídrido carbónico y minerales disueltos en el agua del mar. Aquellos diminutos seres eran las algas, los primeros vegetales que realizaron la fotosíntesis de la clorofila. A partir de ahí se desarrollaron otras formas de vida, pero las algas conservaron sus primitivas características, que quizás expliquen su gran potencia y vitalidad.

Aunque tradicionalmente las algas se han utilizado en muchas sociedades de todo el mundo, en Occidente fueron quedando en el olvido. En la actualidad, quizá bajo la influencia de la cultura y gastronomía orientales, se está produciendo un resurgir del uso de estas plantas como alimento natural. España no ha sido ajena a este movimiento y, desde hace unos años, se están llevando a cabo en nuestro país experiencias pioneras y artesanas en el cultivo de vegetales marinos. Se destaca la zona de Galicia, donde se han asentado las principales empresas productoras. En las costas gallegas las algas se recogen del mar y se ponen a secar por el sistema más tradicional. Son productos totalmente naturales, sin ningún tipo de aditivo. Además de las conocidas variedades japonesas nori, kombu y wakame, las algas de Galicia ofrecen otras 3, típicamente atlánticas: el sabroso espagueti de mar, el musgo de Irlanda y el fucus.

Estudios sobre la esperanza y calidad de vida de los pueblos que consumen habitualmente algas en su dieta han demostrado los importantes beneficios que estos vegetales pueden aportar a la salud. La ciencia ha encontrado la explicación: su riqueza en hierro evita la anemia; tienen yodo, sustancia básica para la hormona tiroidea; su contenido en calcio fortalece los huesos; son tan ricas en proteínas como las legumbres;

se trata de un alimento alcalino que protege de la acidosis; previenen el estreñimiento, la obesidad, la arteriosclerosis y la hipertensión. Sin duda, las algas constituyen un auténtico regalo de la naturaleza. Pero tampoco hay que pensar que son la panacea; las algas no son una medicina sino un alimento completo. Y es justamente la correcta y equilibrada alimentación la base de una buena salud.

En este apartado veremos cómo las algas fueron utilizadas antaño por diversos pueblos de la Tierra, cuáles son sus componentes y qué propiedades tiene cada una de ellas. También hablaremos de las principales especies que encontramos en nuestros mercados y de su valor nutritivo, de cómo se cultivan y recogen, de las diferentes y múltiples aplicaciones tanto dietéticas, estéticas como terapéuticas, y le ofreceremos una selección de recetas fáciles y variadas para que elija la mejor forma de incorporarlas como ingrediente a su dieta habitual.

Presencia de las algas en las diferentes culturas

A lo largo de la historia muchas sociedades han usado los vegetales de origen marino. Desde la antigüedad, los pueblos costeros los han incorporado a sus comidas diarias.

La filosofía oriental asigna a las algas un origen divino. Desde hace miles de años estos vegetales se utilizan en muchos pueblos asiáticos como fármaco, como alimento y como deliciosa forma de condimentar.

En China se atribuye el mérito de la difusión del uso alimentario y terapéutico de las algas al emperador Chen-Nung (2800 a. C.). Este personaje era venerado como benefactor de la agricultura y de la medicina. Los antiguos coreanos llegaron incluso a establecer la costumbre de enviar verduras de mar a la corte imperial de China, donde eran apreciadas por su valor medicinal. Ya en aquel tiempo, la enciclopedia china *Ehr Ya* constataba el uso regular de 12 especies. Posteriormente, en el siglo VI a. C., Sze Tsu dejó escrito que «las algas son una delicadeza apropiada para el más honorable de los invitados».

Gracias a su extenso y accidentado litoral, los japoneses son quienes más han desarrollado el potencial culinario de las algas. Todas las variedades que hoy se consumen fueron registradas ya como parte del tributo anual a la corte en el siglo VIII de nuestra era.

La antigua medicina hindú recurre a las algas marrones (las que contienen más yodo) para curar el bocio, frecuente en la región del Himalaya. Con la misma finalidad, los habitantes de los Andes peruanos utilizan las cenizas y el carbón de este tipo de algas.

Desde el año 600 a. C. está documentado el uso alimentario de los vegetales marinos también en la cuenca mediterránea. Plinio el Viejo (siglo I) fue autor de la *Naturalis Historia* –enciclopedia de los conocimientos científicos de la antigüedad– en la que recomendaba el uso de las algas en la cura de la gota. Su coetáneo Dioscórides, un médico griego, las aconsejaba para uso externo en caso de erupciones o quemaduras y, en uso interno, para diarreas y gastritis.

En el Medioevo, las algas se utilizaban básicamente para fertilizar los campos. La superstición impedía el uso de materias primas provenientes del mar, lugar entonces poco conocido y considerado lleno de peligros y reino del diablo. No fue hasta 1750 que un médico inglés, Richard Russel, las aplicó con fines curativos. A partir de la segunda mitad del siglo XX se asiste a un gran desarrollo de la talasoterapia, un conjunto de prácticas terapéuticas que aprovecha los beneficios salutíferos de los elementos marinos, entre ellos los de las algas.

En todo el planeta, las poblaciones costeras siempre han sido grandes consumidoras de algas. Especialmente los habitantes de lugares con escasa superficie cultivable –como las islas del Atlántico, del Pacífico y del Índico– se han visto obligados a aprovechar en gran medida estos recursos del mar. Los antiguos reyes de Hawai cultivaban o recogían alrededor de setenta variedades en su litoral. Los maoríes de Nueva Zelanda han usado durante mucho tiempo el karengo, un tipo de nori, en sopas o ensaladas.

Hay también constancia del uso de vegetales marinos en el noroeste de Europa. Los celtas y vikingos mascaban dulse en sus viajes y la nori silvestre ha sido popular desde tiempos de los romanos. En Inglaterra, Escocia, Irlanda, los países escandinavos, Islandia y Francia las algas se han ganado un lugar en la gastronomía local. Y hasta en el interior del continente europeo, como en Austria y Alemania, se utilizan las algas para elaborar un tipo de pan muy apreciado.

24
Composición y propiedades de las algas

Las algas constituyen un alimento sano y completo, ideal para nuestra época, en la que los malos hábitos dietéticos, los alimentos procesados y el uso de sustancias químicas en la agricultura desvirtúan el sentido de la nutrición y debilitan nuestro organismo. Las algas nos revitalizan y rejuvenecen: tienen todos los nutrientes básicos que necesitamos, nos depuran por dentro y nos ayudan a conservar la salud. Pero... ¿son también apetitosas? La gastronomía de los pueblos que las consumen desde hace miles de años ha demostrado sobradamente que son exquisitas y adecuadas para la preparación de muchísimas comidas y bebidas.

¿Qué contienen las algas?

Según Hipócrates, el médico griego del siglo IV a. C., considerado el padre de la medicina moderna, nuestro alimento debería ser nuestra medicina. En el caso de las algas es difícil separar el valor nutricional del terapéutico. Por ser uno de los alimentos más nutritivos del planeta resultan ideales tanto para prevenir como para combatir enfermedades. Veamos cuáles son sus valores nutricionales y qué principios activos contienen.

Proteínas de fácil asimilación

Las algas son un alimento muy rico en proteínas, que representan por término medio el 25 % de su peso en seco. Algunas especies, según la estación y lugar de crecimiento, contienen más del 50 % de este nutriente. Dichas proteínas son especialmente valiosas, ya que contienen gran número de aminoácidos esenciales, es decir, aquellos que nuestro organismo no puede sintetizar sino que debe asimilar a través de la alimentación. Estos aminoácidos resultan fáciles de digerir debido a la particular composición de las algas, ricas en sales minerales y en algunas enzimas. Ello hace que alcancen un coeficiente de digestibilidad de hasta el 95 % y que se digieran 4 o 5 veces más deprisa que las proteínas animales. Además, no contienen colesterol, grasas saturadas, residuos de antibióticos, pesticidas ni hormonas de síntesis como ocurre con las proteínas de la carne.

Carbohidratos bajos en calorías

Estos vegetales son relativamente pobres en carbohidratos y azúcares. Por eso se consideran un complemento ideal en la fase de crecimiento, en períodos de convalecencia, en el embarazo y durante una dieta adelgazante. De especial interés entre los carbohidratos mayoritariamente presentes es el manitol (estimulante hepático y ligeramente laxante), que no incrementa la glucosa en sangre, razón por la cual su consumo es perfectamente apto para diabéticos.

Las algas son un alimento claramente poco calórico. Los azúcares que contienen son en su mayor parte mucilaginosos, es decir, tienen la propiedad de inflarse en agua, pero no los asimila el organismo. Esta característica evita que se eleve el nivel de azúcar en sangre y, a su vez, es útil para quienes sufren estreñimiento.

Por otra parte, la toxicidad de los metales pesados se reduce por la presencia de los polisacáridos que contienen las verduras marinas. Esto es lo que han demostrado experimentos con animales de laboratorio alimentados con extractos de algas, que habían absorbido dosis masivas de bario, cadmio y cinc.

Ácidos grasos poliinsaturados

El promedio del contenido en grasas de las algas está por debajo del 5 % de su peso en seco, factor que contribuye a su bajo contenido calórico. Los lípidos que contienen son fundamentalmente ácidos grasos poliinsaturados. Estos ácidos favorecen la permeabilidad de las membranas celulares, transportan el colesterol evitando la formación de placas de ateroma y estimulan la formación de linfocitos. También son los precursores obligados de las prostaglandinas, sustancias hormonales que regulan la agregación de las plaquetas en la sangre, reducen la hipertensión y tienen un efecto antiinflamatorio y regulador del sistema inmunitario.

Complejos vitamínicos

Las algas son muy ricas en vitaminas C, E, grupo B y provitamina A. De especial interés es la riqueza en vitamina B_{12}, sobre todo para vegetarianos o vegetalianos (es decir, personas que se alimentan solamente de vegetales y excluyen también de su dieta los huevos y los lácteos). Si se quiere aprovechar al máximo su aporte vitamínico, es recomendable consumir las algas crudas o después de haberlas tenido en remojo, en el caso de las desecadas.

La mayoría de las algas suelen tener mayor porcentaje de vitamina E que el germen de trigo. Esta vitamina es esencialmente un agente contra el envejecimiento celular y la arteriosclerosis, ya que reduce la oxidación de los ácidos grasos del cuerpo y previene así la formación de radicales libres.

Las algas constituyen asimismo uno de los alimentos más ricos en provitamina A o betacarotenos. La vitamina A es necesaria para la vista, el crecimiento y el desarrollo del esqueleto y los tejidos; protege la piel y las mucosas; incrementa la resistencia a las infecciones y también actúa contra los radicales libres. Además hay que tener en cuenta que el betacaroteno es completamente atóxico y no hay ningún riesgo de hipervitaminosis. No es el caso de la vitamina A de procedencia animal, que se aconseja consumir bajo control médico.

Sales minerales y oligoelementos

Las algas son ricas en calcio, hierro, sodio y magnesio. El contenido mineral de algunas llega al 36 % de su peso en seco, lo que las convierte en el alimento con mayor aporte de estas sustancias. Durante la cocción en agua, las sales minerales tienden a quedarse en el líquido. Por eso no se debe tirar el «caldo» de las algas sino utilizarlo para tisanas o sopas.

Otra fuente de salud la constituyen los denominados oligoelementos o elementos traza, que están suscitando un creciente interés en cuanto a su función clave en todos los procesos metabólicos vitales y también para combatir el envejecimiento precoz. Los oligoelementos son asimismo los principales responsables de las virtudes desintoxicantes de las algas. De especial interés son el yodo, el cinc, el silicio, el cobalto, el cromo y el manganeso. Veamos cómo influyen en nuestra salud:

Yodo

Para que la glándula tiroides funcione con normalidad necesita 150 μg (millonésimas de gramo) de yodo al día. Por ejemplo, en Suiza, a pesar de que la sal común de cocina está enriquecida con esta sustancia, se ha comprobado que el aporte de yodo en la nutrición humana es insuficiente en la mayoría de la población.

Una tiroides con actividad mermada por falta de yodo ejerce una acción desfavorable sobre el páncreas. Además, el yodo descongestiona los ganglios linfáticos, activa la secreción de las glándulas endocrinas y facilita el metabolismo celular.

Las algas marinas son cinco veces más ricas en yodo que el agua de mar. Sin embargo, las personas afectadas de hipertiroidismo no deben consumir complementos alimenticios a partir de algas marinas sin consultar previamente con su médico. Solo las de agua dulce pueden ingerirlas sin problemas.

Cinc

El cuerpo humano contiene en total de 2 a 3,5 g de cinc. Si baja el nivel de cinc en el páncreas se produce un desequilibrio en la secreción de insulina, aumentando el azúcar en sangre. Para que la insulina sea eficaz debe contener cinc. La falta de este mineral provoca fatiga y dificultad de concentración.

Silicio

En combinación con el calcio fortalece los huesos y los mantiene flexibles. Forma parte de la composición de las uñas, de los cabellos y de la piel. Las dermatosis (afecciones de la piel) se curan más rápidamente cuando se aporta silicio suplementario en la alimentación. El silicio ayuda a mantener el cabello fuerte y brillante y evita su caída.

Cobalto y hierro

Esenciales para producir hemoglobina (la sustancia de los glóbulos rojos que transporta oxígeno a las células). Su carencia puede provocar anemia grave.

Cromo y manganeso

En cantidades infinitesimales hacen bajar el nivel de glucosa en sangre (glucemia) en la diabetes juvenil, ya que desempeñan un papel muy importante en el metabolismo de los glúcidos.

Ácido algínico y alginatos

La presencia de ácido algínico en las algas es elevada, especialmente en las fucales. Este ácido se halla sobre todo en la pared celular de las algas pardas como sal insoluble de calcio, asociado de modo predominante con varios cationes de calcio (Ca), magnesio (Mg) y sodio (Na), o bien en forma libre. La cantidad de ácido algínico contenido en las algas marrones o pardas varía de un 10 a un 25 % en relación con el peso en seco. Esta variabilidad depende de la profundidad en la que el alga crece y está además sujeta a las variaciones estacionales.

Las sales solubles de sodio, amonio y potasio del ácido algínico se denominan alginas. El ácido algínico puede absorber de diez a veinte veces su propio peso en agua. Al ser un ácido débil forma una amplia variedad de alginatos con propiedades y usos muy diversos. La principal aplicación es la absorción de determinadas sustancias, entre las que se destacan los metales pesados, el colesterol y la glucosa.

Los alginatos han demostrado también tener un efecto protector frente a metales radiactivos –en concreto al estroncio– ya que forma con esta sustancia un compuesto que el organismo elimina con facilidad. El alginato sódico es capaz de disminuir la absorción intestinal de este metal sin interferir en la del calcio, con lo cual se reduce así hasta en un 75 % la concentración en plasma y orina de ese isótopo radiactivo.

Ácido fucínico y fucanos

El ácido fucínico, al igual que el algínico, se halla en las algas pardas. Se presenta en forma de sal de calcio, junto con el ácido algínico no completamente libre. Entre el 5 y el 20 % del total de materia seca de muchas algas marrones es fucoidina. La sustancia fue aislada por primera vez en 1915 a partir de un compuesto hidrolizado. Más tarde se demostró que este carbohidrato contenía calcio y sulfato.

Los fucanos son una familia de polisacáridos sulfatados asociados a la superficie celular y están implicados en diversas propiedades biológicas como el reconocimiento celular, funciones de adhesión, regulación y recepción celular, entre otras. Tienen gran interés desde el punto de vista médico por sus propiedades farmacológicas:

- Los metales pesados tienen gran atracción para el sulfuro. Las enzimas de nuestro organismo son ricas en sulfuro, lo que da lugar a combinaciones diversas con metales pesados que producen efectos tóxicos. Los más agresivos se combinan con las membranas celulares e interfieren en el transporte de las sustancias químicas. El elevado contenido de grupos sulfúricos que presentan las moléculas de los fucanos asegura la integridad de las proteínas y las membranas celulares, al bloquear su unión con dichos metales pesados.
- Los polisacáridos sulfatados de bajo peso molecular han demostrado tener también propiedades contra la formación de coágulos y trombos. Pero uno de sus efectos más apreciados es su capacidad anticancerígena para inhibir la proliferación de ciertos tipos de metástasis. Los fucanos se fijan en la superficie de la membrana de las células que provocan el cáncer de colon y de pulmón e inhiben su crecimiento.

Clasificación de las algas

Las algas son vegetales que viven en el agua, tanto salada como dulce. Hay algunas especies que pueden desarrollarse fuera de este hábitat, pero tiene que ser en lugares muy húmedos.

Estos vegetales marinos figuran entre las formas más antiguas de la Tierra. A través del largo curso de la evolución han sido relativamente pequeños los cambios en su ambiente oceánico y han conservado su naturaleza simple. No se parecen a las plantas terrestres y su forma indiferenciada muestra una mínima variedad de tejidos: aunque la hoja, el tallo y la raíz varían de tamaño, la estructura interna es la misma. La raíz no absorbe alimento sino que actúa solo como ancla de la planta. Los nutrientes los toma directamente del agua a través de la membrana celular (proceso de ósmosis), por la totalidad de su superficie, y los convierte en compuestos orgánicos. El metabolismo de las algas genera oxígeno, que se libera en el agua y en la atmósfera. El oxígeno resulta indispensable para la supervivencia no solo de los habitantes del mar sino de toda la biosfera. La reproducción se efectúa por esporas. Esto demuestra que los vegetales marinos están poco evolucionados, al tratarse de colonias de células individuales unidas que apenas han cambiado con el paso del tiempo.

Las algas poseen pigmentos capaces de sintetizar la clorofila. Muchas de ellas no son verdes porque el típico color de la clorofila está enmascarado por otros pigmentos. En función del pigmento que predomina y les da un color determinado se establece la siguiente clasificación:

- *Clorofíceas*: se caracterizan por ser verdes debido a la abundancia de clorofila.
- *Feofíceas*: son las algas pardas o marrones, que deben su tonalidad al pigmento denominado fucoxantina.
- *Cianofíceas*: son las algas azules o verde-azules. El pigmento que predomina es la ficocianina.
- *Rodofíceas*: son rojas debido a un pigmento llamado ficoeritrina.

La mayoría de las algas habitan en el fondo del mar y de los lagos o bien en la superficie de sus aguas, pero es raro que se encuentren a más de 30 metros de profundidad. Las especies que viven en fondos profundos carecen prácticamente de clorofila y suelen ser rojizas. En cambio, las algas superficiales son generalmente de un verde muy oscuro, mientras que las que crecen a profundidad media son pardas o marrones.

Hoy en día se conocen más de veinticuatro mil especies de algas. Muchas de ellas constan de una única célula. Por eso se las llama también microalgas. Su diámetro puede oscilar entre unas pocas milésimas de milímetro y un milímetro. Otras, en cambio, figuran entre los vegetales de mayor tamaño: la *Macrocystis pyrifera*, por ejemplo, que vive en las costas de Chile, la Argentina, las Malvinas y Nueva Zelanda alcanza los 60 metros de longitud.

Principales especies comestibles

Algunas algas son conocidas por su nombre japonés, otras son específicamente atlánticas. Pero, a pesar de tan gran número de especies, pocas son las que se aprovechan para la nutrición humana o con fines medicinales.

A continuación, hablaremos del aspecto, propiedades y aplicaciones de aquellas que, por sus características especiales, se han comercializado y las podemos adquirir fácilmente.

Espagueti de mar (Himanthalia elongata)

Sus formas alargadas (de hasta más de 2 m) y estrechas dan nombre a esta exuberante alga parda, muy sabrosa y frecuente en profundos litorales de aguas bravas. Hasta ahora, sin embargo, solo se ha cultivado y cosechado en la zona del Atlántico Norte.

Tiene un altísimo contenido en hierro y potasio, y un gusto que recuerda a la sepia. Se ha llegado a fermentar como *choucroute*. Aunque es una de las últimas especies incorporadas a la alimentación, se trata de una de las algas con más personalidad en la cocina y con más éxito entre las variedades atlánticas.

Aplicaciones terapéuticas: regula el colesterol, activa las defensas, depura y rejuvenece el organismo. Es un poderoso energizante, especialmente indicada para anemias, astenia y estados de fatiga crónica.

Wakame (Undaria pinnatifida)

Es nativa de las aguas japonesas. Crece en las rías bajas, en zonas expuestas a corrientes de movimiento rápido y, sorprendentemente, las frondas más tiernas proceden de las aguas más turbulentas. Tiene forma de hoja gigante de roble, es de un color pardo verdusco, su forma es alargada y puede llegar a medir hasta 1,5 m. Algas similares a la wakame se encuentran en las costas europeas del Atlántico.

Esta alga es una de las más indicadas para iniciarse en el empleo de los vegetales marinos, debido a su versatilidad en la cocina: combina bien con arroz y otros cereales, verduras, sopas, salteada con cebolla, simplemente hervida y regada con aceite, en rellenos, etc. Solo hay que trocearla y cocerla durante 15 minutos. Remojada y servida con pepino y zumo de cítricos o con un aliño de vinagre constituye una ensalada de verano muy refrescante.

La wakame es especialmente rica en calcio, magnesio y hierro; contiene altos niveles de vitamina C y del complejo B.

Aplicaciones terapéuticas: resulta ideal para depurar y fortalecer la sangre y es muy apropiada para la recuperación posparto. Se utiliza en las dietas para hipertensos y en el tratamiento de cardiopatías. Tiene propiedades desintoxicantes y reduce los desechos radiactivos y los metales pesados acumulados en el organismo.

Kombu (Laminaria ochroleuca)

Se trata también de un alga parda, perteneciente a la familia de las laminariáceas. Esta especie es una de las más apreciadas como alimento, de manera especial en el Extremo Oriente.

Vive a una profundidad media de 12 m y alcanza gran tamaño: su longitud va de los 2 a los 6 m, si bien puede llegar hasta los 20, con una anchura que oscila entre los 5 y los 30 cm.

Es especialmente rica en yodo, calcio, ácido algínico y vitaminas A, B_2, C, D y E. De consistencia carnosa, se usa en la cocina para dar sabor o como una verdura más. Su ácido glutámico tiene la propiedad de ablandar las fibras de otros alimentos. Una tira de kombu cocinada con legumbres no solo les quitará la dureza más rápidamente –con la consiguiente reducción del tiempo de cocción– sino que también mejorará su sabor e incrementará la digestibilidad del plato. Además del ácido glutámico, la kombu contiene dos azúcares simples: la fucosa y el manitol, de gran importancia para los diabéticos, ya que no aumentan el nivel de azúcar en la sangre.

Una kombu de buena calidad presenta una fina capa de polvo blanco sobre su densa y negra superficie. Su preparación es muy sencilla: primero se retira la capa de polvo blanco con un paño húmedo; hay que dejarla unos minutos en remojo y luego se puede cocer con legumbres y cereales. Cortada en tiras, se utiliza para dar gusto a las sopas de verduras.

Aplicaciones terapéuticas: ayuda a eliminar el colesterol, favorece el control de la tensión sanguínea, estimula el sistema linfático, propicia la distribución de los nutrientes en el cuerpo, agiliza el trabajo de los intestinos y facilita la eliminación de estroncio y cadmio.

Fucus (Fucus vesiculosus)

Bajo el nombre de fucus se agrupa un buen número de especies aunque en nuestras latitudes se suele aplicar únicamente a la *vesiculosus* por ser la de uso más habitual. Es un alga parda perteneciente a la familia de las fucáceas. Popularmente recibe el nombre de sargazo vejigoso o uva de mar debido a que muestra pequeñas bolas (vesículas) que contienen mucílago, un tonificante intestinal que da sensación de saciedad. Ejerce una suave acción laxante y sobre todo se utiliza para disolver el colesterol y combatir la celulitis. El famoso mar de los Sargazos, situado entre las Azores y América, debe su nombre a la abundancia de esta alga.

La fucus crece en las rocas sumergidas del Cantábrico y del Atlántico. En otro tiempo, los pescadores de las rías gallegas –donde abunda– la usaban para envolver y conservar frescos los pescados que se expedían al interior de la Península.

Lo que más se destaca de esta especie es su forma de cinta, cuyo centro está recorrido por una nervadura. Junto a ella se encuentran una especie de flotadores globulosos llamados aerocistos. Tiene los órganos reproductores en las puntas. Se sujeta a las rocas por un rizoide y se mantiene erguida gracias a un pedículo que se forma en su base, además de los flotadores globulosos que le impiden hundirse.

Todas las especies y variedades de fucus, muy numerosas, son una buena fuente de yodo. El agua de mar contiene 5 µg de yodo por cada 100 cm^3, mientras que esta especie de alga puede tener hasta 12 µg por 100 g. La *Fucus vesiculosus* es rica en ácido algínico y sus sales, manitol, un polisacárido mucilaginoso llamado fucoidina y vitaminas A, B, C y E. Sus importantes efectos curativos han hecho que se utilice específicamente para el tratamiento de ciertas enfermedades.

Aplicaciones terapéuticas: se usa para combatir el escrofulismo y las paperas (parotiditis). Es eficaz en el tratamiento del bocio, la gota y la obesidad. Para ello se puede preparar en forma de decocción a razón de unos 20 o 30 g por litro, y se toma una taza fría antes de cada comida.

Musgo de Irlanda o carragahen (Chondrus crispus)

Es un alga roja perteneciente a la familia de las gigartináceas. Aunque contiene clorofila, el verde propio de esta sustancia se ve enmascarado por el pigmento rojo ficoeritrina y el violeta ficocianina. Dichas sustancias, combinadas en distintas proporciones, hacen que estas algas adquieran diversas tonalidades.

La carragahen es una pequeña planta que recuerda a un arbusto con densas frondas. Crece entre 15 y 30 cm formando una alfombra sobre las rocas, bajo el nivel del agua. Normalmente de jóvenes presentan tonos violáceos que se convierten en rojo púrpura cuando ya son adultas. Su aspecto es el de una hoja muy segmentada.

El nombre de musgo de Irlanda se debe a que empezó a usarse en esta isla en el primer tercio del siglo XIX. En España se puede encontrar, agarrada a las rocas que cubren las aguas, en todas las costas del Atlántico. Como la dulse, que proviene de un hábitat similar, la carragahen debe lavarse cuidadosamente antes de cocerla para eliminar cualquier fragmento de concha que pueda estar adherido.

En esta alga el componente que más se destaca es el mucílago, presente en un 80 %. Por eso es emoliente y laxante. Es también muy rica en sales minerales, especialmente en yodo, y es un buena fuente de vitaminas A y C. Pero su componente más conocido es el carragén, producto que le da nombre, básicamente formado por carragenatos (sales sódica, potásica y cálcica del ácido carragénico) y carrageninas (polisacáridos altamente sulfatados).

El musgo de Irlanda seco es capaz de absorber gran cantidad de agua. Como alimento, su sabor es bastante neutro, por eso se presta para espesar y enriquecer sopas, purés o postres. Si se calienta y se deja enfriar se gelatiniza. Esta propiedad gelatinosa de la carragahen, como la del agar-agar, deriva de su alto contenido en almidones polisacáridos.

Aplicaciones terapéuticas: es un buen expectorante, eficaz contra la tos y los catarros bronquiales. Combate el estreñimiento crónico así como los procesos diarreicos y los trastornos urinarios. Absorbe los rayos X y los elementos radiactivos acumulados en el organismo. Refuerza las defensas inmunitarias.

Nori (Porphyra umbilicalis, tenera *y* yeyoensis)

La nori u ova marina, como es comúnmente conocida en castellano, es una de las algas más populares. Es fácil de preparar y tiene una amplia variedad de usos. Es equiparable a la lechuga de mar (*Ulva lactuca*). En Galicia, con la bajamar, se puede recoger en seco. En Japón se cultiva y elabora en láminas prensadas. Tiene un sabor intenso pero agradable y se utiliza desmenuzada después de pasar por la llama o por el horno.

Esta alga rodofícea es de un color púrpura-negro, brillante. Se puede utilizar como adorno en platos de cereales, sopas o verduras. En láminas se suele usar como rollito para envolver rellenos. Es deliciosa en bocadillos, ensaladas o combinada con tofu, huevos o verduras.

La calidad de la hoja de nori puede variar considerablemente. Si es de buena calidad será quebradiza y brillante, y, cuando se pone al trasluz, debe tener una transparencia verdosa, generalmente de textura homogénea. La de mala calidad suele ser púrpura, flácida y desigual. Para preservar su delicado sabor y prevenir la absorción de humedad hay que guardar la nori siempre en recipientes secos y cerrados.

Muchos tipos de esta alga crecen silvestres en diferentes partes del mundo, entre ellas en las costas británicas, donde se utiliza para la elaboración de un delicioso pan. La nori todavía no se ha cultivado ni preparado en hojas fuera del Extremo Oriente. La especie silvestre tiene más minerales, un sabor más fuerte y es un poco más dura que la cultivada. También puede variar de color, desde el verde brillante al marrón, púrpura o negro pasando por el verde oliva de acuerdo con su edad y grado de exposición al sol.

La nori constituye una importante fuente de proteínas, vitaminas A, B_1 y C, minerales, así como de clorofila. Contiene un tipo de aceite que previene el endurecimiento de las arterias, mientras su contenido en aminoácidos la hace efectiva para disminuir la tensión arterial.

Aplicaciones terapéuticas: favorece la disolución y eliminación de depósitos grasos, previene la arteriosclerosis y ayuda a controlar la hipertensión. Indicada también para asténicos y personas con problemas digestivos.

Iziki o Hijiki (Cystophyllum fusiforme)

La iziki crece primordialmente en el Extremo Oriente, donde estas plantas, parecidas a arbustos, cubren las rocas justo debajo del nivel del agua. Cada mata alcanza alrededor de un metro de altura y se cosecha entre enero y mayo. Después de la recolección, los retoños marrones se secan al sol y luego se hierven en grandes tanques de agua dulce durante varias horas para que queden más tiernos. Durante la ebullición se vuelven negros al reabsorber el pigmento concentrado que habían expulsado en el agua. La iziki se caracteriza, pues, por su color negro y aspecto fibroso.

Una cantidad de 100 g de iziki seca contiene más de 1.400 mg de calcio, mientras la leche tiene solo 100 mg por cada 100 g. La iziki es también rica en hierro, proteínas y vitaminas A y del complejo B, así como en oligoelementos que equilibran el nivel de azúcar en la sangre, cosa que la hace especialmente recomendable para diabéticos.

Antes de cocer la iziki se debe dejar en remojo unos 15 minutos. Hay que tener en cuenta que se hincha considerablemente, hasta el punto de aumentar 5 veces su volumen en seco. Después se enjuaga y se pone a hervir.

Por su delicado sabor se puede comer también cruda. La iziki se endulza considerablemente cocinada con cebolla y combina bien con las plantas de raíz, ensaladas crudas, cereales y toda clase de verduras cocidas.

Aplicaciones terapéuticas: es un buen reconstituyente en procesos de anemia, astenia y período posparto. Favorece la formación de una buena dentición. En Japón se ha hecho legendaria por realzar la belleza del cabello y proporcionarle brillo y elasticidad. También ayuda a combatir los altos niveles de colesterol.

Arame (Eisenia arborea)

Aunque a primera vista se parece a la iziki, la arame es bastante diferente; posee una textura más blanda y su sabor es más suave y dulce. Es una de las algas orientales que más rápidamente acepta el paladar occidental. Su tenue sabor combina bien con el tofu e incluso con verduras de sabor más delicado.

Pertenece al grupo de las algas marrones aunque su aspecto en el comercio sea fibroso y negro. La planta de la arame habita en rocas debajo del nivel del agua y está formada por tiras onduladas de frondas de 30 cm de longitud y 4 cm de ancho. Las frondas son originalmente duras y, como en el caso de la iziki, se hierven durante varias horas para ablandarlas. Al hervirlas se oscurece el color. Para facilitar su cocción y uso, estas frondas suelen cortarse en tiras parecidas a hilos, lo que acaba de darle una apariencia similar a la iziki.

El dulce sabor de la arame deriva de su alto contenido en azúcar natural –el manitol–, que se encuentra en muchas algas marrones. Como ocurre especialmente con la kombu y la iziki, el equilibrio mineral de la arame ayuda a regular los procesos metabólicos del organismo. Es rica en proteínas, vitaminas A, B_1 y B_2, yodo y calcio.

La arame se debe lavar y requiere un corto tiempo de remojo antes de la cocción, durante la cual el volumen casi se duplica. Se hierve durante unos 20 minutos y se puede sazonar con tamari.

Aplicaciones terapéuticas: combate la hipertensión, previene el endurecimiento de las arterias y se ha usado tradicionalmente como remedio para tratar trastornos de los órganos reproductores femeninos.

Dulse (Rhodymenia palmata)

La dulse es la verdura marina nativa más popular del Atlántico Norte y la han usado como alimento durante miles de años los pueblos del noroeste de Europa. Se dice que los antiguos guerreros celtas y escandinavos masticaban dulse en las marchas, y que los monjes de Santa

Columba (Irlanda) la recogían para alimentar a los pobres. Desde antaño, los habitantes de Islandia y de Alaska también han incluido regularmente esta alga en sus dietas. En el siglo XVII la usaban los marineros británicos como tabaco para mascar y se observó que la dulse contribuía a la escasa incidencia del escorbuto. En el siglo XVIII, los inmigrantes escoceses e irlandeses difundieron su empleo por la costa este de Canadá y Nueva Inglaterra y, a finales del siglo XIX, la dulse ya se comercializaba en los puertos de la costa oeste. Al igual que otros vegetales marinos, en Occidente su uso fue disminuyendo, pero con el creciente interés por los alimentos naturales, las industrias locales están volviendo a recolectarla.

La dulse crece abundantemente en las aguas turbulentas de las costas rocosas. Las plantas son pequeñas, miden entre 15 y 30 cm y tienen frondas planas y lisas. Se cosecha entre mayo y octubre, época en que las algas se recogen a mano durante la marea baja. Luego se secan al sol y al viento, y se envasan para venderlas.

La dulse es de color rojo púrpura, tiene textura suave y un peculiar sabor picante. Puede usarse para la preparación de sopas o como condimento. Ligeramente cocida, combina bien con cebolla, además de ser un sabroso acompañante para cualquier tipo de cereal. Basta remojarla para constituir un nutritivo complemento de las ensaladas.

Después de la nori, la dulse es la que tiene el porcentaje proteínico más alto entre las algas comunes. También es rica en potasio, yodo y fósforo. Además, su elevado contenido en hierro hace de ella un importante vigorizante de la sangre.

Aplicaciones terapéuticas: ideal como reconstituyente en estados de astenia, anemia y procesos postoperatorios. Indicada también para problemas gastrointestinales.

Agar-agar

«Agar» es una palabra de origen malayo empleada para designar las algas rojas del género *Euchema* y pertenecientes a la familia de las gelidiáceas. La agar-agar, conocida como kanten en Japón, es una maravillosa gelatina natural de sabor muy suave, y a la vez muy nutritiva y rica en minerales.

El interés por este tipo de alga proviene de su riqueza en el producto que le da nombre: el agar. Es una mezcla de polisacáridos complejos, básicamente agarosa (polímero de galactosa sin azufre) y agaropectina (formada por galactosa y ácido urónico esterificados con ácido sulfúrico). Esta sustancia se utiliza como espesante o gelatinizante. Normalmente son las pequeñas algas rojas del género *Gelidium* las más usadas, en particular las de la especie *cordeum*.

La agar-agar no tiene una composición química uniforme, ya que es un producto que se obtiene de distintas especies de algas. En general podemos decir que es rica en oligoelementos y minerales, sobre todo en calcio. Tiene un aspecto escamoso, resultado de la mezcla de 8 variedades de algas marinas.

La agar-agar se remoja en agua o zumo durante 20 minutos y se pone a hervir a fuego lento removiéndola hasta que esté disuelta. Es fácil y rápida de preparar; solo requiere una corta cocción, pero debe dejarse aproximadamente una hora a temperatura ambiental hasta que quede solidificada. Se utiliza como gelatina en la elaboración de *mousses*, natillas, flanes, tartas, budines y dulces. Una barra de agar-agar natural con 2 tazas de líquido es la proporción correcta para conseguir una buena gelatina.

El uso de agar-agar, que carece de lípidos y es completamente vegetal, permite reducir el poder energético (calorías) de muchos platos sin que disminuya su capacidad de saciar. Por eso es muy útil en los regímenes de adelgazamiento.

Se utiliza ampliamente en microbiología como caldo de cultivo.

Aplicaciones terapéuticas: es efectiva en la disolución del colesterol. Ayuda a eliminar residuos del estómago e intestinos y regula el estreñimiento.

Algas de nueva generación

Aunque el consumo de las algas forma parte de culturas milenarias, hace solo unas décadas que Occidente se ha interesado por sus propiedades y las ha ido incorporando a su régimen de alimentación. Pero el principio de «rapidez y eficacia», que rige la cultura occidental, ha hecho que algunas especies con propiedades alimenticias completas y reconocidas se hayan comercializado no como alimento, sino como complemento dietético. Son los «biomedicamentos» del siglo XXI. Es decir, que el aspecto ritual que supone su preparación culinaria queda al margen y se impone la presentación en cápsulas «listas para ingerir». El consumidor se ahorra el trabajo de pensar en la elaboración previa de un plato y solo debe recordar que ha de tomar el correspondiente comprimido. Sin duda se trata de un paso más hacia ese hipotético futuro en el que con unas cuantas píldoras podremos, teóricamente, cubrir nuestras necesidades nutritivas diarias.

Con un grado variable de comercialización, cabe señalar 3 microalgas (la espirulina, la klamath y la chlorella) y una macroalga parda del género de las fucales (la *Ascophyllum nodosum*) que responden a este criterio.

Espirulina (Spirulina platensis)

La espirulina es el nombre botánico de un alga minúscula de color verde-azul, de apenas medio milímetro de longitud. La palabra latina *spirulina* significa «espiral pequeña» y describe una estructura que tiene dicha forma.

Las microalgas del tipo espirulina aparecieron en la Tierra hace 3.500 millones de años y se convirtieron así en los primeros organismos capaces de realizar el proceso de fotosíntesis. Este papel fue fundamental para nuestro planeta, ya que redujo los tan elevados niveles de dióxido de carbono y propició una atmósfera rica en oxígeno que dio lugar a formas de vida más evolucionadas.

Los primeros hombres en consumir esta alga como alimento fueron las tribus de África asentadas en los alrededores del lago Chad. En tiempos de malas cosechas y de escasez de alimentos, el consumo habitual de espirulina cubrió sus necesidades y les ayudó a mantener la salud. También las poblaciones aztecas utilizaron esta alga como alimento básico, lo que les permitió desarrollar ciudades muy pobladas sin problemas de falta de comida.

La espirulina tiene una estructura pluricelular y se desarrolla en forma de plancton en aguas dulces. Hoy se sabe que existen más de una treintena de especies. En España hay cultivos de la modalidad *platensis* en las ricas aguas minerales del parque natural de Sierra Espuña, en Murcia.

Aporte nutricional: la espirulina está hoy en día reconocida como uno de los alimentos más ricos en nutrientes. En concreto, posee entre un 50 y un 70 % de proteínas, cuando la carne contiene solo del 18 al 22 % y la soja un 30 %. Además se trata de proteínas vegetales con un coeficiente de digestibilidad del 95 % y de alta calidad, pues no contienen colesterol, grasas saturadas, residuos de antibióticos, pesticidas ni hormonas de síntesis. El tipo de aminoácidos que la componen está muy equilibrado, a diferencia de la mayoría de proteínas vegetales, que tienen notables carencias en algunos de ellos. La espirulina contiene un espectro completo de los 22 aminoácidos existentes, de los cuales 8 son esenciales y deben ingerirse en la dieta diaria.

Es también el alimento natural más rico en vitamina B_{12}, fundamental en la síntesis del ADN, la formación de los glóbulos rojos y células de las paredes estomacales. Es entre dos y tres veces más rica en vitamina E que el germen de trigo, agente esencial contra el envejecimiento celular y la arteriosclerosis. Contiene asimismo vitamina F (ácido gamalinolénico) y ácidos grasos poliinsaturados, que tienen la propiedad de regular el sistema inmunitario y la permeabilidad de las membranas celulares.

La espirulina es también rica en hierro, betacarotenos, clorofila, ficocianina y sulfolípidos. Todas estas sustancias potencian las funciones metabólicas, actúan como antisépticos naturales y refuerzan las defensas del organismo.

Presentación y dosis: aunque se puede encontrar la espirulina en forma de láminas, es mucho más frecuente la venta en comprimidos. Ciertas plantas se pueden comprimir sin aditivos, pero hasta hace poco tiempo no era el caso de la espirulina. Por eso, el consumidor debe preguntar la composición de las cápsulas que contienen esta alga, pues los fabricantes no suelen indicar los aditivos que utilizan en su elaboración. En muchos casos, un comprimido de espirulina puede contener hasta un 30 % o más de almidón, estereato de magnesio, silicio, PVC o lactosa, sustancias todas ellas perfectamente prescindibles. Pero también existen fabricantes que utilizan sustancias naturales, como gelatina sin colorantes, que favorecen su digestibilidad y asimilación.

Como complemento de una dieta equilibrada es suficiente tomar 1,5 g de espirulina al día. En casos de dietas muy desequilibradas o con grandes carencias se pueden tomar de 3 a 5 g al día, que equivale a entre 6 y 10 cápsulas.

Aplicaciones dietéticas: ideal como complemento alimenticio para vegetarianos, deportistas, niños y adolescentes, mujeres gestantes y ancianos.

La espirulina se utiliza también en dietas de adelgazamiento. Sin embargo, no hay que confundir este alimento con uno de los muchos productos que existen en el mercado para perder peso. La espirulina satisface las necesidades alimentarias, pero nadie debe llevarse a engaño y pensar que es un reductor de kilos. Lo que sí aporta es fenilalanina, un aminoácido que estimula la secreción de la molécula CCK, que nuestro cuerpo sintetiza para quitar el apetito. Por otra parte, también contiene tirosina, otro aminoácido que suprime la sensación de hambre en el hipotálamo. De esta forma se consigue un equilibrio nutricional que previene el déficit alimentario y evita el exceso de calorías, causa del incremento de peso.

Aplicaciones terapéuticas: la espirulina puede ayudar a tratar problemas de astenia o cansancio físico e intelectual; incrementa la resistencia en períodos de actividad intensa; combate estados de desnutrición graves; tiene propiedades antigripales; retrasa el proceso de envejecimiento celular; regula y estimula el sistema inmunitario, ejerciendo un efecto preventivo del cáncer; disminuye los efectos negativos de la quimio y radioterapia; reduce la fragilidad capilar; ayuda a mantener el nivel de glucosa en la sangre; mejora los problemas hepáticos y las pancreatitis; baja el nivel de colesterol; previene las infecciones intestinales y mejora la absorción de los nutrientes. Por si fuera poco, reduce el impacto de la contaminación del organismo por metales pesados y productos farmacéuticos.

Klamath (Alphanizomenon flos-aquae)

Como la espirulina, pertenece a la gran familia de las algas verde-azules. Recibe su nombre del lago donde crecen, el Klamath, ubicado al sur del estado de Oregón (Estados Unidos), a 1.300 metros de altitud. Inmerso en un cinturón volcánico de más de 6.500 km^2, al abrigo de toda polución, las aguas de este lago se benefician de la disolución de los minerales existentes en las rocas del entorno.

Durante los meses estivales, las algas se reproducen cada 4 días y crean una floración masiva de hasta 50 millones de kilos anuales. Se recogen diariamente en estado fresco y se congelan a una temperatura de -30 ºC hasta el momento de procesarlas. Las klamath se secan así por congelación –nunca mediante calor– para mantener intactos y biológicamente activos todos sus nutrientes.

Una característica de la pared celular de esta microalga es su textura blanda, que favorece una digestión rápida y permite la absorción del 95 % de sus nutrientes.

La klamath y la espirulina se desarrollan en medios parecidos en lo que se refiere a concentración de minerales, pero diferentes en cuanto a sus características. En efecto, el pH óptimo del entorno para la klamath es más bien neutro (entre 6,9 y 7,4), mientras que debe ser totalmente básico o alcalino en el caso de la espirulina (entre 8,3 y 10). Además, la salinidad de las aguas en las cuales crece la espirulina puede ser hasta cien veces más elevada que en el lago Klamath.

Existe otra notable diferencia en lo concerniente a las condiciones de crecimiento: las algas klamath necesitan gran intensidad lumínica. Así se explica su riqueza en clorofila. Esta sustancia ayuda a digerir y activa las enzimas del cuerpo que intervienen en la asimilación de los nutrientes para transformarlos en energía; incrementa la formación de hemoglobina; evita la contracción de los vasos sanguíneos y aumenta el rendimiento muscular y nervioso.

Las algas azules klamath metabolizan el nitrógeno molecular directamente del aire. Este esquema de crecimiento permite la biosíntesis de 4 grupos de proteínas de bajo peso molecular: alfa, beta, gamma y épsilon. Estas proteínas son las precursoras de los neurotransmisores, utilizados por diferentes zonas del cerebro para iniciar la secreción de otras sustancias, como las hormonas, que influyen en las funciones metabólicas.

Las klamath contienen también los 8 aminoácidos esenciales (aquellos que no pueden sintetizarse dentro de nuestro organismo y deben ingerirse con la dieta). Dos casi imprescindibles (necesarios para el correcto crecimiento de los niños) y 6 no esenciales (los puede producir el propio cuerpo). Para mantener la salud es preciso tener las cantidades correctas de todos los aminoácidos.

En cuanto a vitaminas, se encuentran las mismas y en concentraciones similares tanto en la klamath como en la espirulina. Quizá la única diferencia destacable es que la klamath posee un mayor porcentaje de las vitaminas del grupo B, especialmente de la B_9 y B_{12}, esenciales para la formación de la sangre, así como de vitamina C.

Pero lo más sorprendente de la composición de la klamath es la gran variedad de minerales, así como el equilibrio entre ellos: 6 de los minerales y oligoelementos que contiene –calcio, flúor, silicio, magnesio, molibdeno y vanadio– son conocidos por ser totalmente sinérgicos en el metabolismo. El molibdeno, poco frecuente en el resto de algas, mejora la absorción del flúor, participa en el metabolismo de las proteínas y, especialmente, en la transformación de los residuos que estas generan (purinas).

Aplicaciones dietéticas: son similares a las de la espirulina. Está muy indicada como complemento alimenticio para vegetarianos, deportistas, niños en edad de crecimiento, mujeres embarazadas y ancianos. También se utiliza en dietas de adelgazamiento.

Aplicaciones terapéuticas: combate el estrés y la fatiga además de reforzar el sistema inmunitario. Permite superar la astenia, los estados carenciales por desnutrición y todo tipo de anemias. Retarda el proceso de envejecimiento celular, ayuda a mantener el nivel de glucosa en la sangre, baja el colesterol y mejora la absorción de los nutrientes.

Chlorella

Se trata de un alga unicelular de la Familia de las clorofíceas. Existen diversas especies que viven en lagos y lagunas, e incluso en troncos de árboles y rocas. En condiciones favorables, la chlorella se multiplica a gran velocidad: cuarenta veces en solo veinticuatro horas. Esto significa que, cultivadas en una misma superficie, se recogen 20 veces más proteínas que si se hubiera plantado soja y 95 veces más que si se hubiera cultivado trigo. Cabe decir que las proteínas animales exigen 5 veces más terreno que la misma cantidad de proteínas de origen vegetal.

La chlorella es una de las algas con mayor porcentaje de clorofila (cerca del 7 % de su peso en seco). Este pigmento tiene reconocida influencia como precursor de la hemoglobina, es un antiséptico natural y estimulador del peristaltismo intestinal. Su contenido en cinc la hace recomendable en cuadros de astenia y en convalecencias, mientras su riqueza en vitamina B_{12} la convierte en complemento alimenticio por excelencia para vegetarianos.

En cuanto a propiedades y aplicaciones, la chlorella y la espirulina son muy similares.

Aplicaciones dietéticas: es un buen complemento nutricional para vegetarianos, deportistas, mujeres embarazadas, madres lactantes y también en dietas adelgazantes. Es menos conocida que la espirulina, pero sus propiedades son similares.

Aplicaciones terapéuticas: indicada en casos de anemia, durante resfriados y estados gripales. Es también desintoxicante, desengrasante y hepatoprotectora, así como un buen coadyuvante en el tratamiento de la diabetes y del asma. Evita la retención de las heces y protege la flora intestinal.

Ascophyllum nodosum

A diferencia de las tres especies anteriores –todas ellas microalgas– la *Ascophyllum* es una macroalga de la familia de las feofíceas o algas pardas, del género fucus. También es conocida como enredadera o alga nudosa.

Crece en abundancia en las costas del oeste de Europa expuestas a la corriente del Golfo, en las zonas templadas del norte de Estados Unidos tanto del Atlántico como del Pacífico, y también en las frías aguas del océano Ártico que bañan el norte de Europa. Se alimenta a través de las hojas y vive enganchada a las rocas.

Después de recolectarla, esta alga se seca a temperaturas entre los 75 y 85 ºC y luego se muele hasta convertirla en polvo fino. Bajo esta forma se puede añadir a las comidas, pero lo normal es tomarla en comprimidos. En ocasiones, el polvo se extrae con agua y solo se utiliza ese extracto acuoso (el contenido sólido de dicho extracto suele ser de un 10 %).

Es un alga conocida por ser muy rica en minerales, concretamente más de sesenta –entre los que se destacan el calcio, potasio, magnesio, fósforo y hierro– además de contener 13 vitaminas, fucosterol, fucoxantina y betacaroteno. Tiene bajo contenido en yodo, es decir, se pueden tomar cantidades elevadas sin el riesgo de exceder la dosis diaria recomendada.

Los principales componentes mucilaginosos de esta planta marina están formados por 3 polisacáridos principales: el ácido algínico, la laminarina y la fucoidina, sustancias que intervienen en la eliminación de glucosa, metales pesados y colesterol acumulados en el organismo.

El alga *Ascophyllum nodosum*, cosechada en las frías, limpias y ricas aguas del océano Ártico, se comercializa en España como producto manufacturado en las islas de la costa oeste de Noruega. Llega a nuestro mercado en forma de cápsulas que contienen un 100 % de dicha alga, sin ningún tipo de aditivo artificial.

Aplicaciones dietéticas: menos utilizada que las microalgas como complemento alimenticio, su riqueza nutritiva y presentación en comprimidos (poco habitual de las algas pardas) la hace también muy adecuada como coadyuvante en dietas hipocalóricas y de adelgazamiento. Se suele comercializar en cápsulas de 420 g, que contienen un 20 % en alginatos solubles en agua.

Aplicaciones terapéuticas: ayuda a eliminar los metales pesados, las toxinas y los isótopos radiactivos del cuerpo; favorece la digestión al estimular las bacterias intestinales beneficiosas; controla los niveles de colesterol y glucosa de la dieta, ya que impide su absorción intestinal; aporta defensas al organismo contra las infecciones y potencia la salud de la piel y el cabello.

Particularmente indicada en terapias de adelgazamiento y depuración de la sangre, así como en los tratamientos con radioterapia y quimioterapia.

Otras especies menos conocidas

Aunque tradicionalmente las algas han constituido un alimento básico en muchos países orientales –especialmente en Japón–, solo las especies de las que hemos hablado anteriormente se han consolidado en los mercados occidentales.

Sin embargo, existen múltiples géneros, desconocidos para el consumidor occidental, que sí tienen amplio uso en otras culturas. Por ejemplo, la *Laminaria digitata*, una gran alga parda, se consume como alimento en grandes cantidades en el Asia oriental. También se encuentra en el mar del Norte. Por su elevado contenido en manita (azúcar de maná) se utiliza en algunos lugares como edulcorante en la elaboración de pan y pasteles.

Una especie atlántica parda poco conocida en nuestras latitudes es la mozuku (*Nemacystus decipiens*), que crece en forma de matojo y solo es comestible si no ha superado el año de vida. Se vende a la sal y se consume como ingrediente en ensaladas.

También de origen atlántico es la hondawara (*Sargassum fulvellum*), un alga que crece en forma de matas sobre las playas bretonas y puede alcanzar hasta 2 m de longitud. Se come cruda o en sopa.

Otra alga que es raro encontrar en nuestros mercados es la akatosaka (*Meristotheca papulosa*), variedad de la conocida nori. Se trata de una especie rodofícea con forma que recuerda la cresta de un gallo. Vive sobre todo en mares cálidos. Sometida a un tratamiento consistente en sumergirla en ceniza de madera y después cocerla, su rojo característico deja paso a un verde también de gran intensidad. Entonces recibe el nombre de ao-tosaka. En realidad es la misma planta, pero con diferente coloración. Es muy tierna y se suele consumir en ensaladas. Se vende a la sal y es necesario desalarla bien dejándola en remojo al menos 30 minutos y cambiando varias veces el agua.

La makuri o kaijinso (*Digenea simplex*) es un género que vive en zonas cálidas de los océanos Atlántico y Pacífico. Las poblaciones de esos lugares la utilizan como eficaz remedio contra los parásitos intestinales. En esas mismas latitudes encontramos la mukade-nori (*Grateloupia filicina*) y la fukuro-funori (*Gloiopeltis furcata*), dos especies rodofíceas que forman matojos de unos 15 cm de altura y se comen crudas o cocidas.

También mencionaremos dos especies de algas verdes que suelen consumirse en las costas del Atlántico norte: la lechuga de mar (*Ulva lactuca*) y el polvo de nori verde o ao-nori (*Enteromorpha*). La primera se puede comer cruda, en sopas, pasteles, etc., mientras que la segunda se utiliza como condimento.

Otra alga con propiedades nutritivas es la *Durvillea antartica*, que crece entre 4 y 8 metros de profundidad en las costas de Chile, Argentina, las islas Malvinas y Nueva Zelanda. Es rica en ácido algínico, con un contenido de hasta el 48 % frente a las algas japonesas, que contienen una media del 30 %.

Por lo que se refiere a las microalgas unicelulares verdes destacan la *Dunaliella salina* y la *Scenedesmus obliquus* (o *acutus*), poco difundidas en España pero usuales en otros países como Estados Unidos, Israel o Australia. Perteneciente a las clorofíceas, la *Dunaliella salina* tiene un elevado contenido en xantofila (hasta el 17 % de su peso en seco) y betacarotenos –20 veces más que el pimiento, 50 más que la zanahoria y casi doscientas más que el albaricoque–. Vive en grandes lagos salados, en el mar Muerto y zonas hipersalinas.

La *Scenedesmus obliquus* se cultiva en aguas dulces o de baja salinidad. Tiene un óptimo valor nutricional, es rica en sales minerales y oligoelementos, y proporciona un marcado efecto hipocolesterolémico. El contenido proteico es de entre el 50 y el 55 % de su peso en seco y el aporte en vitamina B_1 (tiamina) es cuatro veces el del huevo. Es también rica en niacina (vitamina PP) así como en tocoferol (vitamina E), ácido ascórbico (vitamina C) y betacarotenos (provitamina A). Por estas razones, está indicada en la lucha contra los radicales libres y el envejecimiento precoz.

En el terreno estrictamente terapéutico mencionaremos la *Laminaria japonica*, un alga muy utilizada para afecciones renales por su alto contenido bactericida; la *Alsidium helmintocorton*, con propiedades vermífugas y elmínticas, y la *Delesia sanguinea*, con propiedades anticoagulantes semejantes a la heparina.

25
Usos y aplicaciones

Hemos visto las propiedades de las algas como alimento y sus múltiples aplicaciones terapéuticas. Sabemos que el consumo habitual aporta muchos beneficios a la salud. Pero tales virtudes de los vegetales marinos han trascendido estos ámbitos y sus propiedades se aplican también en campos tan diversos como el agrícola, el industrial o el cada vez más valorado mundo de la estética.

En agricultura y ganadería

En la Edad Media, el mar era un lugar casi desconocido y muy temido. Difícilmente había quien se aventurara lejos de la costa como no fuera por estricta necesidad. Pero quien se atrevía podía beneficiarse de la enorme riqueza de los océanos: allí donde las mareas eran pronunciadas, se recogían las algas durante la bajamar y se llevaban a los campos para usarlas como abono tras un período de fermentación.

Este antiguo sistema de abono cayó en desuso con el paso de los años, pero también hoy nuestros campos –empobrecidos como están en oligoelementos– se podrían beneficiar de él, ya que las algas son una fuente muy rica de nutrientes.

Parece ser que una de las razones por las cuales las plantas son tan sensibles al ataque de los parásitos es la carencia de estos oligoelementos: un abono natural como el basado en las algas podría regenerar terrenos y cultivos a un coste muy asequible... aunque quizás el problema estribe justamente ahí: ¿quién ganaría con semejante negocio? Por ejemplo, la recolección de *Ulva lactuca* para uso agrícola no es de por sí rentable; sin embargo, puede ser un modo ecológico de reciclar las algas que crean problemas por su abundancia.

Las algas esparcidas sobre el terreno no solo mejoran la composición de este, sino que aumentan también la aireación y la capacidad de retener el agua. Por otra parte, mezcladas con la vegetación baja de los terrenos arcillosos, mejoran su resistencia al hacer que la tierra sea más estable.

A los animales también les gustan

Los ganaderos cuyos rebaños de cabras y ovejas pastaban cerca del mar vieron que estos animales comían con avidez las algas depositadas en la playa por las mareas. De esta constatación se pasó a utilizarlas como alimento: en primer lugar por necesidad, en períodos en que el forraje escaseaba, y después por curiosidad, buscando obtener una mejora en el estado de salud de animales muy debilitados.

Si bien es cierto que ni caballos, ni cerdos, ni carneros, ni vacas ni gallinas se acostumbran de un día para otro a un alimento totalmente marino, la introducción gradual, con un lento pero continuo aumento de la dosis de algas mezclada con el pienso habitual, ha dado óptimos resultados. Los animales que consumen algas muestran renovada vitalidad, pelo más brillante, aumentan de peso y resisten mejor el trabajo.

En alimentación humana

Durante siglos, muchas personas a lo largo y ancho del mundo han recogido algas marinas para usarlas como alimento. Chinos, irlandeses, británicos, islandeses, canadienses, japoneses, nativos de América del Sur, hawaianos, coreanos, rusos, esquimales y sudafricanos son algunos de los pueblos que han consumido tradicionalmente vegetales marinos. En Japón, las algas son hoy en día parte importante de la dieta, tanto en forma de verduras como de extractos y suplementos.

En Occidente, la utilización de algas marinas como alimento humano es un descubrimiento reciente, aún poco generalizado. Sin embargo, muchos científicos piensan que puede ser la solución para la carencia alimentaria que padece la mayor parte de los países del Tercer Mundo; no hay que olvidar que nuestro planeta está cubierto en más de tres cuartas partes por las aguas. Además, algunas algas se prestan muy bien al cultivo controlado.

En la industria: las algas como aditivos

En la industria alimentaria se encuentran extractos de algas marinas en casi todos los tipos de alimentos preparados: desde los helados y budines hasta los aderezos para postres, quesos y pan. La aplicación es múltiple: como estabilizantes y emulgentes de las mayonesas, goma de mascar, cremas heladas; potenciadores del sabor en quesos, pizzas. De hecho, cualquier comida que utilice espesantes o estabilizantes probablemente contenga agar, carragenina o algina; todos son extractos de vegetales marinos.

Actualmente, en las costas del norte y noroeste de España, se recolectan cada año unos ocho millones de kilos de algas del género *Gelidum*, de los cuales se obtienen unos 800.000 kg de agar-agar. En el litoral gallego se recogen también un millón de kilos de musgo de Irlanda, que proporcionan unos 300.000 kg de carragén. En esta misma zona se cosechan casi 500.000 kg de laminarias, de las cuales se obtiene algina para la producción de alginatos.

El agar-agar se utiliza como aditivo alimentario. El código de la CEE le ha dado el nombre de E-406. Disuelto en agua destilada tiene una capacidad de hinchamiento treinta veces superior a su tamaño. Se diluye totalmente en agua hirviendo en pocos minutos y adquiere una consistencia gelatinosa cuando se enfría a 35-40 °C. El agar-agar tiene la ventaja de ser una gelatina completamente vegetal, con un poder gelificante incluso 8 veces superior a las de procedencia animal.

En la cocina el agar-agar es muy eficaz como espesante, estabilizante y gelificante natural. Además, no solo no es perjudicial, sino que puede ser muy beneficioso para la salud.

- El carragén o E-407 (bajo las formas comerciales de carragenina y carragenato sódico) se utiliza como agente gelificante de espesamiento en las industrias alimentarias, de la misma forma que el agar. Con la leche da un gel rígido por la formación de un complejo con la caseína. De ahí su empleo para la preparación instantánea de flanes, budines, estabilización de leches chocolateadas, etc.

  El Comité Mixto FAO-OMS aconseja una dosis diaria máxima que no supere los 75 mg/kg de peso del individuo que lo toma. A diferencia del agar-agar, que es totalmente inocuo, determinadas investigaciones han apuntado el posible carácter carcinógeno de este producto cuando se toma en exceso y en estado puro.
- La algina es un principio gelificante que se obtiene del ácido algínico contenido en las algas pardas. Prácticamente insoluble en agua, este

ácido puede absorber más de cien veces su peso. En las algas secas se suele encontrar en forma de alginato cálcico. La industria utiliza también los alginatos de sodio (E-401) y amonio (E-403) como estabilizadores de múltiples productos preparados, para usos tan diversos como dar consistencia a budines y postres; recubrir carnes y pescados permitiendo una más larga conservación; realzar el sabor de los alimentos (es una especie de glutamato natural); dar sabor a salsas y condimentos; fabricar salchichas a partir de proteínas vegetales con un sabor y un aspecto parecido a las de carne; homogeneizar los palitos de pescado hechos a partir de peces pequeños y hasta para hacer estable la espuma de la cerveza.

Usos industriales diversos

Las algas tienen otros usos muy diversos en la industria, entre los cuales cabe citar la fabricación de papel, el apresto de telas, la fabricación de ambientadores, barnices, betunes para zapatos, explosivos, juguetes, pegamentos, emulsión de aceites industriales, etc.

En Japón, del género botánico *Gloiopeltis* se obtienen colas para dar apresto a la seda y a otros tejidos finos e, incluso, se emplean en la construcción como componentes de diversos cementos.

Actualmente se realizan investigaciones para aprovechar la rapidez de crecimiento de la *Macrocystis pyrifera* y de la *Macrocystis intergrifolia*, algas pardas gigantes –pueden llegar hasta 50 o 60 m de longitud–, que viven en las costas de Chile, Argentina, Nueva Zelanda y California. Tras los oportunos tratamientos, estas algas pueden constituir una buena materia prima para producir un gas combustible muy similar al metano.

En cosmética y cuidados corporales

La incorporación de las algas al mundo de la cosmética tiene como objetivo ayudar a la piel a reencontrar el equilibrio natural gracias a elementos activos ionizantes. Hoy podemos encontrar diversos tipos de algas en numerosos productos cosméticos: leches limpiadoras, tónicos, cremas hidratantes para la cara y el cuerpo, desodorantes, cremas para las manos, champús, jabón para la piel y la higiene íntima, cremas para masaje, productos para disolver en el agua del baño, preparados para combatir las estrías, la celulitis, la flacidez y la pesadez de piernas, y muchos más.

Las especies más usadas en cosmética son las fucus y las laminarias. Estos vegetales marinos absorben los iones con tal abundancia, que 1 kg de ellos contiene la misma cantidad de principios activos que 10.000 litros de agua de mar. Esta riqueza marina almacenada en las algas permite tratar eficazmente los procesos de envejecimiento cutáneo y resolver los trastornos circulatorios, celulíticos, reumáticos y de obesidad.

La molécula marina SPD

La superphycodismutasa, o SPD, es una molécula marina estabilizada, de muy bajo peso molecular, dotada de propiedades antirradicales libres, obtenida de un alga que vive a unos 20 m de profundidad. Esta alga, sometida a importantes variaciones de su entorno a causa de las mareas y el oleaje –que alteran el grosor de la capa líquida protectora de la luz–, ha tenido que desarrollar un sistema de defensa de alta capacidad: la superphycodismutasa. Al igual que en el alga marina, esta molécula, aplicada en cosmética, lucha eficazmente contra el efecto destructor de los radicales libres, evitando la degradación de los fibroblastos, del ADN y de las fibras de colágeno. Frena, asimismo, la deformación y pérdida de fluidos de las membranas de las células, impidiendo que el tejido cutáneo se esclerose, se seque y se llene de arrugas.

Forma de aplicar las algas

En los institutos de belleza en los que se hacen tratamientos de talasoterapia, se aplican emplastos y cataplasmas hechos con agua marina y algas.

Una versión casera de estos tratamientos consiste en rehidratar un puñado de algas (preferiblemente fucus o laminarias) en un poco de agua hirviendo y, cuando estén reblandecidas, aplicarlas –todavía calientes– sobre la piel. Para conservar el calor se envuelven en una toalla de felpa y se cubren con un paño. Incluso se pueden meter en una bolsa de agua caliente. De este modo es factible realizar varias aplicaciones antes de desecharlas.

Si las algas son demasiado pequeñas para extenderlas cómodamente sobre la piel, se pueden desmenuzar todavía más y meterlas en un pequeño saquito de tela que habrá que empapar en agua caliente antes de aplicarlo sobre la piel. Este saquito puede servir también como guante de masaje en la bañera. Otra opción consiste en tirar el saquito-guante en la bañera mientras se llena de agua caliente y, de este modo, el cuerpo se sumergirá directamente en un baño de agua terapéutica que, según el alga utilizada, puede tomar una tonalidad azul, esmeralda o ámbar. Lo importante es relajarse y permanecer sumergido durante 20 minutos por lo menos. Si el agua se enfría, hay que añadir caliente, pero no demasiada ya que entonces también se comprometería la eficacia de las algas.

Finalmente, no se debe tomar una ducha como normalmente se hace después de un baño de espuma. Tampoco hay que secarse con la toalla sino dejar que las algas continúen su acción: lo mejor es envolverse en un albornoz y reposar bien tapado 20 minutos en la cama o en un sofá.

Un baño de algas no solo tiene una aplicación estética, sino que es útil para relajarse y quitarse de encima las tensiones de la jornada. Además tiene propiedades revitalizantes, nutre la piel y ayuda a mantener el balance hídrico.

Es aconsejable integrar los baños, los emplastes y los masajes anticelulíticos a partir de algas con la toma de éstas en comprimidos o incorporándolas a la alimentación. En concreto, las personas que tengan impurezas en la piel –puntos negros, granos o acné– o padezcan dermatitis, psoriasis o eccemas deben complementar la dieta con algas o microalgas para apoyar el efecto de los baños y mascarillas. También redundan en la salud de las uñas, dientes y cabello.

Algunas recetas cosméticas para preparar en casa

Mascarilla de espirulina o chlorella

Con un comprimido de espirulina o de chlorella es suficiente para hacer una máscara facial. Si se quiere extender también al cuello y las manos –lo que siempre es aconsejable– habrá que emplear 3 comprimidos.

Para preparar una mascarilla tonificante se tritura el comprimido con una mano de mortero o con un molinillo de café que lo reduzca a polvo y se mezcla con agua hasta obtener una pasta uniforme. Esta untura es de un hermoso verde esmeralda intenso. Hay que dejarla sobre la piel hasta que se seque y luego retirarla con agua, primero tibia y después fría.

Si se desea preparar una mascarilla nutritiva, se mezcla el polvo de espirulina o chlorella con una yema de huevo. Este preparado necesita más tiempo para secarse que el anterior, por eso no es mala idea regalarse al menos un cuarto de hora en posición relajada.

Cataplasma de laminaria y salvado

Se mezclan las algas con tanto salvado como sea necesario hasta conseguir formar una pasta suave pero consistente y se mete la mezcla en pequeños saquitos de tela de algodón. Bien cerrados, se sumergen en agua no demasiado caliente (a unos 40 °C) y se aplica sobre la piel durante 20 o 30 minutos en las zonas donde se han formado placas de celulitis.

Si después de la aplicación se tiene cuidado de colgar los saquitos en un lugar ventilado y dejarlos secar, es posible utilizarlos de nuevo al día siguiente.

Envoltura de kombu para después del sol

Para obtener una buena envoltura refrescante aplicable tras un baño de sol, se colocan sobre la piel algas frescas (si son secas hay que sumergirlas previamente en agua dulce). Se recomienda utilizar la kombu u otra alga de fronda larga y homogénea, ya que se puede extender más fácilmente sobre la piel, como si se tratara de una serie de vendas alineadas.

Si usamos algas más pequeñas, se pueden triturar con la batidora en un poco de agua dulce. De esta forma, la combinación se transforma en un fango denso que se esparcirá sobre la piel enrojecida por el sol. Si la mezcla queda demasiado líquida se puede espesar con almidón de arroz, fécula de patata, copos de avena o arcilla.

Indicaciones terapéuticas de las algas

Afirmar que un alimento concreto cura una enfermedad es un tanto aventurado. El conjunto de la alimentación es lo que determina nuestro estado nutricional, y es ese estado, en definitiva, el que resulta decisivo para la salud. Está comprobado que existe una correlación entre alimentación y salud. Simples cambios dietéticos pueden prevenir y hasta curar muchas de las patologías de la civilización actual.

Las algas contienen todas las vitaminas, diastasas, minerales y metaloides que nuestro organismo necesita. Pero los vegetales marinos no son solo un alimento completo; también se ha comprobado que poseen múltiples propiedades medicinales. Las algas, junto con el limón, el ajo, la cebolla, el apio, la zanahoria y algunos otros alimentos naturales constituyen la elite de los alimentos-medicina. A las verduras del mar se les atribuyen numerosas virtudes terapéuticas. He aquí algunas:

- Refuerzan las defensas inmunitarias.
- Estimulan y reequilibran el metabolismo.
- Estimulan el sistema endocrino.
- Remineralizan.
- Favorecen la circulación.
- Son antioxidantes y, por tanto, antienvejecimiento.
- Protegen las mucosas y las lubrifican.
- Son laxantes y antisépticas.
- Regulan el nivel de glucemia, colesterol y ácido úrico.
- Son coadyuvantes en las dietas de adelgazamiento.

Alimento-medicina para todas las edades

Todos queremos vivir mucho, pero nadie querría ser anciano. Las poblaciones que consumen asiduamente algas marinas o de agua dulce se encuentran entre las más sanas, vigorosas y longevas del planeta. La ciencia ha encontrado la explicación o, cuando menos, algunas de las razones que contribuyen a ello. Las algas son ricas en oligoelementos, a los cuales ha reconocido su actividad antioxidante, es decir, son capaces de neutralizar los radicales libres que provocan la degradación y envejecimiento de los tejidos. También es importante la cantidad de vitaminas A, C y E, que desarrollan asimismo funciones antioxidantes y vitalizantes. Además, las algas, constituyen por sí mismas un alimento sano y completo porque aportan todos aquellos nutrientes que nuestro organismo necesita para funcionar adecuadamente.

Efectos de las algas sobre ciertas afecciones

La ingesta habitual de algas puede ayudar a prevenir muchas enfermedades. Pero cuando las afecciones se hacen patentes son también muy útiles para superar los cuadros agudos.

Anemia, agotamiento físico e intelectual

El alto contenido de las algas en hierro y vitamina B_{12}, cuyo déficit en el organismo origina la mayoría de anemias, hace que su consumo prevenga esta enfermedad. Las algas marinas actúan como un tónico general si se toman todos los días, de forma que la letargia y cansancio que caracterizan estas afecciones dejarán paso a renovadas energías.

Bronquitis, gripe y resfriado común

En estas afecciones la producción de moco es el síntoma más evidente. Deben evitarse los agentes formadores de secreciones (aunque el cuerpo ya se cuida a sí mismo con la pérdida de apetito) y tomar mucho líquido. En las sopas y zumos de frutas pueden añadirse algas marinas en polvo. Su acción antiséptica y antiinflamatoria actuará sobre las membranas mucosas, al tiempo que aportarán al organismo vitaminas y minerales.

Cáncer

La relación entre alimentación y cáncer es difícil de precisar; sin embargo, los expertos señalan la gran importancia que nuestra dieta tiene en el desarrollo de dicha enfermedad. Existen múltiples aspectos implicados, desde deficiencias nutricionales a la ingesta de sustancias potencialmente cancerígenas, por desgracia muy frecuentes en los alimentos de la sociedad occidental.

Las algas, además de cubrir las deficiencias que frecuentemente tiene la dieta actual, poseen principios activos que neutralizan potenciales agentes cancerígenos como los metales pesados y los isótopos radiactivos.

Conjuntivitis, blefaritis y ojos cansados

Si se padece alguna de estas afecciones oculares pueden aliviarse sus síntomas con la aplicación de una cataplasma a partir de musgo de Irlanda, adecuadamente lavado.

Diarrea

Las algas marinas actúan como laxantes, pero también son antisépticas. De este modo alivian las membranas irritadas que produce la diarrea y ayudan a evitar la congestión de las mucosas.

En caso de diarrea aguda, enteritis o trastornos intestinales se recomienda tomar una decocción de musgo de Irlanda.

Estreñimiento crónico o agudo
Los malos hábitos alimentarios suelen ser su principal causa. En lugar de modificar la dieta, muchas personas recurren a los laxantes químicos que actúan como irritantes. Las algas tienen un efecto laxante suave y natural, regulan los trastornos intestinales, tonifican las paredes y músculos del colon y neutralizan el exceso de ácido de la dieta.

Si se trata de un proceso agudo, se puede recurrir al agar-agar o al musgo de Irlanda. En caso de utilizar agar-agar, habrá que tomar de 4 a 15 g diarios previa preparación de la correspondiente gelatina. Si se opta por el musgo de Irlanda o carragahen se puede absorber en forma de decocción, aunque es preferible no habituarse a ellas.

Gota
Las algas ejercen un efecto alcalinizante que ayuda a contrarrestar el exceso de ácidos en la alimentación causante de la gota. Concretamente, quienes padezcan esta afección, pueden beneficiarse de los efectos de la microalga *Scenedesmus obliquus* que, al mismo tiempo, aporta proteínas de buena calidad.

Hipercolesterolemia
Las grasas saturadas son el principal factor nutricional en lo que se refiere al aumento de colesterol en sangre. Las algas son un alimento que actúa en dos sentidos: por una parte no contienen grasas saturadas y, por otra, ayudan a eliminar el exceso de colesterol al impedir la absorción intestinal de las estructuras que lo transportan hasta la sangre (micelas).

Para tener bajo control la tasa de colesterol se puede recurrir a una infusión de iziki o de laminaria en forma de polvo, comprimidos o tisana (son especialmente efectivas la *Laminaria hyperborea* y la *Laminaria digitata*).

Hipertensión arterial (HTA)
Se trata de otra de las enfermedades llamadas «de la civilización», junto con el colesterol y la obesidad. La ingesta habitual de algas, especialmente de laminarias, reduce los niveles de colesterol e hipertensión, refuerza el corazón y combate la arteriosclerosis. La kombu –consumida como verdura o como tisana en decocción– es muy eficaz.

Hipotiroidismo

El yodo que contienen las algas marinas puede ayudar a equilibrar la disfunción de la tiroides y evitar el crecimiento de esta glándula, que da lugar a la aparición del bocio. Sin embargo, las personas que sufren hipertiroidismo –aunque sea en estado latente– tendrán que consultar previamente con el médico sobre la conveniencia de tomar preparados de algas, ya que podrían agravar su afección.

Indigestión y dispepsia

La acción alcalinizante de las algas puede aliviar las molestias originadas por los alimentos que producen exceso de ácido. Consumirlas habitualmente constituye un buen preventivo de las úlceras de estómago. Concretamente, el musgo de Irlanda se ha mostrado muy eficaz contra todo tipo de afecciones gastrointestinales.

Inflamación de órganos y mucosas

Las sales minerales de las algas, además de purificar y estimular el torrente sanguíneo, ayudan a aliviar los trastornos de los riñones y la vejiga (como la cistitis), el hígado, la vesícula biliar, el páncreas, las arterias y los órganos reproductores. La vesícula biliar, por ejemplo, al estar revestida de membranas, segrega moco cuando se halla irritada y produce una condición interna semejante a la catarral. Un suplemento diario de algas ayuda a neutralizar este exceso de moco y previene así la posible formación de cálculos biliares.

Para afecciones renales y de vejiga se recomienda especialmente el *Sargazo linifolium* o la *Laminaria japonica* por su alto contenido en sustancias bactericidas.

Obesidad y celulitis

En tratamientos contra la obesidad es muy adecuado incluir complementos alimenticios de algas: aportan aminoácidos, vitaminas, sales minerales y oligoelementos, al tiempo que son pobres en lípidos y calorías. Por tanto, pueden combatir las carencias de una dieta de adelgazamiento y aumentar la sensación de bienestar, sin que se refleje en la báscula.

La espirulina ha tenido gran éxito en el campo de la dietética, ya que actúa en dos sentidos: es un buen complemento alimentario en caso de dietas reductoras y, por otra parte, actúa sobre el hambre, al parecer por su riqueza en fenilalanina (un aminoácido que suprime el estímulo nervioso del apetito en el cerebro).

En homeopatía se encuentran remedios a partir de tintura madre de *Fucus vesiculosus* para trastornos relacionados con la obesidad. La fitoterapia también aconseja las algas –especialmente las fucus– para el sobrepeso, la celulitis y las disfunciones glandulares.

Tensión nerviosa

El yodo que contienen las algas marinas actúa como regulador de la tensión nerviosa y alivia los trastornos neuromusculares.

Reumatismo, artritis, fibrosis y neuritis

Estas enfermedades pueden ser causadas por condiciones externas –como un clima adverso–, pero también hallarse vinculadas a una deficiencia nutricional que no solo actúa sobre las articulaciones, nervios y tejidos, sino que además estanca la circulación sanguínea. Se produce así retención de impurezas y ácidos, origen de estas afecciones. Las algas ayudan a neutralizar el exceso de ácidos, aportan los minerales y vitaminas que el organismo necesita para un correcto metabolismo, limpian el torrente sanguíneo y estimulan la circulación.

Los extractos de algas aplicados en forma de compresas o envolturas, e incluso en el agua de baño, pueden también aliviar los dolores reumáticos.

Fórmulas curativas

Decocción de algas depurativas

Finalidad: eliminar toxinas del organismo y devolverle el equilibrio perdido.

Composición: algas fucus cortadas.

Posología: se tomarán durante varias semanas 3 vasos al día, preferiblemente antes de las comidas, hasta notar una mejora general. Coadyuvante en las curas de adelgazamiento.

Preparación: calentar 1 litro de agua, añadir 3 cucharadas soperas de algas y dejar hervir 3 minutos. Cuando la mezcla se halle a temperatura ambiente, colarla. Conservarla en el frigorífico. Antes de tomar un vaso, añadir medio limón exprimido.

Jalea estimulante de laminaria
Finalidad: coadyuvante en tratamientos contra la astenia, la anemia y la fatiga crónica, ayuda a incrementar el tono vital del organismo.

Composición: algas kombu troceadas u otra especie de laminaria.

Posología: tomar como desayuno, postre o merienda. Dado que es un alimento completo, se puede seguir el tratamiento durante el tiempo necesario.

Preparación: con las algas previamente cortadas, remojadas y cocidas, elaborar una jalea con leche y miel, a partes iguales los 3 alimentos.

Decocción para los catarros bronquiales
Finalidad: combate eficazmente los síntomas de los catarros agudos.

Composición: 5-10 g de musgo de Irlanda y 30-40 g de regaliz.

Posología: tomar varias tazas al día.

Preparación: hacer hervir el regaliz durante media hora. Filtrar la decocción y en el líquido resultante añadir el musgo de Irlanda. Hervir de nuevo durante 5 minutos.

Preparado para el estreñimiento crónico
Finalidad: combatir el estreñimiento crónico.

Composición: 15-20 g de musgo de Irlanda, 100 g de ciruelas, pasas y miel.

Posología: tomar un buen tazón antes de acostarse y, si es preciso, también después del almuerzo.

Preparación: cortar en pedacitos el musgo de Irlanda y ponerlo en remojo. Tras esta operación, preparar una decocción con 100 g de ciruelas y pasas en 1 litro de agua. Debe hervir un cuarto de hora. Eliminar los huesos y la piel de las ciruelas y triturarlas, mezclándolas bien con el agua hasta formar una papilla. Añadir al preparado 2 o 3 cucharadas de miel y el musgo de Irlanda que estaba en remojo. Calentar todo de nuevo hasta que resulte una gelatina clarita.

Cocinar con algas

Desde el punto de vista gastronómico, las posibilidades que nos ofrecen los vegetales del mar son tan amplias como nuestra imaginación nos permita. En general, podemos utilizarlos como cualquier verdura. Muchas algas conservan un «perfume a mar» más o menos marcado.

Por eso constituyen el acompañamiento ideal para cualquier plato de pescado o marisco. Gracias a su riqueza en aminoácidos esenciales se prestan también a complementar los cereales que carecen de alguno de ellos.

Son especialmente sabrosas para elaborar sopas y caldos, aunque también combinan bien en cualquier ensalada. En los guisos actúan como cualquier verdura de hoja verde. Por último, en repostería y panadería podemos aprovechar las propiedades coagulantes del agar para conseguir cremas más consistentes, coberturas con menos azúcar o chocolates más espesos sin harinas. Muy picadas se pueden añadir a la masa de los panes.

Con un poco, basta

Dada la gran riqueza de los vegetales marinos en elementos nutritivos es suficiente un aporte mínimo para obtener efectos beneficiosos en la salud. Algunas algas son capaces de dar a los guisos un aroma especialmente agradable, por esa razón se usan más como condimento que como ingrediente principal. Otras son tan hermosas a la vista que se prestan muy bien a la decoración de distintos platos.

Para iniciarse en su sabor es aconsejable incluir pequeñas cantidades en la comida de cada día. Se va experimentando qué tipos de algas son las que más se ajustan a nuestro gusto y luego se puede ir aumentando la dosis.

¿Qué algas utilizamos?

A estas alturas conocemos ya el gran número de algas existentes en el mercado, así como sus propiedades. Ahora solo queda elegir las que se deseen probar o las que más se ajusten a nuestras necesidades y experimentar con ellas para incluirlas en el menú de forma habitual.

Cómo conservar las algas

El modo más delicioso de comer las algas es hacerlo lo antes posible después de haberlas recogido. Hay que enjuagarlas nada más llegar a casa con abundante agua dulce. Para eliminar posibles restos de arena repetir la operación varias veces, dejarlas en remojo y volverlas a enjuagar. Si se sumergen en un recipiente con agua, las algas se conservan en el frigorífico hasta una semana. En el caso de que se quieran consumir más allá de este límite de tiempo, hay que secarlas, extendidas sobre una tela a la sombra e irles dando la vuelta cada día, como se hace con las hierbas aromáticas. Cuando las algas están bien secas, pueden conservarse en bolsas de papel o de tela, así como en envases de vidrio.

El procedimiento industrial de conservación utilizado con algunas especies consiste en someterlas a un frío intenso. Parece ser que de este modo las vitaminas y las fitohormonas se conservan mejor.

Las algas que se encuentran en las tiendas ya están perfectamente secadas; basta con tener cuidado de que no se humedezcan. En un ambiente seco, las algas desecadas se podrían conservar sin problemas durante algunos años, si bien es aconsejable –como sucede con todos los alimentos– consumirlas dentro del año para aprovechar al máximo todas las propiedades.

Cuando sobre la superficie de las algas secas se aprecian manchas blancas no hay que alarmarse: se trata de sal marina cristalizada que ha aflorado durante el cambio de temperatura.

Si no se está seguro de que el envase original, una vez abierto, conserve bien las algas, es mejor pasarlas a un recipiente de vidrio con cierre hermético. Si se han humedecido por descuido, hay que proceder de la siguiente manera: calentar el horno a temperatura moderada, apagarlo y extender las algas para que se sequen, siempre que no estén, obviamente, demasiado húmedas.

He aquí un par de alternativas para conservar las algas:

- Proceder a su congelación, después de haberlas lavado y secado bien, partidas en porciones más pequeñas.
- Ponerlas en sal, como se hace con las alcaparras o las anchoas, en un bote de vidrio con cierre hermético y al resguardo de la luz.

Algunas normas para prepararlas

Las algas secas se pueden utilizar de dos maneras:

- Pulverizadas y empleadas como condimento para cualquier plato o bebida, con la ventaja de que no hace falta remojarlas ni cocerlas. Se echan solo al final, justo antes de servirse, y mezclándolas poco con el resto del plato para evitar que el calor disminuya su valor nutritivo.

- Ablandadas en agua durante un tiempo variable, que dependerá de la consistencia del alga o del gusto personal de cada uno.

Si las algas se consumen crudas, es preferible que estén un poco blandas tras un breve período de remojo. Cada variedad aumenta en un volumen determinado. Por ejemplo, la iziki crece mucho más que la arame. La experiencia permite saber pronto cuál es la cantidad necesaria de cada una. Es recomendable lavarlas bajo el grifo para eliminar el exceso de sales y de posibles granos de arena. Algunas especies, como la kombu, es mejor envolverlas en un paño húmedo y limpio que enjuagarlas. El agua del remojo se puede utilizar para hacer caldo o sopa, ya que es muy rica en sales minerales. Si el agua no estuviera del todo clara, hay que verterla muy lentamente para que en el fondo del recipiente se decanten los posibles residuos sólidos.

Las algas secas se cortan mejor con tijeras, mientras las húmedas se parten bien con un cuchillo afilado sobre una madera de cocina.

Algunos vegetales marinos son suficientemente tiernos para comerlos crudos después de un breve remojo. Otros necesitan una ligera cocción cuya duración e intensidad varía según la especie.

Planificación del menú

Como las propiedades de las algas están muy concentradas y son altamente nutritivas, existe la tentación de aprovechar sus beneficios sirviendo grandes cantidades de una vez y olvidándose luego de ellas durante un tiempo. Lo óptimo sería consumirlas en pequeñas cantidades y de forma asidua.

La clave para usarlas estriba en la planificación cuidadosa del menú, intentando guardar en cada comida un equilibrio armónico de verduras y cereales integrales. Este tradicional equilibrio ha existido durante siglos en la mayoría de las sociedades y solo en la historia reciente se ha visto sustituido por la tendencia a permitir que en la comida predominen los alimentos procesados y de origen animal.

Tan importante es crear una dieta nutritivamente equilibrada como lograr una armonía entre las apetitosas variedades de sabores, texturas y colores. En este terreno, la incorporación de las verduras marinas puede añadir una nueva dimensión, con abundantes y nuevos placeres gastronómicos.

Las algas en la dieta macrobiótica

La macrobiótica es una forma de comer y de vivir que nace en los pueblos del Extremo Oriente. Proviene de una comprensión intuitiva del orden natural. Su fundador, George Ohsawa, y sus más fieles seguidores como Michio Kushi, reconocieron en la dieta la causa de muchas enfermedades, incluido el cáncer. De esta forma comenzaron a enseñar que la dieta macrobiótica, basada en nutritivos cereales integrales, vegetales frescos, legumbres ricas en proteínas y algas marinas, evitaba problemas de salud y rejuvenecía el cuerpo.

La moderna filosofía macrobiótica se centra en ofrecer una forma de vida que cubra el gran abismo existente entre los humanos y el mundo natural. Basada en principios de equilibrio y armonía, la macrobiótica pone de relieve los efectos nocivos que sobre nuestra salud física y mental están produciendo los métodos modernos de refinar los alimentos. Por ello utiliza solo productos completos y procesados por métodos tradicionales.

La dieta macrobiótica se compone de un 50 a un 60 % de cereales completos, un 20 o 30 % de vegetales de cultivo local (si es posible, de agricultura biológica), un 5 a 10 % de legumbres y algas marinas, un 5 o 10 % de sopas y el 5 % restante lo constituyen los condimentos y alimentos suplementarios (que incluyen bebidas, pescado y postres).

Aunque los pueblos de Extremo Oriente hace milenios que consumen las algas como plato habitual, en Occidente eran prácticamente desconocidas y ha sido justamente a través de la cocina macrobiótica como se ha ido extendiendo el conocimiento de sus propiedades tanto gastronómicas como terapéuticas.

En los menús macrobióticos es costumbre cocer las algas con las verduras y añadirlas luego, en pequeñas cantidades, a las sopas y platos de legumbres. Además de ser una magnífica fuente de proteínas y vitaminas, las algas pueden ser muy sabrosas y acentúan el aroma de los otros ingredientes.

26
Recetas

Pan tostado con ajo

- Pan integral
- Ajo
- Aceite de oliva

La calidad del pan es muy importante a la hora de realizar unas buenas tostadas. El pan integral resulta excelente, y también los panes de pueblo, cocidos en horno de leña. Pero cualquier tipo de pan mejorará con ajo.

La forma de tostar el pan es otro de los elementos dignos de tener en cuenta. Evidentemente, lo mejor y más sabroso es hacerlo en la brasa de leña, pero en su defecto sirve la modesta tostadora. Las zonas quemadas deben rasparse, puesto que no es recomendable su consumo.

Cuando el pan está dorado y aún caliente, se frota con un diente de ajo abierto por la mitad. Un diente por tostada es una buena medida. Si se desea, seguidamente se puede poner aceite virgen de oliva.

En lo que se refiere al contenido en ajo, conviene consumirlo rápidamente, evitando de esta manera que muchos de sus compuestos volátiles e inestables desaparezcan. Una tostada de pan integral con ajo es uno de los desayunos más saludables que existen.

Paté de aguacate y ajo

- 1 aguacate
- 5 dientes de ajo
- Aceite de oliva
- Sal

Se aplasta el aguacate con un cubierto y se añaden 5 dientes de ajo finamente picados, o bien machacados con un mortero, y luego una pizca de sal. Finalmente se liga con un poco de aceite.

Esta pasta se utiliza para untar en el pan o como base para canapés.

La vitamina C del aguacate se oxida con mucha facilidad y ennegrece rápidamente, por lo que, si se desea que tenga un buen aspecto, se ha de consumir rápidamente después de su elaboración. Si se mantiene la pasta en contacto con el hueso del aguacate o se añade zumo de limón, se evitará su ennegrecimiento.

Alioli

- 2 cabezas grandes de ajos
- Sal marina
- Aceite de oliva virgen extra

Mucha gente cree que la salsa alioli típica de Cataluña se elabora con huevo, lo cual no es cierto, ya que, si bien el huevo permite emulsionar mucho mejor el aceite, si se añade desvirtúa la receta convirtiéndola en una mera mayonesa con ajo.

El verdadero alioli, pues, no contiene huevo y ha de ligarse tan solo con el ajo, la sal y el aceite. Evidentemente, contiene mucha mayor cantidad de ajo que la mayonesa, con la ventaja de que el ajo es crudo y conserva las propiedades antibióticas de la planta. En segundo lugar, tenemos el aceite. Desde un punto de vista exclusivamente gastronómico es importante utilizar un buen aceite de oliva, a ser posible virgen de presión en frío, pues así realza más el sabor conservando además todas sus interesantes vitaminas.

Se cortan los ajos pelados a rodajitas y se añaden al mortero, o bien se da un golpe de mortero a cada ajo antes de empezar a machacarlo concienzudamente. Antes de poner el aceite se añadirá la sal, y se irá trabajando con el mortero hasta conseguir una pasta fina y homogénea, momento en el cual se puede empezar a añadir el aceite lentamente, a la misma temperatura que los ajos.

Al principio el aceite se añadirá gota a gota, para que empiece a «ligar», lo cual es la parte más difícil de la receta. Cuando ha empezado a ligar, se puede añadir entonces el aceite más liberalmente, pero siempre en cantidad menor a la que estamos acostumbrados al hacer una mayonesa.

Sin embargo, el gran problema, tanto del ajiaceite como de la mayonesa, es que con frecuencia se corta. Veamos algún remedio de la abuela para que no se corte el alioli.

Cuando se empieza a añadir el aceite, si vemos que no empieza a ligar la salsa, echaremos un poco de miga de pan, que retiraremos después de que haya absorbido un poco el aceite, para volver a trabajar la salsa con el mortero e intentar que, en una segunda oportunidad, se produzca la emulsión del ajo con el aceite. Otro remedio tradicional es poner la sal antes de añadir el aceite y empezar a trabajar los ingredientes con el mortero.

Salsa al pesto

- 6-9 cucharadas de hojas de albahaca recién cortada
- 6 dientes de ajo
- 75 g de piñones
- 1 vasito de aceite de oliva virgen de presión en frío
- 100 g de queso parmesano rallado
- Sal y pimienta al gusto

La salsa al pesto (albahaca) es un excelente complemento para todo tipo de pasta, y a su inconfundible sabor se une la excelencia de sus ingredientes, puesto que prácticamente todos ellos (a excepción del queso) tienen propiedades medicinales reconocidas. De hecho, en la Liguria (Italia), de donde es originaria, se utiliza para condimentar una gran variedad de alimentos, que van desde las ensaladas a las verduras hervidas o a la plancha, así como huevos, carnes y pescados. Todos ellos se benefician del aromático sabor del pesto italiano.

Hay quien, en lugar de albahaca, emplea menta, pero en este caso, y debido al sabor muy intenso de la menta, se ha de poner mucha menor cantidad, especialmente si esta es fresca. En todo caso, no se trata de una salsa al pesto, pero también nos permite tomar una buena cantidad de ajo crudo.

La salsa se puede hacer con el mortero, al estilo del alioli, y de esta manera nos quedará una salsa más ligada y espesa, o bien en un cuenco con un prensador de ajos o un rallador para los ajos y los piñones.

Se limpian bien las hojas de albahaca, se pican o cortan muy finamente y se ponen en un cuenco; se muelen los piñones, se prensan los ajos y se añade la sal.

Cuando estos ingredientes estén bien molidos y bien mezclados se irá añadiendo el aceite muy poco a poco hasta que la salsa tome consistencia. Finalmente se añade el queso parmesano, que algunos incorporan antes que el aceite.

También se puede poner el queso en un plato aparte y servirse en el plato directamente. De esta manera (sin el queso incorporado) la conservación de la salsa es mucho más prolongada, al tiempo que aumentan sus virtudes dietéticas.

Sal de ajo y hierbas

- 2 partes de sal marina o sal yodada
- 1 parte de polvo de ajo
- 1 parte de pimienta negra
- 2 partes de hierbas provenzales

Simplemente se deben mezclar los ingredientes y utilizarlos en cualquier plato como la sal.

A las personas con hipertensión generalmente se les recomienda que reduzcan de manera importante la ingesta de sal. El riesgo es que los platos queden sosos y poco apetecibles. La forma de remediarlo es recurrir a condimentos que la sustituyan. Uno de ellos es la sal de ajo y hierbas, que une las ventajas de tomar menos sal a las de tomar ajo, que, como ya sabemos, ayuda a bajar la presión arterial.

Puré de patatas y ajo

- 400 g de patatas
- 3 dientes de ajo
- 150 ml de leche
- 1 cucharada de mantequilla
- Sal marina al gusto
- Pimienta negra

Se hierven las patatas hasta que estén tiernas, se secan y se hacen puré mezclándolas con leche, mantequilla y sal. Se añaden los dientes de ajo y un poco de pimienta negra recién molida si se desea. Al probar el sabor, hay que tener en cuenta que el aroma del ajo se intensificará pasados unos minutos.

Este puré de patatas es un espectacular fin de comida o acompañamiento. Se puede coronar con un montoncito de hierbas frescas y/o mantequilla de ajo.

Si se desea un puré con menos sabor a ajo, solo hay que añadir los ajos pelados al principio de la cocción de las patatas.

Vinagreta de ajo

- 50 ml de vinagre de manzana
- 100 ml de aceite de oliva virgen extra
- 1/2 cucharadita de sal
- 1 pizca de pimienta negra recién molida
- 1 o más dientes de ajo, aplastados, bien picados o cortados en finas tajadas

Se mezclan los primeros cuatro ingredientes y se prueba el sabor, que debe estar equilibrado. Se ajusta si es necesario y luego se añade el ajo.

Ajo colorado

- 500 g de patatas
- 6 pimientos verdes
- 150 g de tomate
- 50 g de cebolla
- 100 ml de aceite de oliva virgen extra
- 2 dientes de ajo
- 4 granos de cominos
- Sal marina al gusto

Se cuecen las cebollas con el pimiento y las patatas en poca agua. Se machaca en el mortero el ajo con los cominos y se añaden las patatas, la cebolla y el pimiento (ya cocidos) hasta obtener una crema. Se agrega el aceite batiendo todo con un poco de agua de la cocción para aclararlo un poco.

Queso al ajo y a las finas hierbas

- 250 g de queso blanco o requesón
- 4 dientes de ajo
- 1 cucharada de piñones o almendras

- 3 cucharaditas de finas hierbas
- 1 pizca de nuez moscada

Se aplasta el queso con un tenedor hasta que quede una pasta homogénea, añadiendo posteriormente la pasta de ajos y finas hierbas.

Se ponen en el mortero los ajos, con los cuales se confecciona una pasta fina, y luego se añaden las hierbas y la nuez moscada, también machacadas. Es conveniente añadir perejil fresco y plantas como tomillo, orégano, albahaca, estragón, cebollino o perifollo, según los gustos. La combinación puede ampliarse a especias como la pimienta o incluso un poco de pimentón dulce o picante si se desea un sabor algo más agresivo, en el buen sentido de la palabra.

Finalmente, se añaden los piñones o las almendras, que deben quedar cortados en pequeños trocitos, mejor que rallados, puesto que de esta manera encontraremos los tropezones en el queso, lo cual resulta más sabroso.

Se trata de un queso de consumo rápido y corta conservación, pero resulta tan fácil de preparar que se puede hacer inmediatamente antes de consumirlo. Aun así, puede conservarse varios días en el frigorífico sin problemas, puesto que el ajo tiene propiedades antibióticas y por ello también actúa como conservante.

Quizá la dificultad resida en obtener una pasta compacta y homogénea, y para ello se ha de escoger un buen queso. Si no liga el queso, podremos añadir un queso cremoso, como, por ejemplo, el camembert, o bien un poco de mantequilla, pero recordemos que tanto uno como la otra son muy ricos en grasa, y a veces eso no conviene.

Mantequilla de ajos

- 120 g de mantequilla
- 2-4 dientes de ajo

Se machacan en el mortero los ajos hasta conseguir una pasta fina. Se calienta la mantequilla hasta que se funda y luego se añade la pasta de ajo removiendo sin parar hasta que la mantequilla vuelva a solidificarse (si se hace de otra manera, nos quedará posiblemente el ajo en el fondo). Una vez que comience a solidificarse otra vez, se guarda en el frigorífico.

Es bien sabido que la mantequilla contiene mucho colesterol, por lo que las personas que padezcan de exceso de colesterol, obesidad, del corazón o de otras enfermedades cardiovasculares deberán tomarla en pequeñas cantidades. Con todo, al añadir ajo podremos conseguir un sabor realmente sorprendente y reducir la nocividad de la sabrosa mantequilla.

Ajoblanco de Málaga

- 75 g de almendras
- 2 dientes de ajo
- 150 g de miga de pan blanco
- 1 racimo de uvas de moscatel
- 100 g de aceite de oliva virgen extra
- 1 litro de agua
- 3 cucharadas soperas de vinagre
- Sal marina

Se escaldan las almendras en agua hirviendo para quitarles la piel. Una vez peladas, se ponen dentro de un almirez con los dientes de ajo pelados y un poco de sal. Se machaca todo hasta que se convierta en una pasta fina, a la que se agrega la miga del pan mojada de antemano. Se sigue machacando hasta que todo esté bien mezclado.

Poco a poco se va echando el aceite mientras se sigue removiendo la mezcla hasta formar una pasta parecida a la mayonesa. Entonces se añade el vinagre para que se mezcle bien con la pasta. Se vierte en una sopera y se añade el agua fría lentamente, mezclándolo todo muy bien.

Por último, se añaden las uvas desgranadas y un poco de pan duro. Se termina rectificando con sal.

El ajoblanco es una receta tradicional de la cocina mediterránea e incluye en su preparación alimentos tan representativos de esta dieta como son los frutos secos, los cereales, la fruta y el aceite de oliva.

Las almendras, en representación de los frutos secos, son fuente de proteínas vegetales y, aunque su aporte de grasa no es despreciable, ésta es de tipo monoinsaturada, beneficiosa para la salud cardiovascular. Su alto contenido en vitamina E les confiere un alto poder antioxidante, y son los frutos secos con mayor contenido en fibra.

La presencia de pan, que pertenece al grupo de los cereales, aumenta el contenido de hidratos de carbono del plato.

El aceite de oliva contribuye con su grasa a proteger la salud cardiovascular y, además, aporta vitamina E.

El delicioso sabor dulce del moscatel contrasta con los demás ingredientes y aporta un aroma delicado a la receta. En las uvas abundan diversas sustancias con reconocidas propiedades beneficiosas para la salud, tales como las antocianinas, los flavonoides y los taninos, todos con poder antioxidante.

Encurtido coreano de ajo

- 50 g de dientes de ajo sin pelar
- 250 ml de vinagre de vino blanco
- 1 litro de salsa de soja
- 200 g de azúcar

Introducir el ajo en una jarra, añadir el vinagre y el agua necesaria para cubrir totalmente el ajo. Cerrar herméticamente la jarra y dejarla en reposo durante 1 semana. Luego se aprovechará solo el ajo. Por otro lado, se hierve la mezcla de salsa de soja y azúcar durante 10 minutos y se deja enfriar. Se junta la soja y el ajo en una jarra, se cierra herméticamente y se deja reposar por lo menos 3 semanas más.

Para servir, se cortan las puntas de los dientes. Si las pieles están tiernas se puede comer el diente entero. Cuanto más «joven» sea el ajo, más tierna estará la piel. Los ajos preparados de esta manera se conservan indefinidamente.

Jalea de ajo fresco

- 150 g de ajo fresco, finamente cortado
- 500 ml de vinagre blanco
- 1 kg de azúcar moreno de caña integral
- 750 ml de agua mineral natural
- 2 «onzas» de pectina
- 1/2 cucharadita de aceite de oliva virgen extra

Se calienta el ajo en el vinagre en una olla destapada hasta que ha hervido a fuego lento durante 15 minutos. Luego se vierte la mezcla en una jarra de vidrio que se deja a temperatura ambiente durante 24 horas.

A continuación, se pasa por un colador, apretando el ajo con una cuchara. El líquido obtenido se mezcla con vinagre si es necesario hasta obtener unos 250 ml. Se mezcla este vinagre de ajo con el agua, se añade la pectina y se remueve bien. Se pone sobre un fuego rápido y se lleva a ebullición mientras se remueve constantemente. Se añade el azúcar y se continúa removiendo hasta que la mezcla vuelve a hervir. Se añade la mantequilla y se hierve a fuego rápido durante 2 minutos exactamente. Se saca del fuego y se retira la espuma.

Se vierte la mezcla en 5 vasos y se cierra tal como indiquen las instrucciones de la pectina.

Revuelto de ajos tiernos y tofu

- 1 coliflor
- 5 ajos tiernos
- 1 diente de ajo
- 250 g de tofu
- 125 g de col lombarda
- 2 zanahorias
- 1/2 cucharada de jengibre molido
- 2 cucharadas de semillas de girasol peladas
- 2 cucharadas de aceite de sésamo
- 2 cucharadas de salsa de soja

Se corta el tofu en dados pequeños. Se agrega la salsa de soja, un diente de ajo muy picado, el jengibre molido y el aceite de sésamo. Se cubre el bol con un trapo y se deja macerar durante 1 hora en un lugar fresco. Posteriormente, se corta la col en juliana muy fina, se ralla la zanahoria y se cortan los ajos tiernos. Todo ello se mezcla con el tofu adobado y se decora con las semillas de girasol.

Puré de ajos

- 5 cabezas de ajos
- Hinojo
- 150 g de crema de leche espesa
- 2 limones
- Sal marina
- Pimienta

Envolver cada cabeza de ajo en papel de aluminio y cocerla en el horno a 180 °C durante 30 minutos. Mientras tanto, hervir en agua con un poco de sal y el zumo de un limón los bulbos de hinojo. Reducirlos a puré cuando estén a punto y añadir las cabezas de ajo, la crema de leche, el zumo del otro limón, sal y pimienta.

Servir este puré frío o tibio, acompañando un pescado hervido, asado o cocido en papillote.

4 *sopas de ajo*

Simple

- 2-3 cabezas de ajos, o un manojo de ajetes tiernos
- 4 cucharadas soperas de aceite de oliva
- 4-6 rebanadas de pan (mejor integral)
- 1-2 cucharaditas de pimentón dulce (optativo)
- 1 huevo (optativo)
- Sal
- 1 litro de agua

Se ponen a sofreír los ajos a fuego lento, hasta que queden doraditos. Seguidamente, se añade el pan en rebanadas, haciéndolo de tal forma que éstas queden discretamente tostadas. Antes de acabar el sofrito, se añade el pimentón; nunca antes, pues de lo contrario éste se ennegrecería por efecto del calor, poniendo seguidamente el agua; cuando hierva se añade la sal al gusto y se deja hervir todo a fuego lento durante unos 10 o 15 minutos, hasta que el pan quede deshecho. Se toma caliente.

En los últimos 3 minutos se puede añadir un huevo a la sopa. Pero entonces ya no se tratará de una sopa «depurativa», al añadir un alimento tan nutritivo como son los huevos.

Con pimientos secos

- 1 cabeza de ajos
- 2 litros de caldo de verduras
- Pan seco del día anterior
- 4 pimientos rojos secos
- Sal marina
- Aceite de oliva virgen extra
- 2 huevos

Se rehidratan los pimientos rojos secos en agua fría. Se corta el pan en rodajas y se tuesta. Se pelan los ajos y se doran en el aceite. Se añade el pan tostado y los pimientos a la sartén, se cubren con el caldo y se deja cocer durante 1 hora. Los huevos se cuecen aparte y se rallan sobre la sopa justo antes de darle un hervor final.

Completa

- 50 g de seitán frito cortado a dados
- 50 g de tofu
- 4 dientes de ajo
- 100 g de pan integral seco (mejor de centeno)
- 2 huevos
- 1 cucharada de pimentón o sal marina
- 4 cucharadas de aceite de oliva

En una cazuela de barro se vierte el aceite y, una vez caliente, se agregan los dientes de ajo. Cuando empiecen a dorarse, se añade el seitán y el tofu y se sofríen los ingredientes un poco. Se añade el pan en rodajas muy finas y se fríe. Se espolvorea un poco de pimentón y se cubre con agua. Se sazona y se deja cocer durante 20 minutos. Se cuajan los huevos dentro de la sopa, bien sea en forma de huevo hilado o en trocitos cocidos, y se sirve muy caliente.

Con nueces

- 6 dientes de ajo
- 2 litros de agua o de caldo de verduras
- 100 g de pan integral o de centeno seco del día anterior
- 4 pimientos rojos secos
- 4 yemas de huevo
- 200 g de nueces peladas
- Unos tallos de cebollino
- 4 cucharadas de aceite de oliva virgen extra
- Sal marina

Se rehidratan los pimientos rojos secos en agua fría y con un cuchillo se raspa la piel. Se reserva la pulpa. Se corta el pan en rodajas y se tuestan en el horno a 250 °C (también se puede utilizar una simple tostadora eléctrica). Se pelan los ajos y se doran en aceite. Se añade el pan tostado y la pulpa de los pimientos. Se cubre con agua y se deja cocer durante 1 hora.

Una vez que esté cremosa la sopa de ajo, se añaden las nueces troceadas y se deja cocer todo durante 20 minutos más. En el caso de que la sopa se quede excesivamente seca, siempre se puede añadir un poco más de caldo o agua.

Se prueba el punto de sal y en el momento de servir en el cuenco o plato se añade una yema de huevo batido o entero, unos trocitos de nueces y un poco de cebollino troceado.

Se sirve caliente en cuencos individuales.

Comentario dietético: las sopas de ajo son uno de los platos más típicos y populares de nuestra gastronomía. Para su elaboración se emplean ingredientes ricos en proteínas y grasa y, por otro lado, pan integral, fuente de hidratos de carbono complejos. La sopa se condimenta con pimentón, lo que, junto al intenso sabor de sus ingredientes, puede hacer posible el evitar la adición de sal a la sopa, algo que resulta útil para personas hipertensas o con problemas de retención de líquidos.

Debido a que en este plato el ajo está cocido, sometido al calor, no contiene alicina ni tiene capacidad antibiótica. Se calcula que la efectividad terapéutica del ajo cocido es una décima parte de la del ajo crudo. Aun así, supone la oportunidad de tomar una buena cantidad de ajos en un plato sabrosísimo y especialmente agradable en los días fríos.

Ajos frescos, habitas y huevos

- 2 kg de habas frescas
- 4 huevos
- 30 ajos frescos
- 1 cebolleta
- 1 tomate
- Hierbabuena picada
- 1 cucharada de harina
- Agua
- Aceite de oliva virgen extra
- Vinagre
- Sal marina
- Perejil picado

Se pela y se desgranan las habas y se ponen a cocer en una cazuela con agua y una pizca de sal durante 5 minutos (el caldo resultante se reservará). Se pone a pochar la cebolleta picada en una cazuela con aceite. Se limpian y pican los ajos frescos en bastones de 5 cm y se incorporan, rehogándolos hasta que se doren un poco. Se pela el tomate, se corta en dados y se añade a la cazuela. Se mezcla bien todo, se sazona al gusto y se agrega la hierbabuena picada y la harina. Se rehoga brevemente y se añade un poco del caldo resultante de cocer las habas junto con las habas.

En otra cazuela amplia, se lleva a ebullición agua con un chorro de vinagre. Se baja el fuego y se escalfan los huevos.

Se sirve el guiso de habas en una fuente y se colocan encima los huevos escalfados. Para el toque final, se espolvorea con perejil picado y se sirve.

Consejo: si es temporada de habas y están a buen precio, no dudéis en comprar una gran cantidad porque, además de comerlas en el momento, también las podéis congelar. Para ello basta con escaldarlas durante un par de minutos en agua hirviendo, escurrirlas y refrescarlas. Introducir en bolsas especiales, retirar el aire, marcar claramente la fecha de envasado y congelar.

Revuelto de habas y tempeh

- 600 g de tempeh
- 6 huevos
- 3 manojos de ajos frescos
- 1 rebanada de pan de molde
- Aceite de oliva virgen extra
- Sal marina
- Perejil picado

Se separan las cabezas de los ajos y se confitan en una cazuela con mucho aceite a fuego lento durante 30 minutos. A continuación, se ponen en un plato y se reservan.

Por otro lado, se doran los tallos troceados en una sartén y se reservan.

Se corta el seitán en láminas de menos de 1 cm de grosor, que se fríen durante 3 minutos en la sartén donde están los tallos de los ajos dorados.

En un bol se baten los huevos con perejil y sal y se vierte en la sartén donde está el seitán y se remueve todo hasta que cuaje.

Se corta la rebanada de pan de molde en triángulos y se fríe en el aceite donde se han confitado las cabezas de ajo.

El revuelto se sirve en un plato grande que se adorna con los triángulos de pan frito. Sobre estos se colocan las cabezas de ajo confitado.

Espaguetis con albahaca fresca y ajo

- 300 g de espaguetis
- 350 g de tomate fresco
- 150 g de cebolla
- 5 hojas grandes de albahaca fresca
- 25 g de ajo
- 150 g de tomate frito
- 2 dl de aceite de oliva virgen extra
- Sal marina

Se pone una cazuela alta con agua al fuego. Cuando comienza a hervir, se echa un puñado de sal gorda y un chorrito de aceite. En esa agua se cuecen los espaguetis por espacio de unos 5 minutos. Luego se escurren y se pasan por el chorro de agua fría.

Se escalda el tomate, se pela y se trocea la carne, quitándole el agua y las semillas, y la reservamos. Aparte se pican el ajo y la albahaca.

En una sartén se pone el ajo a rehogar y, antes de que coja color, se añade el tomate troceado. Se rehoga y, a continuación, se añade el tomate frito y la albahaca. Se deja que le dé un hervor y se pone al punto de sal.

Se sirven los espaguetis acompañados de la salsa.

Arroz con espinacas y ajos tiernos

- 250 g de arroz tipo bomba
- Media cebolla
- 250 g de espinacas frescas
- 12 ajos tiernos
- 10 ml de aceite de oliva virgen extra
- Sal marina

Se calienta en una cazuela baja o en una paellera el aceite y se fríe la cebolla cortada a cuadraditos pequeños hasta que comience a amarillear.

A continuación, se incorpora el arroz y el doble de cantidad de agua. Se cocina por espacio de 10 minutos y en ese momento se añaden los ajos tiernos troceados, las espinacas limpias y troceadas y se cocina otros 8 minutos más a fuego suave.

Una vez cocido el arroz, lo dejamos reposar 5 minutos fuera del fuego, tapado con un trapo de cocina.

Se sirve caliente, acompañado de unas tiras de zanahoria.

Comentario dietético: el arroz es uno de los alimentos más representativos de nuestra gastronomía. Es rico en hidratos de carbono y apenas contiene grasa. Además, puede emplearse tanto como guarnición como para elaborar un plato por sí mismo. En este caso, el arroz es el protagonista y se acompaña de espinacas, cebollas y ajos tiernos, todos ellos ricos en vitaminas, minerales y otros elementos salutíferos. Su presencia, además de no elevar de forma significativa el número de calorías del plato, va a aportarle un toque de color que lo hace mucho más agradable.

Brócoli con refrito de ajos y pimentón

- 800 g de brócoli
- 4 cucharadas de aceite de oliva virgen extra
- 1 cucharadita de pimentón
- 2 dientes de ajo

Se limpia el brócoli y se separa en ramilletes grandes. Se pelan y filetean los dientes de ajo.

Se cuece el brócoli en una cazuela con agua hirviendo y sal. Una vez cocido, se refresca bajo el chorro de agua con cuidado de no estropearlo.

Aparte, se elabora un refrito con el ajo picado en láminas y aceite de oliva. Cuando esté cocinado el ajo, se saca la sartén del fuego, se añade el pimentón y rápidamente se utiliza para salsear el brócoli templado.

Se sirve al instante.

Comentario dietético: el brócoli es una verdura perteneciente a la familia de las coles con un importante contenido en sustancias con acción antioxidante, muy beneficiosas para la salud. Además, es buena fuente de diferentes vitaminas y minerales. En esta receta el brócoli se cuece y se acompaña de un sencillo refrito de ajos y aceite de oliva, fuente de grasas insaturadas y diferentes antioxidantes como la vitamina E.

Coliflor con fritada de ajos y almendras

- 1 coliflor
- 2 dientes de ajos
- 200 g de almendras crudas fileteadas
- 8 cucharadas de aceite de oliva virgen extra
- 1 cucharadita de pimentón
- 1 litro de agua
- Sal marina

Se limpia la coliflor y se corta en ramilletes. En una cazuela u olla rápida con agua hirviendo con sal, se cocinan los ramilletes hasta que estén tiernos (en cazuela normal, unos 45 minutos; en olla rápida, unos 8 minutos a máxima presión). Cuando esté cocinada, se escurre y se reserva junto con 200 ml del caldo de cocción.

En una sartén se saltean los ajos fileteados muy finos y se agregan las almendras también fileteadas. Una vez que los ajos y las almendras estén dorados, se saca la sartén del fuego y se añade la cucharadita de pimentón, removiendo rápidamente para que no se queme.

Se vierte sobre la coliflor el medio vaso del caldo de cocción. Se da un hervor al conjunto y se pone al punto de sal. Se sirve caliente.

Comentario dietético: la coliflor es un alimento de bajo valor calórico gracias a su alto contenido de agua. Además, es buena fuente de diferentes vitaminas y minerales, así como de sustancias con acción antioxidante, grandes aliadas de nuestra salud. En esta receta, la coliflor se acompaña con una rica fritada de ajos y almendras, que, además de aportar al plato un sabor muy agradable, va a hacer que el contenido en grasas insaturadas, capaces de disminuir los niveles de colesterol en la sangre, se vea incrementado gracias a la presencia de las almendras. Sin embargo, las almendras hacen que el contenido calórico del plato se vea incrementado, por lo que conviene que las personas que estén llevando a cabo una dieta de control de peso no abusen del consumo de este tipo de acompañamientos.

Gracias a la presencia del refrito de ajo y del empleo de pimentón, puede evitarse la adición de sal para condimentar el plato, algo que resultaría útil para personas hipertensas o con problemas de retención de líquidos.

Lasaña de calabacín con ajos tiernos

- Pasta de lasaña o de canelones
- 500 g de calabacines
- 4 ajos tiernos
- 1 berenjena
- 100 g de queso manchego
- 100 g de queso fresco
- 75 g de piñones
- 75 g de mantequilla
- 20 ml de aceite de oliva virgen extra
- 30 g de queso manchego rallado
- Sal marina
- Perejil fresco
- Pimienta

Se hierve la pasta, se escurre y se extiende sobre un lienzo.

Se cortan los calabacines en rodajas y se cuecen con la mantequilla y un poquito de agua. Se tuestan los piñones y se mezclan los piñones con los calabacines y el queso fresco desmenuzado. Se salpimenta esta mezcla al gusto.

Se rehogan los ajos con la berenjena en un chorrito de aceite de oliva.

En un recipiente para el horno, se pone una capa de los calabacines preparados, una de pasta, otra de berenjena, otra de pasta, otra de calabacines. Se espolvorea con queso manchego rallado y perejil. Se hornea durante 10 minutos y se gratina antes de servir.

Ajos a la mogol

- 50 ml de aceite de oliva virgen extra
- 4 dientes de ajo picados
- Sal marina

La receta más sencilla del mundo para beneficiarse de los ajos: se echan los ingredientes en un platito y se dejan macerar un par de horas. Se comen untando el pan en el plato.

Helado de ajo

- 500 ml de leche
- 3 o 4 dientes de ajo picados
- 1 vaina de vainilla abierta
- 1 taza de crema de leche espesa
- 300 g de azúcar
- 9 yemas de huevo

Se pone la leche, el ajo y la vainilla en un cazo y se lleva a ebullición. Se retira inmediatamente del fuego y se mezcla con la crema de leche, el azúcar y las yemas de huevo. Se caliente para hacer una crema, se deja enfriar y se pone a helar.

Cebollitas agridulces

- 500 g de cebollitas pequeñas
- 2 cucharadas de aceite de oliva
- 1 cucharada de mantequilla
- 1 cucharada de azúcar moreno
- Vinagre
- Caldo vegetal

Se pelan las cebollitas y se ponen en remojo en agua fría durante dos horas. Se pone el aceite en una cacerola junto con la mantequilla. Cuando esta última se derrita, añadimos el azúcar dando vueltas con una cuchara de madera hasta que se haya disuelto totalmente. Añadimos las cebollitas y las cubrimos apenas con igual cantidad de caldo y vinagre. Se tapa la cacerola y se deja cocer lentamente hasta que el líquido se haya convertido en una salsa espesa.

Cebollas gratinadas

- 8 cebollas medianas
- Pan rallado
- Aceite de oliva
- Sal

Se pelan las cebollas y se ponen en una bandeja de horno, espolvoreándolas con un poco de sal y cubriéndolas con una sutil capa de pan rallado. A continuación, se vierte aceite por encima, se pone un poco de agua en el fondo de la bandeja y se introduce en el horno a temperatura moderada (unos 180 ºC) durante unos 50 minutos, hasta que las cebollas estén tiernas y se haya formado una ligera capa tostada por encima.

Cebollitas en salsa de tomate

- 500 g de cebollitas
- 1 cucharada de mantequilla
- 1 cucharada de azúcar moreno
- Salsa de tomate
- Aceite de oliva
- Sal
- Pimienta negra

Se pelan las cebollitas y se ponen en remojo en agua fría durante aproximadamente dos horas. En una cacerola se ponen el aceite y la mantequilla, y cuando esta última está derretida se añaden las cebollitas, sal, pimienta y el azúcar. A los 5 minutos de estar cociendo las cebollas añadimos la salsa de tomate hasta cubrirlas ligeramente. Tapamos la cacerola y lo dejamos cocer hasta que las cebollas estén tiernas.

Cóctel cítrico

- 1 naranja
- 1 pomelo
- 1 limón

Se exprime cada una de las frutas y se mezcla bien.

Tropical lemon

- 1/4 papaya
- 1/2 mango
- 2 limones

Se pelan las 3 frutas y se pasan por la licuadora. Se mezcla bien y se sirve frío.

Rojo limón

- 1 remolacha pequeña
- 12 fresas bien maduras
- 1 limón

Se pasan la remolacha y las fresas por la licuadora. Se exprime el limón, se añade el zumo y se mezcla bien.

Batido de pera al limón

- 2 peras tipo blanquilla
- 1/2 taza de leche (125 ml)
- 1 limón
- Canela en polvo

Se exprimen los limones. Se bate el zumo de limón con las peras y la leche en la batidora hasta obtener una pasta ligeramente cremosa. Se coloca en copas y se espolvorea con canela. Se sirve frío.

Granizado de limón y melocotón

- 4 limones
- 250 gramos de melocotón
- 200 gramos de azúcar
- 1 litro de agua
- Hielo picado

Se exprimen los limones y se cuela el zumo. Se pelan y trocean los melocotones y se licúan. Se mezcla con el zumo de limón, el jugo de melocotón, el agua y el azúcar. Picar el hielo en la batidora y llenar la mitad de un vaso. Añadir la mezcla anterior y remover con una cuchara. Introducir una pajita y servir.

Sorbete de limón

- 4 limones
- 200 g de azúcar
- 2 claras de huevo
- La ralladura de 1 limón
- 1/2 rama de canela o unas hojas de menta

- 1 pellizco de sal
- 1/2 litro de agua

Rallar la cáscara de un limón y exprimir el zumo de los demás. Poner a cocer el agua con el azúcar y la canela y, cuando empiece a hervir, mantener cociendo durante unos 10 minutos. Dejar enfriar. Cuando esté casi frío, mezclar con los zumos y la cáscara rallada, también se puede echar un poco de canela molida. Colocar en el congelador. Cuando empiece a congelarse, batir las 2 claras a punto de nieve bien firmes (con un pellizco de sal) y mezclar con lo que hemos puesto en el congelador. Poner de nuevo a congelar hasta que esté bien frío y duro.

Otoño agridulce
- 2 tazas de uva negra
- 1 taza de uva blanca
- 1/2 vaso de zumo de limón
- 1 cucharadita de jengibre fresco pelado y cortado en pedacitos
- 3 cubitos de hielo

Se combinan todos los ingredientes en la batidora hasta formar un batido suave.

Zumo de hinojo, limón y leche
- 1 limón
- 200 ml de leche
- Hinojo
- Cubitos de hielo

Se lava el hinojo y se licúa. Mezclar con el zumo del limón y verter en un vaso lleno de cubitos de hielo. Agregar la leche y mezclar bien.

Servir decorado con una ramita de hinojo.

Ácido radical
- 2 zanahorias medianas
- 1 remolacha roja pequeña
- 1 limón mediano

Exprimir el limón para el obtener el zumo. Licuar las zanahorias y la remolacha. Mezclar bien todos los ingredientes.

Limón de verano

- 1 taza de melón cortado en cuadritos
- 1 taza de sandía cortada en cuadritos
- 1/2 vaso de zumo de limón
- 2 cucharadas de miel
- 10 hojas de menta fresca
- 3 cubitos de hielo

Colocar todos los ingredientes en la batidora. Batir hasta obtener una masa cremosa.

Zumo revitalizante

- 1 manzana delicia
- 1 penca de apio mediana y un par de hojas verdes
- 1 limón
- 1 pomelo

Pelar las frutas y pasarlas, junto con el apio, por la licuadora. Servir en frío.

Ácido silvestre

- 1/2 taza de frambuesas
- 1/2 taza de moras
- 1 rodaja de piña natural
- 1 limón

Pasar las frambuesas, moras y la piña por la licuadora. Añadir el zumo de limón exprimido.

Crema delicia

- 75 g de requesón
- 1 cucharada sopera plana de miel líquida
- El zumo de 1 limón

Poner todos los ingredientes en un tazón. Amasarlos bien con un tenedor hasta obtener una crema fina. Es ideal para acompañar con pan, galletas, otras frutas, etc.

Batido cítrico al chocolate

- 1 rodaja de piña natural
- 2 naranjas
- 1 limón grande o dos medianos
- 1 vaso de leche
- 2 cucharadas soperas rasas de virutas de chocolate

Pasar la piña y la naranja por la licuadora. Poner el zumo en la batidora junto con el zumo del limón y la leche. Batir bien hasta conseguir una crema de textura suave.

Colocar en dos recipientes y esparcir por encima el chocolate.

Yogur trópico

- 2 yogures naturales desnatados
- 1 limón grande o 2 medianos
- 2 cucharadas soperas rasas de melaza de caña
- 2 pencas de papaya fresca

Colocar los yogures en un recipiente grande. Añadir el zumo de limón y la melaza. Remover bien hasta conseguir una textura fina. Cortar la papaya a dados de tamaño mediano. Incorporar la papaya en el interior. Servir bien frío.

Jarabe de miel

- 1 litro de agua
- 2 manzanas
- 10 higos secos
- 30 g de brotes de pino
- 1 rama de tomillo
- 1 limón cortado en rodajas
- 400 g de miel

Se mezcla el agua con el resto de ingredientes (cortados a trozos cuando sea necesario) y se lleva a ebullición. Se deja media hora a fuego lento y, una vez que esté listo, se tapa y se deja enfriar. Cuando la bebida se ha enfriado, se pasa por un colador de tela fina y se le agrega la miel, que se batirá hasta que se disuelva completamente. El jarabe de miel se puede ingerir tal cual, en cucharadas, o bien con agua, como cualquier otro jarabe. Es una bebida muy refrescante y reconstituyente.

Jarabe de miel para garganta irritada

- El zumo de 3 limones
- 250 g de miel

Este jarabe es muy sencillo de preparar: se mezcla el zumo con la miel y se toma una cucharadita de cuando en cuando. Se trata de una medicina económica, sin contraindicaciones, especialmente fácil de administrar a los niños, que la ingieren sin dificultad. Este jarabe aporta al organismo vitaminas y otros elementos nutritivos. El limón combate la infección cuando existe, y la miel suaviza la irritación de garganta.

Leche de almendras y miel

- 50 g de almendras crudas
- 500 ml de agua
- 50 g de miel
- 1 cucharada de agua de azahar
- El zumo de 1/2 limón

Una vez remojadas las almendras, se colocan en la batidora con el agua, manteniendo el aparato en funcionamiento hasta que se haya obtenido un fino puré, al que se le añaden el resto de ingredientes. La leche de almendras y miel es un eficaz reconstituyente.

Salsa sencilla de miel

- 6 cucharadas de miel
- 6 cucharadas de mostaza de Dijon

Se mezcla y se utiliza para todo tipo de recetas a la parrilla. Está especialmente rica con tofu y hamburguesas vegetales.

Salsa dulce con curry

- 6 cucharadas de miel
- 250 ml de crema agria
- 2 cucharadas de vinagre de manzana
- 2 cucharaditas de curry
- 1/2 cucharadita de comino molido
- 2 cucharadas de cilantro o de perejil picado
- Una pizca de sal

Se mezclan bien todos los ingredientes, excepto el cilantro, en una taza pequeña. Se agrega el cilantro. Se tapa la taza y se reserva en la nevera hasta que sea la hora de servir.

Esta salsa sirve para platos de vegetales cortados en rebanadas.

Salsa de chocolate con menta y miel

- 375 g de miel
- 25 ml de crema de licor de menta
- 200 g de polvo de cacao sin azúcar

Se mezclan todos los ingredientes en una cazuela pequeña y se lleva a hervir con fuego entre mediano y alto, removiendo de vez en cuando. Se quita del fuego y se deja enfriar durante 10 minutos. Se sirve tibia o se almacena en frascos limpios de vidrio con tapa hermética. Se pueden guardar en el frigorífico durante un mes. La salsa se puede utilizar fría o calentándola antes de usarla.

Ajo en conserva agridulce (para 4 tarros de 250 ml)

- 20 cabezas de ajo medianamente grandes y de nueva cosecha
- 2 cucharadas de sal
- 1/4 litro de vinagre blanco
- 1/2 litro de vino blanco seco
- 1/4 litro de agua
- 3 hojas de laurel
- 1 rama de tomillo fresco
- 1 rama de romero fresco
- 1 rama de orégano fresco
- 5 cucharadas de miel

- 2 cucharadas de pimienta verde en grano
- 2 cucharadas de pimienta roja en grano
- 250 ml de aceite de oliva virgen extra
- Agua

Se parten las cabezas de ajo y se pelan todos los dientes. Se colocan en una olla y se cubren con agua y una cucharada de sal, y se dejan hervir lentamente unos minutos. A continuación, se tira el agua y se dejan enfriar los dientes completamente.

Entretanto, se mezclan en una olla el resto de la sal con el vinagre, el vino blanco y el agua. También se le añaden las hojas de laurel, el tomillo, el romero, el orégano y la miel. Todo se lleva a ebullición y se deja hervir unos 12-15 minutos a fuego más lento.

Mientras, se escurren los tarros de cristal con agua muy caliente. Terminada esta operación, se llenan los tarros con los dientes, se espolvorean sobre ellos las pimientas y se cubren con el líquido de la cocción aún caliente y pasado por un colador.

Hay que tener en cuenta que los ajos deben estar bien cubiertos. Finalmente, se deja enfriar completamente y se acaba vertiendo el aceite de oliva como una gruesa capa por encima. Se cierran los tarros y se dejan reposar al menos 4 semanas en un lugar fresco.

Sopa de calabaza

- 125 g de miel
- 2 cucharadas de mantequilla
- 1 cebolla picada
- 2 dientes de ajo bien picados
- 3 zanahorias cortadas en cuadraditos
- 2 tallos de apio cortados en cuadraditos
- 1 patata pelada y cortada en cuadraditos
- 1 calabaza, sin semillas y cortada en cuadraditos
- 1,5 litros de caldo vegetal ecológico
- 1/2 cucharadita de hojas secas de tomillo machacadas
- Sal marina y pimienta

Se derrite la mantequilla en una olla grande a fuego mediano. Se agrega la cebolla y el ajo y se remueve. Se cocina y se remueve durante 5 minutos hasta que se dore un poco. Se agregan las zanahorias y el apio y se cocina 5 minutos más hasta que esté blando.

A continuación, se agregan las patatas, la calabaza, el caldo vegetal, la miel y el tomillo. Cuando empiece a hervir, se baja el fuego y se cocina a fuego lento durante media hora o tres cuartos o hasta que los vegetales estén tiernos. Entonces se saca del fuego y se deja que se enfríe un poco. Se echa la mezcla en la batidora y se tritura hasta que adquiera una apariencia de puré. Se pone de nuevo el puré en la olla, se salpimenta y se calienta justo antes de servir la sopa.

Mermelada de fresas

- 250 g de fresas frescas
- 2 cucharadas de miel
- Unas gotas de esencia de vainilla

Para elaborar esta mermelada se limpian las fresas frescas (mejor si son ecológicas) y luego se desmenuzan con un pasapurés. Se les agrega la miel y la esencia de vainilla. A fin de que la preparación se licue adecuadamente, se la expondrá a los rayos solares durante 3 horas, con intervalos.

Aderezo para ensaladas

- 4 cucharadas soperas de aceite de oliva virgen extra
- 2 cucharadas de miel
- 2 cucharadas de zumo de limón

Se mezcla todo y se añade a ensaladas y platos de verduras.

Ensalada de frutas

- 500 g de fruta variada
- 100 g de piñones
- 6 nueces
- 100 g de almendras
- Miel al gusto

Se monda y se deshuesa la fruta que se va a utilizar en la ensalada (ciruelas, melocotones, albaricoques...) y se corta en trozos pequeños. Se mezcla con los piñones, las nueces y las almendras picadas. Se agrega miel al gusto.

Ensalada de manzanas

- 2 manzanas grandes
- 100 g de pasas
- 2 plátanos
- 6 nueces
- Miel al gusto

Se cortan o se rallan manzanas, que se mezclan con las pasas, los plátanos cortados en rodajas, las nueces picadas y, finalmente, se agrega la miel.

Ensalada de melón

- 1 melón pequeño
- 300 g de fruta variada
- 100 ml de nata
- Miel al gusto

Se corta el melón en cubos pequeños y se mezcla con rodajas de plátanos, melocotones u otras frutas cortadas en trozos de tamaño similar. Se completa el plato agregando la nata y la miel.

Ensalada de naranjas

- 3 naranjas
- 100 g de pasas
- 150 g de frutos secos varios
- Miel al gusto

Se toman las naranjas y se cortan en rodajas finas. Se les agrega miel al gusto y se espolvorean con las pasas y los frutos secos.

Ensalada de piña

- 1 piña bien madura
- 1 plátano
- 1 naranja

- 1 manzana
- 1 pera
- 6 nueces
- 50 g de coco rallado
- Miel al gusto

Se corta en dados una piña madura, a la que se le agrega el plátano, la naranja, la manzana y la pera, cortado todo a daditos. Se añade la miel y se completa espolvoreando con las nueces picadas y el coco rallado.

Fresas con nata y miel
- 50 g de fresas frescas
- 100 ml de nata
- 3 cucharadas de miel

Se cortan en pequeños trozos las fresas frescas y se les agrega la nata y la miel. Es un postre rico en proteínas y vitaminas.

Emparedados de miel y almendras
- 20 g de almendras
- 10 g de mantequilla
- Miel al gusto
- 8 rebanadas de pan integral

Se pican finamente las almendras, y se agrega la miel necesaria para lograr la consistencia deseada. Luego se untan con mantequilla las rebanadas de pan integral, y se pone entre ellas la pasta de miel y almendras.

Yogur de fruta y miel
- 250 ml de yogur natural
- 2 cucharadas de zumo de limón
- Miel al gusto

Es una combinación de fácil digestión que combina todas las buenas cualidades del yogur con las propiedades de las frutas empleadas en su elaboración. Se puede servir como postre en una comida ligera y es un refresco ideal durante el verano.

Ambrosía frutal

- 2 naranjas
- 30 g de avellanas
- 30 g de almendras
- 15 g de piñones
- 4 nueces
- Miel al gusto

Se cortan las naranjas en rodajas sin semillas y, sobre ellas, se esparce la miel y por encima la mezcla de frutos secos. Se rocían con un poco más de miel.

Compota de ciruelas

- 400 g de ciruelas frescas
- Miel al gusto

En la elaboración de esta compota se pueden emplear ciruelas frescas o secas. Las ciruelas se lavan y se cuecen en agua. Una vez que están cocidas, se les agrega miel generosamente y se las deja enfriar. La compota debe reposar durante algunas horas antes de servirla.

Compota mixta

- 500 g de frutas variadas
- Miel al gusto

Esta receta se elabora empleando diversas frutas, como cerezas, ciruelas, manzanas o melocotones. Se lavan las frutas y se las corta en pequeños trozos que posteriormente se cuecen en agua.

Durante la cocción se les puede agregar algunos trocitos de corteza de limón. Cuando las frutas están cocidas, se les añade miel al gusto y se dejan enfriar. La compota debe reposar unas horas antes de servirse.

Crema de higos

- 250 g de higos secos
- 1 cucharada de maicena
- Ralladura de limón ecológico
- Miel al gusto

Los higos se cortan en trozos pequeños y se los cuece en agua. Se separa la pulpa colando el caldo por un tamiz y, posteriormente, se añade un poco de harina o maicena junto con ralladura de limón. Esta mezcla se vuelve a hervir. La crema así obtenida se endulza con miel al gusto.

Esta crema es muy sabrosa y posee un suave efecto laxante.

Crema de limón

- 4 cucharadas de tapioca
- La ralladura de 1 limón ecológico
- El zumo de 2 limones
- 2 manzanas ralladas
- 2 cucharadas de miel
- 1 litro de agua

Se hierve el agua y se echa la tapioca y un poco de la corteza de limón, mientras se remueve continuamente. Se retira del fuego y se agrega el zumo de limón, las manzanas y la miel. Esta crema se sirve con cuadraditos de pan integral tostado.

Chocolate caliente con miel

- 125 g de miel
- 200 g de cacao sin azúcar
- 125 ml de agua
- 1 cucharadita de extracto de vainilla
- 750 ml de leche semidesnatada

En una olla pequeña se mezclan muy bien la miel, el cacao y el agua. Se cocina a fuego bajo durante 5 minutos o hasta que esté un poco espeso. Se retira del fuego, se agrega la vainilla y se reserva hasta el momento de servir. Antes de llevar a la mesa, se mezcla el chocolate con leche caliente.

Helado de miel

- 1 litro de leche
- 300 g de miel
- 8 yemas de huevo
- 200 g de nata montada

Se calienta la leche hasta que hierva y se añade la miel, poco a poco, hasta que se disuelva.

Se retira la mezcla del fuego y se agregan las yemas de huevo batidas. Se cuece a fuego suave sin parar de mover hasta que espese. Se coloca el recipiente con la crema dentro de otro con agua y se remueve hasta que se enfríe. Se añade la nata montada y se mezcla con cuidado. Se vierte en un molde muy frío y se congela.

Desayuno vigorizante

- 1 naranja sin semillas
- 1 plátano troceado
- 1 manzana
- 1 cucharada de miel

Este desayuno se prepara a base de frutas frescas y miel. Se toma la naranja y se separa la piel dejando que forme cazoletas. Se corta la pulpa de la naranja en trocitos y se le agrega un plátano previamente troceado.

A continuación, se ralla la manzana y se le agrega una cucharada de miel. Esta mezcla se une a las demás frutas y se coloca el conjunto dentro de las dos medias cáscaras de naranja.

Zanahorias en salsa de miel

- 6 zanahorias grandes
- 1/4 de cucharada de sal
- 1/4 de cucharada de pimienta blanca molida
- 60 g de mantequilla
- 60 g de taza de mostaza
- 125 g de miel de mil flores
- 2 cucharadas de cebolla finamente picada
- 1 cucharada de perejil finamente picado

Se lavan, pelan y cortan en rodajas las zanahorias. Se cuecen en agua con un poco de sal hasta que estén tiernas pero no demasiado blandas y, una vez semicocidas, se escurren.

En una sartén se derrite la mantequilla y se añade la miel, la mostaza, la sal, la pimienta y las dos cucharadas de cebolla finamente picada. Se cocina todo hasta que esté tierno (entre 3 y 5 minutos).

Se añade esta salsa a las zanahorias, se deja que le dé un hervor a todo el conjunto durante unos 2 minutos y se espolvorea con el perejil antes de servir.

Seitán con salsa de cacahuetes, cebolla y miel

- 600 g de seitán en un trozo
- 4 cucharadas de crema de cacahuete o maní
- 2 cucharadas de aceite
- 1/2 cucharada de miel clara
- 1 cucharadita de mostaza suave
- 1 cucharada de zumo de limón
- 1 cebolla grande
- 2 cucharadas de vinagre
- 4 cucharadas de salsa de soja
- 125 ml de leche
- 1 cucharada de maicena (harina de maíz)
- Sal y pimienta

Se salpimenta el seitán y se unta con una cucharada de miel y mostaza. Se lleva al horno muy caliente hasta que se dore; entonces, se baja la temperatura y se deja cocer media hora aproximadamente.

Se pica la cebolla y se rehoga en la sartén a la cual se añade una cucharada de mantequilla. Se deja cocer la cebolla hasta que esté tierna. Se agrega la salsa de soja, el vinagre y el resto de la miel y la crema de cacahuete.

Se deja cocer a fuego suave durante 5 minutos y se añade la maicena diluida con la leche. Se mezcla, se salpimenta y se deja hervir hasta que espese.

Se sirve el seitán cortado en rodajas, cubierto con la salsa y acompañado de puré de patata.

Galletas navideñas

- 250 g de miel
- 2 cucharadas de azúcar moreno
- 250 g de harina
- 1/2 cucharadita de sal
- 1/2 cucharadita de canela
- 1/4 de cucharadita de clavo de olor triturado

- 1/4 de cucharadita de nuez moscada rallada
- 1/2 cucharadita de anís en polvo
- 1 cucharadita de potasa
- 50 g de cáscara de naranja confitada y cortada en dados pequeños
- 1 cucharada de agua fría
- 50 g de azúcar cande triturado medianamente
- 4 cl de sirope de azúcar

Se pone en una olla la miel, de tipo preferiblemente oscuro, y se añade el azúcar. Sin dejar de darle vueltas, calentarlo ligeramente hasta que el azúcar se haya disuelto.

Sacar la olla del fuego. Poner la harina en un cuenco grande y especiarla con la sal, la canela, el anís, el clavo de olor en polvo y la nuez moscada recién rallada. Añadirle la cáscara de naranja confitada y la miel y amasar todo el conjunto hasta que todos los ingredientes se hayan mezclado completamente.

La masa se hará muy compacta. Colocarla en una caja de plástico con tapa hermética y dejarla reposar a temperatura ambiente durante, al menos, 2 días para que el aroma de las especias se pueda desarrollar completamente.

Transcurrido el tiempo de reposo, precalentar el horno a 200 °C. Mezclar la potasa en el agua fría hasta que se haya disuelto. Volver a colocar la masa en el cuenco de trabajo, añadirle la potasa y volverlo a amasar hasta que adquiera una consistencia más melosa.

Colocar la masa en una superficie enharinada y extenderla con ayuda de un rodillo hasta alcanzar un cuadrado de unos 30 × 30 cm. Espolvorear el azúcar cande sobre la masa y cortar rectángulos de unos 4 × 12 cm. Colocar cada galleta en la bandeja de horno cubierta con papel de repostería y hornearlas habiéndolo precalentado a 200 °C. Se deja 12 minutos en el medio del horno.

Quien quiera que brillen ligeramente las puede pintar estando aún calientes con sirope de azúcar. Es recomendable dejar reposar las galletas ya hechas en una lata hermética durante una semana. Como tienen tendencia a quedarse muy duras, es bueno guardar dentro de la lata con las galletas un trozo de manzana. Están perfectas para ser consumidas cuando por fuera están duras y por dentro ligeramente blandas.

Aportan 115 kcal cada una.

Barritas de muesli

- 100 g de copos de avena gruesos
- 50 g de copos de avena crujientes
- 50 g de almendras picadas
- 25 g de pipas de girasol
- 20 g de coco rallado
- 50 g de pasas
- 25 g de mantequilla
- 50 g de azúcar moreno
- 50 g de miel
- 1/2 cucharadita de zumo de limón

Se mezclan los copos de avena gruesos, los crujientes, las almendras picadas, el coco rallado y las pasas. En una olla se funde la mantequilla, el azúcar moreno, la miel y el zumo de limón. Se lleva todo a ebullición sin dejar de remover. Cuando se alcanza el punto de ebullición hay que dejarlo cociendo aún unos 3-4 minutos, hasta que la masa empiece a caramelizarse.

A continuación, se le añaden los copos de avena y se mezclan hasta que esté todo cubierto por la masa caramelizada y adquiera una tonalidad parduzca. Después se coge una bandeja de horno previamente cubierta con papel de hornear y se esparce la masa con la ayuda de papel film, que se colocará encima. Se trata de conseguir un tamaño aproximado de 20 × 15 cm de unos 2 cm de grosor.

Con la ayuda de un rodillo se aprieta firmemente la masa. Luego se retira el papel film y, tras unos 15 minutos, se corta en barritas (5-6). Cuando se hayan enfriado es recomendable poner las barritas en una lata con tapa hermética. Se conserva mucho tiempo.

Cada porción aporta 330 kcal.

Xerotigana kitris (pastelillos festivos cretenses)

- 250 g de harina
- 1/2 cucharadita de sal
- 1/2 cucharada de aceite de oliva
- 5 cucharadas de rakí (licor tipo anís)
- 250 ml de agua (en dos vasos)
- 100 g de azúcar

- 125 g de miel
- 2 cucharaditas de zumo de limón
- 30 g de nueces picadas
- Canela al gusto

Se mezcla la harina con la sal, el aceite y el rakí y se le añade uno de los vasos de agua, hasta que la masa sea elástica. Se coloca la masa 30 minutos en la nevera. Mientras, se mezcla el azúcar y la canela con el segundo vaso de agua y se lleva a ebullición. Se deja a fuego más bajo unos 10 minutos. Una vez sacado del fuego se añade a la mezcla la miel y se deja que se disuelva completamente. A este sirope se le añadirá el zumo de limón.

Con la ayuda de un rodillo se extiende la masa en una superficie enharinada tan finamente como sea posible. Se corta en 6 tiras de unos 3 cm de ancho y 40 cm de largo. Con las manos enharinadas se coloca el final de una tira entre el dedo pulgar y el índice. La tira se enrolla suavemente alrededor del dedo medio e índice. Luego se añade el dedo anular a la operación y se enrolla alrededor de los 3 dedos. Finalmente, se incorpora el meñique y la última vuelta se da sobre los 4 dedos. El final de la tira es necesario mojarlo con agua y engancharlo. Conseguidos los kitris, se fríen en aceite a una temperatura de 165 °C unos 2-3 minutos.

Se pueden mojar los pastelillos con algo de miel y, finalmente, espolvorearles las nueces por encima.

Cada porción aporta 343 kcal.

Pastel de miel

- 1 kg de miel
- 500 ml de nata
- El zumo de 2 limones
- La ralladura de 1 limón ecológico
- 500 g de harina blanca
- 500 g de harina integral

En primer lugar, se pone a calentar al baño María la miel y, cuando esta se pone líquida, se quita del fuego y se le agrega la nata, el zumo de limón y la corteza de limón rallada. Se debe revolver el conjunto mientras se agregan los distintos ingredientes. Luego se añaden las harinas, a fin de que se forme una pasta que se pueda estirar con facilidad a cualquier tamaño. Se deja la pasta con 1 cm de espesor y se cuece sobre una plancha enharinada en el horno caliente. Al sacarla del horno, se pinta con miel diluida en agua.

Batido de fresa

- 6 cucharadas de fresones
- 500 ml de agua o leche
- Miel al gusto

Este batido puede realizarse con cualquier fruta. En este caso, se cortan a trozos los fresones y se trituran con los ingredientes líquidos. Se trata de una bebida muy saludable y tonificante.

Batido de plátanos

- 2 plátanos
- 250 ml de leche de soja
- Miel al gusto

Se trata de uno de los batidos más tradicionales y mejor aceptados por los niños. Para elaborarlo, los plátanos se cortan a trozos y se licuan con leche de soja y miel al gusto. Debido a su contenido de vitaminas y sales neutralizantes, el batido de plátanos está especialmente indicado para los débiles, anémicos y convalecientes.

Limonada con miel

- El zumo de 2 limones
- 2 cucharadas de miel
- 1 litro de agua

Se bate la mezcla hasta que el contenido esté bien diluido. Esta bebida refrescante, tomada en ayunas, posee la propiedad de inducir la secreción de ácido clorhídrico cuando este es deficitario.

Refresco vigorizante

- 2 cucharadas de miel

- 2 cucharadas de vinagre de sidra
- Agua al gusto

Simplemente se mezclan los ingredientes. Además de refrescante y nutritivo, este refresco es mucho más vigorizante que el té o el café.

Zumo de fresas
- 120 ml de zumo de fresas o fresones
- 80 ml de zumo de cerezas
- 10 ml de zumo de limón
- 25 ml de nata
- Miel al gusto

Se mezcla y se sirve como postre de una comida ligera y es un refresco ideal para los cálidos días del verano.

Zumo de frutas enriquecido
- 120 ml de zumo fresco de manzana o de uva
- 80 ml de zumo de naranja
- 10 ml de zumo de limón
- 25 ml de nata
- 2 cucharadas de miel

Es una bebida sana y tonificante.

Zumo de naranjas mixto
- 120 ml de zumo fresco de naranja
- 80 ml de zumo de piña o de pomelo
- 10 ml de zumo de limón
- 25 g de nata
- Miel al gusto

Es una bebida rica en vitamina C, refrescante, muy conveniente para ser incorporada como parte del desayuno.

Pizza mediterránea
- 3 cucharadas soperas de aceite de oliva

- 17 g de levadura
- 250 g de harina
- 1/8 litro de agua caliente
- Una pizca de azúcar
- 1/2 kg de tomates maduros
- 175 g de mozzarella
- 125 g de aceitunas sin hueso
- Albahaca
- Sal y pimienta

Se disuelve la levadura con un poco de agua caliente y añadir la pizca de azúcar para activarla. Colocar la harina en un recipiente hondo y verter encima la levadura y 1 1/2 cucharadas de aceite.

Se agrega poco a poco el resto del agua mezclando con una cuchara de madera. Amasar luego con las manos durante unos 10 minutos hasta que la masa esté suave y elástica. Lubricar el recipiente y untar la masa con aceite.

Se tapa con una tela limpia y se deja reposar en un sitio templado durante 45 minutos aproximadamente, o hasta que el volumen se duplique. Añadir entonces el aceite restante y amasar de nuevo durante 5 minutos. Dejar reposar la masa durante otros 30 minutos.

Mientras tanto, pelar y picar los tomates y ponerlos a escurrir en un colador. Cortar la mozzarella en lonchas finas y picar fino la albahaca.

Se calienta el horno a 250 °C. Estirar la masa con un rodillo enharinado hasta que quede de 3 a 5 milímetros de grosor.

Se pasa la pizza cruda con cuidado a una bandeja de horno ligeramente untada de aceite. Poner encima una capa de tomate y otra de mozzarella, repartir por encima las aceitunas y espolvorear la superficie con la albahaca. Sazonar la pizza con sal y pimienta y regarla con un hilillo de aceite de oliva.

Se pone en el horno muy caliente durante 25 minutos aproximadamente, hasta que la masa se dore. Apenas salga del horno, la deliciosa pizza mediterránea debe ser servida.

Bizcocho valenciano

- 1/2 vaso de aceite de oliva suave
- 125 g de azúcar

- 190 g de harina
- 1 huevo grande
- 1/2 vaso de leche
- 3/4 de sobre de levadura en polvo
- La ralladura de 1/2 limón
- Una pizca de canela en polvo
- Azúcar para espolvorear

Se forrar un molde con papel de aluminio y se unta ligeramente con aceite. Calentar el horno a 150 °C.

Se mezcla la harina con la levadura en polvo. Se bate el huevo con una pizca de sal y se añade poco a poco el azúcar sin dejar de batir. A continuación, añadir el aceite, la leche, la ralladura de limón y la harina siguiendo este orden y removiendo bien.

Cuando la mezcla tenga la consistencia de una crema espesa, volcarla en el molde y repartirla bien. Espolvorear la superficie con un poco de canela en polvo y azúcar.

Se hornea durante 30 minutos. Cuando se enfríe, el bizcocho se puede cortar a trozos y guardarlo, preferiblemente en una caja de metal o madera.

Buñuelos

- 1 litro de aceite de oliva para freír
- 180 g de harina
- 2 cucharadas soperas de levadura prensada (de panadería)
- 1 vaso de agua templada
- Una pizca de sal
- Azúcar para espolvorear

Se mezcla bien la levadura con el agua en un recipiente hondo y poco a poco añadir la harina y la sal y mezclar todo hasta obtener una masa maleable. Dejarla reposar hasta que suba.

Los buñuelos se pueden hacer a mano formando bolitas de masa o con una máquina especialmente diseñada para ese propósito. En este caso, untar la buñolera con aceite crudo y llenarla con la masa.

Se pone el aceite en un recipiente hondo y calentarlo. Introducir los buñuelos en el aceite caliente y freírlos rápidamente. Cuando estén dorados, escurrirlos sobre papel absorbente, espolvorearlos con azúcar y pasarlos a una bandeja.

Tabbuleh

- 4 cucharaditas soperas de aceite de oliva virgen
- 50 g de *trigo* bulgur o sémola de trigo de grano fino-medio
- 2 tomates maduros y firmes
- 1/2 cebolla pequeña
- 8 cucharadas soperas de perejil
- 1 cucharadita de sal
- 2 cucharadas soperas de menta fresca
- El zumo de 2 limones
- Algunas hojas de lechuga
- Una pizca de sal

Se remoja el trigo con agua en un recipiente amplio durante 15 minutos. A continuación, enjuagarlo y escurrirlo bien. Pasarlo a una ensaladera y aliñarlo con el zumo de limón, la sal y el aceite de oliva.

Se remueve el trigo para que absorba los líquidos.

Mientras tanto, pelar la cebolla y picarla muy fino. Lavar y trocear en daditos pequeños los tomates. Picar fino el perejil y la menta. Mezclar todo con el trigo. Probar el punto de limón y colocar las hojas de lechuga alrededor de la ensaladera.

Gazpacho andaluz

- 1/2 taza grande de aceite de oliva
- 1/2 kg de tomates rojos
- 1/2 pimiento verde
- 1 diente de ajo
- 50 g de miga de pan
- 1/4 taza de vinagre
- 1 cebolla pequeña
- 1/2 cucharadita de sal

Para la guarnición:

- 1/2 tomate maduro firme
- 25 g de pimiento verde

- 1 huevo cocido
- 25 g de pepino

Se moja en un poco de agua la miga de pan. Pelar los tomates y quitarles las pepitas. Pelar y trocear el diente de ajo. Lavar el pimiento, quitarle las pepitas y trocearlo.

Si se hace el gazpacho a mano, majar en el mortero pacientemente todos los ingredientes, luego añadir el aceite de oliva poco a poco hasta conseguir una crema suave y bien ligada. Si se hace con una trituradora, poner todos los ingredientes en el vaso y triturar hasta que quede un puré fino.

Se pasa el gazpacho a un recipiente hondo, se tapa y se reserva en el refrigerador durante una hora como mínimo.

Se pelan y trocean en cuadritos pequeños los ingredientes de la guarnición, cada uno por separado. Se ponen en distintos cuencos y se sirven junto con el gazpacho.

Arroz de Creta

- 2 tazas pequeñas de aceite de oliva
- 200 g de arroz
- 1/2 kg de tomates maduros
- 1,5 dientes de ajo
- Una cucharada sopera de azúcar
- Una cucharadita de perejil
- 1/4 litro de agua
- Sal

Se pelan los tomates, se les quitan las pepitas y se cortan en rodajas. Lavar el arroz. Pelar y picar los ajos. Poner los tomates en una cacerola con los ajos, la sal y el azúcar. Añadir el aceite de oliva y el perejil y rehogar durante 5 minutos.

Se vierte el agua en la cacerola y se lleva a ebullición. Agregar el arroz, mezclarlo con el sofrito y tapar la cacerola. Cocer a fuego medio durante unos 8 minutos, sin remover, hasta que el arroz haya absorbido todo el líquido. Verificar el punto de cocción y servir.

Este plato es también un delicioso complemento mediterráneo cuando se sirve frío acompañando ensaladas frescas o pescados.

Ensalada de Ligarla

- 1/4 taza de aceite de oliva virgen
- 2 dientes de ajo
- 1/4 kg de pimientos
- 1/4 kg de berenjenas
- 1/4 kg de tomates
- 1/8 kg de atún en escabeche
- Sal
- Azúcar

Se asan los tomates, los pimientos y las berenjenas. Pelar las berenjenas y los pimientos, quitándoles las semillas a estos últimos, y cortarlo todo en tiras delgadas. Pelar los tomates y partirlos en trozos pequeños.

Se coloca todo en una fuente honda y repartir por encima el atún cortado en trozos pequeños. Rociar la ensalada con aceite de oliva y dejar que se enfríe.

Tomates adobados

- Aceite de oliva
- 2 tomates medianos
- 1 diente de ajo
- Perejil
- Pan rallado
- Pimienta molida
- Sal

Se lavan los tomates, se cortan por la mitad, se ponen boca arriba en una fuente refractaria y se espolvorean con sal. Calentar el horno a 180 °C.

Se maja en el mortero el ajo pelado, el perejil y una pizca de sal; luego se añade un poco de agua.

Se untan los tomates con esa mezcla, se rocían con un chorrito de aceite de oliva y se espolvorean con una pizca de pimienta y el pan rallado.

Se asan en el horno durante unos 25 minutos.

Arroz de Aviñón

- 2 cucharadas de aceite de oliva
- 200 g de arroz

- 1 cebolla
- 1 diente de ajo
- 1/2 vasito de vino blanco
- 3 tomates medianos
- 1 pimiento verde pequeño
- Perejil
- Azafrán
- Sal y pimienta

Primero se prepara la salsa: se pica finamente media cebolla y el diente de ajo, se pelan y se cortan los tomates, quitándoles las semillas. Se pican el perejil y el pimiento muy finos.

Se calienta el aceite en una sartén para dorar la cebolla y el ajo. Luego se añade el vino blanco, los tomates, la sal, la pimienta, el perejil y una pizca de azafrán. Se tapa la sartén y se cocina a fuego lento durante 15 minutos aproximadamente. Se agrega el pimiento y se rehoga de 5 a 10 minutos más.

Para preparar el arroz, se calienta el aceite en una cazuela y se dora la otra media cebolla picada. Se añade el arroz removiendo bien y se agrega agua hirviendo. Se sazona con sal y una pizca de pimienta y se cuece destapado de 8 a 12 minutos. Conviene probar el arroz para verificar el punto de cocción antes de servirlo con la salsa que se ha preparado.

Ensalada americana

- 3 cucharadas soperas de aceite de oliva virgen
- 1 aguacate grande y maduro
- Algunas hojas de espinaca
- 1 cucharada sopera de vinagre blanco
- Sal y pimienta

En un recipiente se baten el aceite y el vinagre juntos y se sazona con sal y pimienta molida gruesa. Se pela el aguacate maduro y se le quita el hueso. Se corta la pulpa en forma de cubitos y se mezclan en la ensaladera con el aliño. Se sirve adornado con hojas de espinaca.

Arroz verde

- 3 tazas pequeñas de aceite de oliva

- 60 g de habas frescas
- 60 g de guisantes frescos
- 1/2 berenjena mediana
- 60 g de judías verdes
- 1 alcachofa mediana
- 60 g de espinacas
- 50 g de alubias
- 50 g de tomates
- 200 g de arroz de grano medio
- 2 dientes de ajo
- 1/2 litro de agua
- Azafrán
- Pimentón

Se eliminan las hojas duras de la alcachofa, se cortan las puntas, se parte en trozos y se pone en agua con zumo de limón. Partir la berenjena pelada a cuadritos pequeños, despuntar las judías verdes y trocearlas. Desgranar las judías de grano, las habas y los guisantes. Pelar y picar los tomates y los ajos. Lavar y trocear las espinacas.

Se calienta el aceite en una paellera de 25 cm de diámetro y se fríe la berenjena. Reservarla. Después freír las judías verdes, las espinacas y las alcachofas; añadir por último el tomate y los ajos. Cuando todo esto esté sofrito, agregar una cucharada de pimentón y el agua.

Cuando empiece a hervir el agua, se añaden las alubias, los guisantes, las habas y la berenjena reservada.

Se sazona con un poco de sal y una pizca de azafrán. Se deja cocer de 20 a 35 minutos.

Se añade el arroz y se cuece a fuego vivo los primeros 3 minutos y a fuego más bajo los 5 o 7 minutos restantes. Se prueban unos granos de arroz para verificar el punto de cocción y se retira del fuego. Se deja reposar unos minutos antes de servirlo.

Espaguetis a la putanesca

- 3/4 de taza de aceite de oliva
- 270 g de espaguetis
- 220 g de tomates
- 3 dientes de ajo

- 2 cucharadas soperas de alcaparras
- 50 g de aceitunas negras
- 1 cucharada sopera de perejil picado
- Sal y pimienta

Se deshuesan las aceitunas y picarlas. Pelar y trocear los tomates y los ajos. Calentar el aceite en una sartén y freír los ajos. Cuando empiecen a dorarse añadir los tomates y rehogar hasta que el líquido se evapore y el aceite empiece a subir a la superficie.

Se añaden las aceitunas y las alcaparras, se sazona con un poco de sal y pimienta y se rehoga 4 minutos más. Retirar esta salsa del fuego y reservarla.

Se calienta agua abundante en una cazuela y, cuando hierva, se echan los espaguetis y se cuecen durante 8 o 10 minutos hasta que estén *al dente*. Se mezclan con la salsa, se espolvorean con el perejil picado y se sirven calientes.

Crema de algas nori con champiñones

- 170 g de cebolla cortada en medias lunas
- 1 taza de champiñones frescos finamente cortados
- 5 hojas de nori
- Cebolletas tiernas, cortadas para guarnición
- Unas gotas de aceite de sésamo
- Unas gotas de salsa de soja
- 5 tazas de agua (1,2 litros)
- 5 cucharadas de salsa de soja

Se unta el fondo de una cacerola con una pequeña cantidad de aceite de sésamo. Se calienta, se añaden las cebollas y se saltean 3 minutos a fuego medio, agregando unas gotas de salsa de soja. Incorporar los champiñones y saltearlo todo 2-3 minutos.

Se añade el agua y se deja hervir. Se parten en trozos pequeños las hojas de nori y se echan a la sopa. Dejar cocer a fuego lento 5 minutos.

Se añade la salsa de soja y se deja cocer a fuego lento 1-2 minutos. Servir decorado con las cebolletas cortadas.

Sopa a la paisana

- 6 tazas de agua (1,5 litros)
- 30 g de nori silvestre remojada en agua durante 3 minutos y luego cortada finamente
- 115 g de mijo, lavado y tostado ligeramente en una sartén
- Una pizca de sal marina
- 145 g de garbanzos cocidos
- 85 g de zanahoria cortada en cuadraditos
- 55 g de puerro finamente cortado en diagonal
- 1 cucharada y media de miso de cebada
- Berros cortados para decorar

Se pone a hervir el agua con la de remojo de la nori. Añadir el mijo y una pizca de sal marina, tapar y dejar cocer a fuego suave 20 minutos.

Se añaden los garbanzos cocidos, la nori y la zanahoria; cocer 15 minutos.

Se ponen los puerros y se deja cocer 5 minutos más.

Se diluye el miso en una pequeña cantidad de líquido de la sopa; una vez disuelto se vierte en la sopa y se deja cocer a fuego lento 2-3 minutos.

Se sirve decorado con berro cortado.

Esta sopa puede prepararse con diferentes tipos de algas, cereales, legumbres y verduras.

Consomé de kombu

- 1 tira de kombu de 5 cm
- 3 tazas y 3/4 (850 ml) de agua
- 1 rábano, 1 zanahoria y 1 nabo pequeños, finamente cortados
- 4 cucharadas de salsa de soja
- Cebolleta, o perejil o berro, cortado finamente para guarnición

Si la kombu está cubierta de polvo blanco, se limpia con un trapo húmedo.

Se pone la kombu en una cacerola, se añade agua, se lleva a punto de ebullición y se cuece a fuego lento 10-15 minutos. Se retira la kombu y se coloca en una esterilla para que se seque (así se puede usar otra vez). Se añade al agua una pequeña cantidad de las verduras finamente cortadas y cocer 5 minutos. Se adereza con la salsa de soja y se decora con cebolleta, perejil o berro, finamente cortado.

Sopa de copos de avena con dulse

- 5 tazas (1,1 litros) de agua
- 1/2 cebolla de tamaño medio, cortada en medias lunas
- 115 g de copos de avena
- Una pizca de sal marina
- 45 g de dulse remojada en 200 ml de agua durante 5 minutos, cortada en trozos pequeños
- Perejil, cebolleta o berro, finamente cortado para guarnición

Se hierve el agua, se añade la cebolla y se cuece a fuego lento, sin tapa, 5 minutos. Añadir los copos de avena, la dulse con el agua de remojo y la sal marina; hervir, reducir la llama y cocer a fuego lento 20-25 minutos. Se decora con perejil cortado, cebolleta o berro. Si se desea también se puede usar zanahoria rallada.

Sopa de apio y puerros con musgo de Irlanda

- 15 g de musgo de Irlanda
- 6 tazas (1,5 litros) de agua
- 70 g de puerro finamente cortado en diagonal
- 115 g de apio también cortado en diagonal
- 2 cucharadas de miso de cebada

Se limpia el musgo de Irlanda y se enjuaga bajo el grifo varias veces. Colocar en una olla con el agua y remojar 30 minutos. Se lleva a punto de ebullición el agua, se baja el fuego y se deja cocer 1 hora o más, hasta que las algas se hayan casi disuelto. Remover de vez en cuando para evitar que se pegue. Se añaden los puerros y el apio, y se cuece sin tapa 10 minutos.

Se reduce el miso a puré con un poco de líquido de la sopa. Se incorpora a la sopa y se deja cocer a fuego muy lento 2 minutos. Se decora con las hojas más pequeñas del apio. Antes de servir pueden añadirse cuadraditos de pan frito.

Gazpacho a las algas

- 2 tomates maduros
- 1 pimiento rojo o verde
- 1 cebolla
- 1 pepino
- 2 dientes de ajo
- Un poco de sal y pimienta
- ½ vaso de agua
- Un chorrito de vinagre de manzana
- Aceite de oliva virgen
- Un puñado de algas crudas o secas (wakame, iziki o dulse) remojadas

Se cortan los ingredientes en trocitos y se mezclan, reservando algunos de pimiento, pepino y cebolla para adornar. Se pasan por la batidora y se añade un chorrito de aceite de oliva y otro de vinagre. Se sirve frío, pero no helado.

Ensalada de algas iziki

- 50 g de iziki, remojado y cortado
- 170 g de cebollas, cortadas en medias lunas
- 85 g de zanahorias, cortadas en tiras iguales
- 60 g de apio, cortado en rodajas finas o en diagonal
- 150 g de semillas de girasol tostadas
- 6 tazas de agua (1,4 litros de agua)
- Tamari

Se pone medio litro de agua en un cazo de mango largo y se lleva a ebullición. Añadir la iziki y bastantes gotas de tamari. Hay que tapar el cazo, reducir a fuego medio-lento y cocer 15-20 minutos. En otra cazuela, se pone a hervir 1 litro de agua. Añadir las cebollas y cocer 1 minuto. Retirarlas, dejando el agua de cocción en la cazuela y escurrirlas en un colador antes de ponerlas en un tazón con la iziki. Hervir las zanahorias en la misma agua de las cebollas 1-2 minutos. Sacarlas, escurrirlas y mezclarlas con la iziki y las cebollas. Hervir el apio en la misma agua 1 minuto. Mezclar bien todos los ingredientes y añadir las semillas de girasol tostadas. Servir así o con aderezos de tofu.

Conos de nori rellenos

- 2 hojas de nori
- 170 g de arroz integral cocido
- 30 g de berro cortado
- 115 g de zanahoria rallada
- 1 cucharada de mostaza natural
- 4 cucharadas de semillas de sésamo tostadas
- 1 cucharada de vinagre de manzana
- Unas ramitas de berro para decoración

Tostamos las hojas de nori sosteniéndolas con el lado brillante hacia arriba, en posición horizontal, a unos 25 cm sobre la llama, moviendo cada hoja hasta que tome color verde brillante. Con unas tijeras, se corta cada hoja en cuatro. Tomar un trozo cada vez y doblar cuidadosamente en forma de cono, pegando las esquinas salientes con una gota de agua. Se colocan los ingredientes restantes en un recipiente y se mezclan. Justo antes de servir, se rellenan los conos y se colocan cuidadosamente en una bandeja.

Rollitos de zanahoria y kombu

- 4 tiras de kombu, de 20 cm cada una
- 2 tazas (425 ml) de agua
- 1 cucharadita de salsa de soja
- 2 zanahorias de tamaño medio, cortadas en longitudes de 6,5 cm

Se pone la kombu a remojo en el agua durante 1 hora. Se cortan en pedazos de 6,5 cm tres de las tiras remojadas de kombu y se envuelve una tira alrededor de cada trozo de zanahoria. Partimos la cuarta tira de kombu longitudinalmente en tiras finas y atamos cada una de ellas alrededor de la tira de kombu para cubrir cada porción de zanahoria, asegurándola con un nudo. Como alternativa podemos usar un palillo. Colocamos los rollitos y el agua de remojo en una cacerola, llevamos a punto de ebullición y los cocemos tapados, a fuego medio 45 minutos. Añadimos la salsa de soja y dejamos sin tapa 10-15 minutos más hasta que todo el líquido se haya evaporado. Retirar los rollos y servir.

Ensalada de soja germinada con dulse

- 140 g de soja germinada
- 115 g de zanahoria rallada
- 85 g de dulse remojada durante 5 minutos y finamente cortada
- 30 g de nueces tostadas y cortadas
- 1 manojo de berros finamente cortados
- Una pizca de sal marina

Aliño:

- 3/4 taza (200 ml) de jugo de mandarina
- 2 cucharadas de salsa de soja

Echar la dulse en agua hirviendo con una pizca de sal marina 1-2 minutos. Retirar y dejar enfriar en un plato. Mezclar la soja germinada, la zanahoria rallada, las nueces y los berros y colocarlo todo en una fuente para servir. Mezclar los ingredientes del aliño y veerterlo sobre la ensalada.

Ensalada de arame con tempeh

- 225 g de tempeh
- 50 g de arame
- 2 cucharadas de salsa de soja
- Una pizca de sal marina
- 140 g de zanahoria cortada en palitos finos
- Un manojo de rábanos, cortados en cuartos

Aliño:

- 3 cucharadas de mostaza natural
- 3 cucharadas de agua

Si el tempeh está congelado hay que estar seguro de que se haya descongelado bien y cortarlo en cuadrados de 2,5 cm. Limpiar y remojar la arame. Echar el agua de remojo en una olla. Añadir la arame y el tempeh, llevar a punto de ebullición, tapar, reducir la llama al mínimo y cocer a fuego lento 20 minutos. Añadir la salsa de soja y cocer 10 minutos más hasta que el líquido se haya evaporado.

En una olla aparte se pone agua a hervir. Añadir una pizca de sal marina y hervir la zanahoria 2-3 minutos. Retirar y poner en un plato para que se enfríe. Repetir la operación con el rábano, usando la misma agua, pero cociéndolo medio minuto solamente. En una fuente para servir, colocar la arame junto con el tempeh, la zanahoria y el rábano. Mezclar los ingredientes del aliño y echarlo sobre la ensalada antes de servirla.

Verduras de mar y tierra a la vinagreta

- 85 g de zanahoria cortada en rodajas finas
- 85 g de coliflor cortada en ramitos
- 55 g de guisantes o judías verdes
- 30 g de soja germinada
- 30 g de wakame, remojada durante 3-5 minutos y cortada en trozos pequeños
- 30 g de iziki, remojada durante 3-5 minutos
- Una pizca de sal marina

Aliño:

- 4 cucharadas de vinagre de arroz integral
- 1 cucharada de salsa de soja
- 1 cucharada de agua

Se pone a hervir agua en una cacerola con una pizca de sal marina. Hervir las verduras (retirando cada una antes de añadir otra) en el siguiente orden y durante estos tiempos de cocción: zanahoria 2-3 minutos; coliflor 2-3 minutos; guisantes o judías 1-2 minutos; iziki 10-15 minutos. Una vez hervidas las verduras, se extienden en un plato y se dejan enfriar. Colocar todas las verduras así como la iziki cocida y la wakame remojada en un cuenco para servir. Preparar el aliño y verter sobre las verduras antes de servirlas.

Arroz con algas

- 1 cebolla pequeña
- 4 dientes de ajo
- 2 tiras de algas kombu o 25 g de iziki
- 1 tomate grande maduro
- 150 g de arroz

- 1 litro de caldo de verduras
- 1/2 litro de agua
- 3 cucharadas de aceite de oliva
- Perejil

Se lavan las algas y se ponen en remojo con medio litro de agua durante media hora. Si se utiliza la kombu cortar previamente las tiras en trocitos de 1 cm más o menos. Se lavan bien las hortalizas. Pelar y picar la cebolla y los ajos muy menuditos. Cortar el tomate por la mitad y rallarlo. Picar igualmente el perejil. En una cazuela calentar el aceite y rehogar la cebolla y los ajos, a fuego suave, hasta que la cebolla esté blanda. Antes de que se empiece a dorar, añadir las algas escurridas. Seguir rehogando un poco más y añadir entonces el perejil y el tomate. Seguir rehogando y remover de vez en cuando hasta que el tomate empiece a agarrarse. Añadir el litro de caldo de verduras y el medio litro de agua en que se han remojado las algas. Mezclar ambos caldos muy calientes, hirviéndolos previamente. Dejar cocer unos minutos, rectificar la sal y poner el arroz. Cuando recobre la ebullición, dejar cocer 20 minutos y estará listo para servir.

Cocido de lentejas con algas kombu

- 170 g de lentejas
- 1 tira de kombu de 15 cm
- 3 tazas y 3/4 (850 ml) de agua
- 170 g de cebolleta cortada
- 85 g de zanahoria cortada
- 85 g de apio cortado
- 1/4 de cucharadita de sal marina
- Cebolletas cortadas para decoración
- 2 hojas de laurel

Extender las lentejas sobre un plato y eliminar las piedrecitas que pueda haber. Lavarlas y ponerlas en una cacerola, con la kombu en el fondo; añadir el agua y las hojas de laurel. Llevar a punto de ebullición, reducir la llama al mínimo, tapar y cocer a fuego lento 1 hora, más o menos, hasta que las lentejas se ablanden. Añadir la cebolla y cocerla destapada 5 minutos; incorporar las zanahorias, el apio y la sal marina. Tapar y dejar cocer todo 5-10 minutos más. Se comprueba que durante la cocción haya suficiente agua y, si es necesario, se añade más. Se destapa, se sube el fuego a temperatura media y se deja evaporar el exceso de agua.

Tallarines con espárragos y algas

- 250 g de tallarines (al huevo o integrales)
- 300 g de puntas de espárragos
- Un puñado de algas (la wakame es muy indicada)
- Aceite de oliva virgen
- Una pizca de sal marina

Se pelan y se lavan las puntas de los espárragos. Para asegurarse bien de no utilizar la parte leñosa es mejor pelarlos en crudo con las manos: solo la parte que se separa con facilidad es tierna. Cocer los espárragos junto con las algas, si es posible al vapor. Entretanto, cocer la pasta en otro recipiente con agua ligeramente salada. Cortar las algas en trocitos pequeños, y en trozos un poco más grandes las puntas de los espárragos. Mezclar la pasta con las algas y los espárragos. Antes de servir, condimentar con un buen chorro de aceite de oliva.

Croquetas de copos de avena y dulse

- 55 g de copos de avena
- 170 g de cebolla cortada en cuadritos
- 2 cucharadas de harina integral de trigo
- 45 g de dulse remojada 5 minutos en agua, finamente cortada
- Una pizca de sal marina
- Aceite de sésamo para freír

Se mezclan los copos de avena, las cebollas, la dulse, la harina y la sal marina con la suficiente agua de remojo de la dulse, hasta formar una mezcla consistente. Se forman croquetas planas de 5 cm de diámetro con las manos. Si es necesario, se añade más agua de remojo de la dulse o harina para obtener una consistencia firme. Calentar a 190 ºC suficiente cantidad de aceite para cubrir las croquetas y freírlas hasta que tomen color marrón dorado. Secar en papel de cocina. Servir en un plato con una servilleta debajo para absorber el aceite sobrante.

Albóndigas de iziki con tofu

- 170 g de tofu
- 20 g de iziki
- 1/2 cucharada de salsa de soja
- 85 g de zanahoria muy finamente troceada
- 45 g de bardana también troceada
- 45 g de semillas de sésamo tostadas
- Una pizca de sal marina
- 1 diente de ajo picado
- 30 g de harina integral de trigo (opcional)
- Aceite de sésamo para freír
- Un poco de zumo de jengibre
- Hojas de lechuga y rabanitos para guarnecer

Se envuelve el tofu en un trapo absorbente de algodón y se coloca encima de una tabla de madera para cortar. Poner un peso o un plato pesado encima para escurrir el exceso de líquido que suelta el tofu. Dejar durante 20 minutos. Retirar el peso y el trapo, y hacer puré con un tenedor en un cuenco. Lavar y remojar la iziki. Echar el agua de remojo en una cacerola (sin usar la última parte, ya que puede contener pequeñas partículas de arena). Añadir la iziki, llevar a punto de ebullición, reducir la llama al mínimo y cocer a fuego lento 35 minutos. Añadir la salsa de soja y hervir 20-25 minutos más hasta que el líquido se haya evaporado. Dejar enfriar y cortar la iziki en trozos muy pequeños.

Mezclar en un cuenco la iziki cocida, la zanahoria cruda, la bardana, el tofu hecho puré, las semillas de sésamo, el ajo y una pizca de sal marina. Formar pequeñas albóndigas y, si la consistencia es demasiado blanda, añadir la harina integral de trigo para ligarlas. Calentar 5-7,5 cm^3 de aceite de sésamo en una cacerola a 180 ºC, cuidando de que no humee. Echar las albóndigas en el aceite, pocas de una vez, y dejar freír 2-3 minutos. Darles la vuelta y freír otros 1-2 minutos hasta que el color sea marrón dorado. Retirar y poner sobre papel de cocina para que absorba el aceite.

Colocar las hojas de lechuga en una fuente para servir, con las albóndigas encima. Servir calientes, con un aderezo de jugo de jengibre fresco, salsa de soja, agua y rabanito rallado.

Combinado de pollo con algas

- 1/2 pollo de granja cocido
- Un ramillete de berros
- 2 hojas de nori

Para la salsa:

- 2 cucharadas de aceite de sésamo
- 4 cucharadas de vinagre de arroz o zumo de limón
- 2 cucharadas de polvo de nori verde
- Un poco de pimienta
- Un poco de sal

Lavar, cocer ligeramente y escurrir las hojas de berro. Estirar cada hoja de berro y cortar en cuartos y luego en trocitos de 5 cm. Pasar cada hoja de nori por la llama y cortarlas en 4 trozos. Enrollar los trozos de berro con las hojas de nori. Quitar la piel al pollo y cortarlo en trozos pequeños. Hacer la salsa mezclando los ingredientes. Antes de servir, colocar los trozos de pollo en el centro de una fuente con los rollitos de algas a cada lado y verter la salsa por encima.

Gelatina de agar-agar con frutas

- 4 cucharadas de agar-agar seco y picado (unos 6 g)
- 1 litro de agua hirviendo
- 150 g de fresas
- 2 plátanos
- 3 naranjas
- 150 g de azúcar de caña
- 1 limón
- 1/2 cucharadita de sal

Poner en remojo el agar-agar, en un poco de agua tibia, durante 15 minutos. Escurrirlo y diluirlo en el litro de agua hirviendo. Una vez disuelto el agar-agar, incorporar la sal y el azúcar para que se disuelvan también. Exprimir el zumo de las naranjas y el limón, y añadir la gelatina caliente. Lavar bien las fresas, pelar los plátanos y trocear ambas frutas. Agregar a la gelatina mientras todavía está líquida y remover bien. Verter la mezcla en un molde grande de gelatina o en moldes individuales y poner a enfriar en la nevera hasta que cuaje.

Galletas marinas

- 300 g de harina de trigo
- 100 g de harina de castañas
- 2 cucharadas soperas de iziki cocida
- Un puñado de ao-tosaka
- 2 cucharadas soperas de nori verde en polvo
- 2 cucharadas soperas de granos de sésamo
- 4 cucharadas soperas de margarina vegetal
- 1 huevo
- 3 cucharadas de queso *gruyere* rallado (opcional)
- Un poco de sal

Cortar la ao-tosaka en trozos finos y añadir el resto de los ingredientes con dos vasos de agua. Dejar reposar la mezcla en un lugar fresco durante una hora. Trabajar la pasta y estirarla hasta que tenga un espesor de aproximadamente 5 mm. Cortar en trozos y darles diversas formas. Colocar las galletas en una placa untada con aceite o margarina y meterlas en el horno 20 minutos a temperatura elevada.

Budín de mandarinas

- 3 mandarinas (preferiblemente clementinas)
- 10 g de agar-agar
- 1 huevo
- Una cucharada de miel

Disolvemos el agar-agar en medio litro de agua y lo llevamos a punto de ebullición. Dejar cocer lentamente durante unos minutos mientras se remueve. Añadir el zumo de dos mandarinas sin dejar de remover. Una vez apagado el fuego, mientras se enfría la mezcla, incorporar la miel, la yema del huevo y la clara a punto de nieve. Decorar el fondo de los recipientes donde se servirá con los gajos de la tercera mandarina y verter el budín por encima. Guardar en la nevera hasta el momento de servir.

Bolas de castañas con almendra y kombu

- 200 g de castañas secas
- 3 tazas (700 ml) de agua
- 1 tira de kombu de 12,5 cm

- Una pizca de sal marina
- 55 g de almendras tostadas y picadas

Remojar las castañas 2 horas en agua y cocerlas en olla a presión, con la misma agua y con la kombu, 35 minutos. Retirar del fuego, aderezar con sal marina y cocer todo 10 minutos más. Si hay exceso de líquido, dejar hervir, sin tapa, a fuego medio durante unos minutos, hasta que el líquido se haya evaporado. Machacar las castañas junto con los trozos de kombu que queden, hasta conseguir un puré. Con las manos mojadas formar pequeñas bolas y luego hacerlas rodar sobre la almendra, dando a cada bola una envoltura más o menos uniforme. Disponer atractivamente en una bandeja y servir.

Natillas de manzana y sésamo
- 6 tazas (1,5 litros) de zumo de manzana
- 28 g de copos de agar-agar
- 2 cucharadas de extracto de vainilla natural
- Una pizca de sal marina
- 3 cucharadas de piel de limón finamente rallada
- 5 cucharadas de mantequilla de sésamo

Colocar el zumo de manzana y los copos de agar-agar en una olla y dejar remojar 10-15 minutos. Llevar a punto de ebullición, reducir la llama y cocer a fuego lento unos minutos, removiendo constantemente, hasta que los copos se hayan disuelto. Con un poco de líquido caliente mezclar el extracto de vainilla, la piel de limón rallada, la mantequilla de sésamo y la sal marina hasta conseguir una consistencia cremosa. Añadir al líquido caliente. Humedecer un plato poco profundo o un molde y echar en él el líquido caliente; dejar enfriar hasta que se vuelva consistente. Reducir a puré con una batidora eléctrica. Servir solo o como acompañamiento de postres.

Pan de algas
- 400 g de harina de trigo
- 200 g de harina de sarraceno
- 2 zanahorias enteras ligeramente cocidas
- 300 g de nueces sin cáscara

- 20 cm de alga arame
- Un puñado de alga dulse
- Una hoja de nori
- 2 cucharadas de aceite de sésamo
- 5 g de levadura (opcional)
- 2 cucharaditas de sal
- Una pizca de especies

Poner en remojo la dulse y la arame durante 1 hora aproximadamente. Escurrir y juntar con la nori y un vaso de agua (puede aprovecharse la del remojo). Mezclarlo todo bien excepto las zanahorias, incorporando poco a poco agua hasta formar una pasta. Dejar subir la pasta en un lugar caliente (30 ºC) durante 3 horas aproximadamente. Es recomendable remover una segunda vez la mezcla para eliminar el gas y dejar todavía media hora más al calor. Rellenar con la preparación el molde hasta la mitad, colocar las 2 zanahorias en el centro y acabar de recubrir hasta arriba con la pasta restante. Cocer en horno caliente tres cuartos de hora. Servir frío o caliente, según convenga.

Sanfaina de seitán con musgo de Irlanda

- 70 g de musgo de Irlanda
- 2 tazas y 1/2 (570 ml) de agua
- Unas gotas de aceite de sésamo (preferiblemente sésamo tostado)
- 2 cebollas de tamaño medio, cortadas en cuadritos
- 1/2 pimiento verde finamente cortado
- 200 g de seitán cortado en cuadrados pequeños
- 3 cucharadas de salsa de soja
- 1 hoja de laurel

Limpiar el musgo de Irlanda y enjuagarlo bajo el grifo varias veces. Echar en una cacerola con el agua y dejar en remojo 30 minutos. Llevar el agua a punto de ebullición, reducir la llama y cocer a fuego lento 1 hora o más, hasta que las algas se hayan casi disuelto. Remover de vez en cuando para evitar que se pegue. Untar ligeramente con aceite una sartén y calentarlo. Añadir la cebolla y saltear 5-6 minutos. Incorporar el pimiento, el seitán y el laurel y saltearlo todo 8-10 minutos. Aderezar con la salsa de soja. Echar la gelatina que han formado las algas una vez hervidas, tapar la cacerola y cocer a fuego lento 5 minutos. Es deliciosa servida con calabacín relleno o sobre espaguetis.

Aderezo de nori y semillas de sésamo para ensaladas

- 1 hoja de nori
- 3 cucharadas de semillas de sésamo tostadas
- 4 cucharadas de vinagre de arroz integral
- 1 taza (230 ml) de agua
- 1/2 cucharadita de salsa de soja

Tostar la hoja de nori sujetándola con el lado brillante mirando hacia arriba, a unos 25 cm sobre la llama, moviéndola durante 3-5 segundos hasta que el color cambie a verde brillante. Partir la nori tostada en trozos más pequeños. Machacar las semillas de sésamo en un mortero hasta que estén molidas en un 80%. Combinar todos los ingredientes y servir como aderezo para las ensaladas de cereales, pasta, verduras hervidas o crudas.

Condimento de kombu con limón

- 1/2 taza (115 ml) de agua
- 30 g de kombu instantánea
- 1/4 cucharada de salsa de soja
- 1/2 cucharada de zumo de limón

Llevar el agua a punto de ebullición y mezclar con la kombu instantánea hasta formar una pasta espesa. Añadir la salsa de soja y el zumo de limón. Servir como una pequeña parte de la comida o como condimento de cereales.

Aliño de alga dulse

- Unas gotas de aceite de sésamo
- 1 cebolla mediana cortada en cuadritos
- 15 g de perejil cortado
- 45 g de dulse remojada durante 5 minutos y finamente cortada
- 1/2 cucharada de miso de arroz integral diluido en 3 cucharadas del agua de remojo de la dulse
- 1 cucharada de jugo de jengibre recién rallado y escurrido

Untar ligeramente de aceite una sartén y calentarla. Añadir la cebolla y el perejil y saltear 5 minutos hasta que se vuelva translúcido. Añadir la dulse, saltear 1-2 minutos y aliñar con el miso diluido y el jugo de jengibre. Cocer a fuego lento hasta que todo el líquido se haya evaporado. Servir sobre cereales o como parte de un plato.

Zumo esmeralda

- 1/2 litro de zumo de manzana
- 1/2 limón
- 2 comprimidos de espirulina o de chlorella
- Una pizca de canela (opcional)

Ponemos en un recipiente el zumo de manzana recién exprimido y añadimos el de medio limón, dos comprimidos de algas y, si se desea, una pizca de canela. Se pasa la mezcla por la batidora y se sirve bien fría.

Jarabe de menta

- 10 hojas de menta fresca
- 2 comprimidos de espirulina o de chlorella
- 1/2 limón
- 1/2 cucharada de miel
- 1/2 litro de agua

Para obtener una bebida refrescante, batir en medio litro de agua –a la que se le ha añadido el zumo de medio limón– las hojas de menta, los comprimidos de algas y la miel. Se deja en la nevera hasta el momento de servirlo.

Zumo de verduras con wakame

- 5 cm de wakame
- 1 hoja de col verde cruda o un poco cocida
- 50 g de espinacas ligeramente pasadas al vapor
- Una cucharada de tamari
- Una pizca de hierbas de Provenza en polvo

Poner en remojo la wakame con dos vasos de agua. Al cabo de unos minutos escurrir y conservar el agua. Cortar la wakame, la hoja de col y las espinacas en trozos pequeños y pasarlo todo por la batidora con el agua de remojo de las algas, la cucharada de tamari y las hierbas de Provenza. Se sirve frío o con cubitos en verano, y caliente en invierno.

Té de kombu

- Algas kombu
- Agua
- Una pizca de sal

Hornear la kombu a fuego medio durante 10 minutos y dejarlo enfriar. Cortar las tiras de kombu en pequeños trozos y ponerlos en un mortero o suribahi (mortero japonés). Añadir una pizca de sal y machacarlo todo hasta que esté bien pulverizado. Echar una cucharadita del polvo obtenido en una taza y cubrir con agua hirviendo. Se sirve bien caliente. Si sobra polvo de kombu debe conservarse en un bote hermético, al abrigo de la humedad.

Bibliografía

AA. VV.: *Comisión mixta del aceite de oliva*. Oficina del Aceite, Madrid, 1938.

Abdullah, Th., Kirkpatrick, D. V., Carter, J.: «Enhancement of natural killer cell activity in AIDS with garlic», Deutsche Zeitschrifft fiir Onkologie, n.º 1, pp. 52-53, 1989.

Ackermann, R. T. y otros: «Garlic shows promise for improving some cardiovascular risk factors», Arch Intern Med 2001, n.º 161, pp. 813-824.

Almodóvar, Miguel Ángel: *Cómo curan los alimentos*, Integral, Barcelona, 2010.

Amagase, H. y otros: «Intake of garlic and its bioactive components». J Nutr 2001, n.º 131, pp. 955S-962S.

Ams, Marc: *Así cura el ajo*, Broams, 1994.

Ang-lee, M. y otros: «Herbal Medicines and perioperative care». JAMA 2001, n.º 286, pp. 208-216.

Ankri, S. y otros: «Antimicrobial properties of allicin from garlic». Microbes Infect 1999, n.º 1, pp. 125-129.

Arteche, A. (dir.): *Fitoterapia. Vademecum de prescripción*, CITA, 1994 (2.ª ed.).

Artigas, J.: *La cebolla*, Edaf, Madrid, 1983.

Austin, S., Weisberger, C., Pensky, J.: Cancer Research, n.º 18, pp. 1.301-1.308, 1958.

Ávila Granados, J.: *Enciclopedia del aceite de oliva*, Planeta, Barcelona, 2000.

Ávila, Oriol: *La miel, el polen y la jalea real*, Cedel, Barcelona, 1992.

Belitz, H. D., y W. Grosch: *Química de los alimentos*, Acribia, Zaragoza, 1988.

Béliveau, Richard y Gingras, Denis: *Los alimentos contra el cáncer*, Integral, Barcelona, 2008.

–, *Tu seguro de salud*, Integral, Barcelona, 2009.

Berthold, H. K. y otros: «Effect of a garlic oil preparation on serum lipoproteins and cholesterol metabolism: a randomized controlled trial», JAMA 1998, n.º 279, pp. 1.900-1.902.

BLANCH, J.: «L'osteoporosi: noves idees sobre una vella malaltia», Annals de Medicina, n.º 10, 1992, pp. 233 y 234.
BLUMENTHAL, M.: Herbal Medicine, Expanded Commission E Monographs, 1st ed. Austin: American Botanical Council; 2000.
BOSKOU, D.: *Química y tecnología del aceite de oliva*, Mundi-Prensa, Madrid, 1998.
BRAVERMAN, E. R., PFEIFFER, C. C.: *The Healing Nutrients Within*, New Canaan, Conn. Keats Publishing Co., 1987.
BRICKLIN, MARK (coord.): *Nutrición y salud natural*, Bellaterra, 1989.
BRINKER, F. «Herb Contraindications and Drug Interactions», 2nd ed. Sandy (OR): Eclectic Med Publications; 1998.
BRUNETON, J.: *Elementos de fitoquímica y farmacognosia*, Acribia, 1991.
Cahiers de Phytothérapie clinique, n.º 1-4, Masson, 1983.
CAPO, N.: *La miel y los niños*, Instituto de Trofoterapia, Barcelona, 1972.
CAVALLITO, C., BAYLEY: Journal of American Chemical Society, 1950, 1948, y (68), 489, 1946.
CENTRE DE RECHERCHE ET D'INFORMATIONS NUTRITIONNELLES: *L'alimentation des femmes enceintes*, París, Cerin.
CERVERA, P., J. CLAPÉS, R. RIGOLFAS: *Alimentación y dietoterapia*, Interamericana-McGraw-Hill, 1993 (2.ª ed.).
Código alimentario español, Ed. Tecnos, 1988.
CORONAS, R.: *Manual práctico de dietética y nutrición*, Jims, 1991.
CREEF, A. F.: *Manuel de diététique*, Masson, 1992.
DALLA VIA, GUDRUN: *Le alghe*, Red edizioni, Como, 1990.
DELAHA, E. C., y otros: «lnhibition of mycrobacteria by garlic extract», Antimicrob. Agents Chemother 27(4): 485-486, 1985.
DEPARTAMENT DE SANITAT I SEGURETAT SOCIAL DE LA GENERALITAT DE CATALUNYA: *Protocols dietètics per a l'atenció primària*, Barcelona, 1992.
DEXTREIT, R.: *La miel y el polen, remedios naturales*, Ariel, Barcelona, 1984.
DÍAZ-PÉREZ, J. L., SANZ DE GALDEANO, G., GARDEAZÁBAL, J. y A. AGUIRRE: «Ácido ascórbico en dermatología», Piel, 9 (1994), pp. 319-322.
Diputación Foral de Vizcaya, *Iniciación a la apicultura*, DFV, Vizcaya, 1991.
DIRSCH V. M. y otros: «Effect of allicin and ajoene, two compounds of garlic, on inducible nitric oxide synthase». Atherosclerosis 1998; 139: 333-339.
DONADIEU, Yves: *Le pollen*, Maloine Éd., París, 1978.
DUPIN, H., y J. L. CUQ: *Alimentation et Nutrition Humaines*, ESF, 1992.
DURAFFOURD, I., D'Hervicourt, y J.-E. LAPRAZ: Cahiers de Phytothérapie Clinique, núm. 1-4, Ed. Masson, París, 1983.
EDEN, JACK: *Lo mejor de los saludables alimentos naturales*. Edaf. Madrid, 1980.
ELLOUALIM., BOISSON, VIDAL C., DURAND P. y JOSEFONVICZ J.: «Antitumor Ac-

tivity of Low Molecular Weight Fucans Extracted from Brown Seaweed Ascophyllum nodosum», Anticancer Research, 13:2011-2020, 1993.

ELMADFA, I.: *La gran guía de la composición de los alimentos*, Integral, Barcelona, 2002.

ENTRALA BUENO, A.: «Dietoterapia en la diabetes mellitus», Nutr. Clin., 11, n.° 6, 1991.

FENNEMA, O. R.: *Química de los alimentos*, Acribia, Zaragoza, 1993.

FLEISCHAUER, A.T. y otros. «Garlic consumption and cancer prevention: meta-analyses of colorectal and stomach cancers». Am J Clin Nutr 2000; 72: 1047-1052.

FONT QUER, P.: *Plantas medicinales. El Dioscórides renovado*, Labor, Barcelona, 1987.

FRANCIS, CLAUDE y FERNANDE GONTIER: *El libro de la miel*, Edaf, Madrid, 1983.

FRONTLING, R. A., BULNER, G. S.: «In vitro effect of aqueous extract of garlic in the growth and viability of Criptococcus neoformans», Mycopathologia 70, pp. 397-405, 1978.

GEORGE, R. A. T.: *Producción de semillas de plantas hortícolas*, Mundi-Prensa, Madrid, 1986.

GOODHART, R., y M. E. SHILS: *La nutrición en la salud y en la enfermedad*, Salvat, Barcelona, 1987.

GRANDE COVIÁN, F.: *Nutrición y salud*, Temas de Hoy, 1991 (15.ª ed.).

GUILLAND, J. C., y B. LEQUEU: *Les vitamines: du nutriment au médicament*, Medicales Internationales, 1992.

H. HARA, EDDIE: *Algues dans la cuisine macrobiotique*. Guy Trédaniel. Éditions de la Maisnie, 1983.

HANSSEN, M.: *El poder curativo del polen*, Edaf, Madrid, 1982.

HEINERMAN, J.: *El ajo y sus propiedades curativas*, Paidós, Barcelona, 1995.

HÉRAUD, G., MAILLARD, Ch. y M. S. BILLAUX: *Diététique du praticien*, Expansion Scientifique Française, 1991.

HERNÁNDEZ RAMOS, FELIPE: *Antienvejecimiento con nutrición ortomolecular*, Integral, Barcelona, 2007.

–, *Que tus alimentos sean tu medicina*, Integral, Barcelona, 2003.

HERVÉ, M., y D. MEGARD: «Maîtrise des contaminations d'un concentré d'oignons par levures et moisissures. Stabilisation par addition d'huile essentielle». Sciences des aliments, n.° 15, 1995.

HODGE, G. y otros: «Allium sativum (garlic) suppresses leukocyte inflammatory cytokine production in vitro: potential therapeutic use in the treatment of inflammatory bowel disease». Cytometry 2002, n.° 48, pp. 209-215.

HUMAN MEDICAL COLLEGE OF CHINA: «Garlic in cryptococcal meningitis», Chino Med. J. 93: 123, 1980.

HUMANES y CIVANTOS: *Estudio de la producción del aceite de oliva.* 1992.

IMAI, J., IDE, N., NAGAE, S., MORIGUCHI, T., MATSUURA, H., ITAKURA, Y.: «Antioxidant and radical scavenging effects of aged garlic extract and its constituents», Planta Med., vol. 60, 1994, pp. 417-420.

ISAACSOHN, J. L. y otros: «Garlic powder and plasma lipids and lipoproteins: a multicenter, randomized, placebo-controlled trial», Arch Inter Med 1998, n.° 158, pp. 1189-1194.

ISSELS, R. D., y otros: «Promotion of cystine uptake and its utilization for glutthione biosynthesis induced by cysteamine and N-acetylcysteine», Biochem. Pharmacol., n.° 37, pp. 881, 1988.

JAIN, A.K. y otros: «Can garlic reduce levels of serum lipids? A controlled clinical study». Am J Med 1993, n.° 94, pp. 632-635.

JAMES, J. S.: AIDS Treatment News, número 88, 6 de octubre, 1989.

JARSTRAND, C., y otros: «Glutathione and HIV infection. Letter», Lancet, n.° 1, pp. 234-236, 1990.

KALEBIC, T., y otros: «Supression of human inmunodeficiency virus expression in chronically infected monocytic cells by glutathione ester, and N-acetylcysteine», Proc. Nat. Acad. Sd. USA, n.° 88, pp. 986-990, 1991.

KANAREK, R.B., y R. MARKS-KAUFMAN: *Nutrición y comportamiento*, Bellaterra, 1994.

KANNAR, D. y otros: «Hypocholesterolemic effect of an enteric coated garlic supplement». J Am Coll Nutr 2001, n.° 20, pp. 225-231.

KIM, J. A. y otros: «Topical use of N-acetylcysteine for reduction of skin reaction to radiation therapy», Semino Oncol., n.° 10 (Supl. 1), pp. 86-88, 1983.

KUSHI, MICHIO: *El libro de la macrobiótica*, Edaf, Madrid, 1987.

LEDERER, J.: «Les oligoelements: quel avenir?», Rev. Franç. Endocrinologie, n.° 35 (1994), p. 3.

LEE, W. H., BEE POLLEN: Keats Publishing, New Canaan (Connecticut), 1983.

LEHNINGER, A. I., NELSON, D. I. y M. M. COX: *Principios de bioquímica*, Omega, 1993.

LEVY, L., VREDEVOE, D. L.: «The effect of N-acetylcysteine on cyclophosphamide inmunoregulation and antitumor activity», Semin. Oncol. 10 (Supl. 1), pp. 7-16, 1983.

LINDER, M.: *Nutrición, aspectos bioquímicos, metabólicos y clínicos*, Eunsa, 1988.

LÓPEZ LARRAMENDI, J. L.: *El ajo*, Edaf, Barcelona, 1989.

LÓPEZ ROMERO, D.: «Gamalinolenic Acid as a Base of Treatment for Chronic Infirmities. Clinical Experience in Spain with Primrose Oil and Spirulina Microalgae», Congreso de Medicina Holística. Madrid, 1987.

MADRID VICENTE; SENZANO DEL CASTILLO: *Manual de aceites y grasas comestibles.* AMV Ediciones, 1997.

MARCH, L.; RÍOS, A.: *El libro del aceite y la aceituna*, Alianza Editorial, Madrid, 1989.

MARTINES MORENO, J. M.: *Fundamentos físico-químicos de la técnica oleícola*,Patronato Juan de la Cierva, Madrid, 1972

MARTÍNEZ LLOPIS: *El libro del ajo*, Mondadori, Barcelona, 1988.

MATAIX VERDÚ, F.J.: *Aceite de oliva y salud.* Centro de Información y Documentación Agraria, DL, 1988.

MATSEUDA, S. y otros: «Isolation and Purification of the Human Erythrocytecholesterase and the Enzymo-effect of the Chlorella Components». Sci. Rep. Hirosaki Univ., n.° 23, pp. 17-23, 1976.

MERVYN, LEONARD: *Thorsons Complete Guide to Vitamins & Minerals.* Thorsons Publishing Group. Wellingborough (England), 1986.

MILLER, L. E, RUMACK, B. H.: «Clinical safety of high oral doses of acetylcysteine», Semin. Oncol., n.° 10 (Supl. 1), pp. 76-85, 1983.

MILLMAN, M. y otros: «Use of acetylcysteine in bronchial asthma-another look», Ann. Allergy, n.° 54 (4), pp. 29496, 1985.

MOREIRAS, O., CARBAJAL, A. y M.ª L. CABRERA: *La composición de los alimentos*, Eudema Universidad, 1992.

MYERS, C. y otros: «A randomized controlled trial assessing the prevention of doxorubicin cardiomyopathy by N-acetylcysteine», Semin. Oncol., n.° 10, pp. 53-55, 1983.

NAHMIAS, FRANÇOISE: *La miel cura y sana*, De Vecchi, Barcelona, 1987.

NAKAYA, N. y otros: «The effect of spirulina on reduction of serum cholesterol». Progress in Medicine. Vol. 6, n.° 11, nov. 1986.

National Research Council: *Raciones dietéticas aconsejadas*, Consulta, 1991.

NEWALL, C. A. y otros. «Herbal Medicines: A Guide for Health Care Professionals». London: Pharmaceutical Press; 1996.

NOVIKOVA, M. A., LEVI, J. S., KHORILOV, A. S.: Antibiotiki, n.° 4 (118), p. 41, 1957.

O'BRYAN, R.: Fats and Oils, Formualting and Processing for Applications. Technomic Publishing Company, Inc., 1998.

OLIVIER, JEAN-FRANÇOIS: «Klamath, la superalgue». La Vie Naturelle. Julio/Agosto 1992, n.° 74, pp. 45-47.

PALERMO, M. S. y otros: «Inmunomodulation exerted by ciclophosphamide is not interfered by N-acetylcysteine», Int. J. Inmunopharmacol., n.° 8 (6), pp. 651-655, 1986.

OÀMIES TRAVESSET, J. M. y H. VIDAL FERNÁNDEZ: *Miel, jalea, polen y própolis*, Edisan, Madrid, 1987.

PEDRAZA-CHAVERRI, J. y otros: «Garlic prevents hipertensión induced by chronic inhibition of nitric oxide synthesis». Life Sci 1998, n.° 6z, pp. 71-77.

Pellissier, Simone y M. Gateau: *La mel*, Laia, col. «Biblioteca de Treball», Barcelona, 1975.
Perlman, D.: *The Magic of Honey*, Nash Publishing, Nueva York, 1974.
Persano, Aldo L.: *Hidromieles: historia, recetas y métodos para su elaboración*, Editorial Hemisferio Sur, Buenos Aires, 1987.
Piscitelli, S.C. y otros: «The effect of garlic supplements on the pharmacokinetics of saquinavir». Clin Infect. Dis. 2002, n.° 34, pp. 234-238.
Qureshi, A. A. y otros: «Suppression of avian hepatic lipid metabolism by solvent extracts of garlic: impact on serum pids». J Nutr 1983, n.° 113, pp. 1.746-1.755.
Ritchie, Carson I. A.: *Comida y civilización*, Alianza Editorial, 1988.
Rose, K. D. y otros: «Spontaneous spina epidural hematoma with associated platelet dysfunction from excessive garlic ingestion: a case report». Neurosurgery 1990, n.° 26, pp. 880-882.
Saez, G. y otros: «The production of free radicals during the auto-oxidation of cysteine and their effect on isolated rat hepatocytes», Biochim. Biophys. Acta 719, n.° 24, 1982.
Salunke, D. K., y S. S. Kadam: *Fruit Science and Technology*, Marcel Dekker Inc, 1995.
Sánchez, M., Pino, J., Rogert, E. y E. Roncal: «Obtención de aceites esenciales de limón concentrados mediante destilación al vacío y estudio de su composición», Rev. Alimentaria, n.° 94, p. 71.
Sanmartí, A. M., Lucas, M. y L. Salinas: *Lo fundamental en diabetes mellitus*, Doyma, 1991.
Sato, T., Miyata, G.: «The nutraceutical benefit, part IV: garlic». Nutrition 2000, n.° 16, pp. 787-788.
Sautier, C. y Trémolières, J.: «Valeur nutritive de la spirulina chez l'humain». Ann. Nutr. Alim., n.° 30, pp. 517-534, 1976.
Schlemmer, A: *El método natural en medicina*, Alhambra, 1985.
Schmiti-Graff, A., Scheulen, M. E.: «Prevention of adriamycin cardiotoxicity by niacin, isocitrate or N-acetylcysteine in mice», Pathol. Res. Pract., n.° 181 (2), pp. 168-174, 1986.
Schneider, Ernst: *La salud por la nutrición*, Safeliz, Madrid, 7.ª edición, 1994.
Scott, Ciryl: *Las melazas*, Edaf, Madrid, 1982.
Seignalet, Jean: *La alimentación, la tercera medicina*, Integral, Barcelona, 2005.
Signorini, R.: *La miel, fuente de vida*, Mensajero, Bilbao, 1981.
Silagy, C. A. y otros: «A meta-analysis of the effect of garlic on blood pressure». J Hypertension 1994, n.° 12, pp. 463-468.
Silgay, C., Neil, A.: «Garlic as a lipid lowering agent, a metaanalysis», lour. Royal. College Physicians, vol. 28, (1), enero/febrero 1994, pp. 2-8.

Song, K., Milner, J. A.: «The influence of heating on the anticancer properties of garlic». J Nutrition 2001, n.° 131, pp. 1.054S-1.057S.

Souci, Fachmann, Kraut: *Nutrition tables*, Medpharm Scientific Publishers, 1994.

Stein, Irene: *Jalea real*, Edaf, Madrid, 1987.

Stevinson, C. y otros: «Garlic for treating hypercholesterolemia: a meta-analysis of randomized clinical trials». Ann Intern Med 2000, n.° 133, pp. 420-429.

Takeuchi, T.: «Clinical Experiencies of Administration of Spirulina to Patients with Hypochronic Anemia». Tokyo Medical and Dental University. Japón, 1978.

Trease-Evans: *Farmacognosia*, Interamericana/McGraw-Hill, 1991.

Tsai, Y. y otros: «Antiviral properties of garlic: In vitro effects on influenza B, herpes simplex I, and coxsackie viruses», Planta Médica, n.° 5, pp. 460-461, 1985.

Tyler, V.: *Herbs of Choice, the Therapeutical Use of Phytomedicinals*. Binghamto Pharmaceutical Press; 1994.

Valnet, J.: *Traitement des maladies par les legumes, les fruits et les céréales*, París, Maloine Ed., 1982.

Valpiana, T.: *El aceite de oliva*, Océano, Barcelona, 1998.

Wade, Carlson, *Bee Pollen and Your Health*, Keats Publishing, New Canaan (Connecticut), 1978.

Watson, R. A.: «Ifosfamide, chemotherapy with new promise and new problems for the urologist», Urology, n.° 24 (5), p. 46.568, 1984.

Wichtl, M.: *Herbal drugs and phytopharmaceuticals*, Medpharm Scientific Publishers, Studgar, 1994.

World Olive Council: *World Olive Enciclopedia*, Plaza Janés, Barcelona, 1996.